Missie Cuba

3145

Van dezelfde auteur

Bezoek onze internetsite www.awbruna.nl
voor informatie over al onze boeken.

Gérard de Villiers

Missie Cuba

Zwarte Beertjes
Utrecht

Oorspronkelijke titel: Mission: Cuba
© 2005 Éditions Gérard de Villiers, Paris
All rights reserved including the rights of reproduction in whole or in
part in any form.
Vertaling: Missie Cuba
© 2007 A.W. Bruna Uitgevers B.V., Utrecht

Dit is een uitgave van A.W. Bruna Uitgevers B.V.
in samenwerking met Zwarte Beertjes.

ISBN 978 90 461 1232 8
NUR 313

Proloog

'De pijn in zijn nek was kort en hevig. *El comandante* drukte zijn rechterhand achter tegen zijn nek. Zijn gezicht vertrok van de pijn. Hij ging op zijn stoel zitten en toen zakte hij op zijn bureau in elkaar, waarna hij het bewustzijn verloor...'

De mannenstem die deze gebeurtenis had beschreven, klonk jong en verstikt door emoties. Zijn Spaans had duidelijk een Cubaans accent.

De salsamuziek die op de achtergrond klonk, gaf dit korte, dramatische verslag een vreemde sfeer. Een andere stem – ook Spaans, maar ouder – vroeg: 'En daarna, Carlito? Wat gebeurde er daarna?'

'Robertico heeft gebeld en toen kwam er een ploeg artsen en verpleegsters van de derde verdieping, waar de privékliniek van de comandante is gevestigd. Zij hebben hem meegenomen. Ze waren allemaal in het wit.'

'En jij, Carlito, wat heb jij gedaan?'

'Ik ben met de anderen naar buiten gegaan. Robertico heeft ons laten zweren tegen niemand iets te zeggen. Hij zei dat het waarschijnlijk een tijdelijke inzinking was, zoals de comandante al zo vaak heeft gehad. Zelfs een keer in het openbaar, in Varadero. Want hij werkt te hard voor het welzijn van het Cubaanse volk.'

De man die had gesproken, zweeg en de salsamuziek was het enige geluid. De oudere stem vervolgde: 'Heb je de comandante daarna nog gezien?'

'Nee, we zijn gaan slapen.'

'Heb je nog iets gehoord?'

'Nee.'

'Wie weten ervan?'

Even aarzelde hij. 'Ik weet het niet. We waren met ons vieren in het kantoor, behalve Robertico. En dan waren er nog de mensen van de medische ploeg.'

Weer klonk alleen de salsa. Toen waren er rinkelende flessen en glazen te horen, en de oudere man zei: 'Hier, neem een slok rum, Carlito. Ik zie dat je het er erg moeilijk mee hebt. Maar de comandante komt er vast wel overheen. Ontspan je.'

Even was alleen de salsa op de achtergrond te horen. Toen zei de stem van de oudste man op een andere toon: 'Je bent mooi als een god, Carlito.'

De jongeman zei iets onverstaanbaars en er klonken geluiden die moeilijk thuis te brengen waren, tot de oudere stem op dwingende toon zei: 'Pijp me.'

Even later zweeg de cassetterecorder met een droge klik.

De drie mannen keken zwijgend naar de kleine recorder die op het lage tafeltje van Michael Lewis stond, de adjudant van de nieuwe directeur-generaal van de Central Intelligence Agency, Porter Goss. De zon scheen voluit door de grote, naar het zuiden gerichte ramen van de kamer op de zesde verdieping van het hoofdgebouw van de CIA in Langley, maar de airco hield de temperatuur op achttien graden. Enkele eindeloos traag verlopende seconden bleef het stil, tot Michael Lewis eindelijk de stilte verbrak. Hij was een gedrongen man in hemdsmouwen, met een rond gezicht, een dikke bril en kortgeknipt, grijs haar. Hij wendde zich tot een lange, slungelige man met een sluwe blik, die verborgen ging achter een bril met enorm dikke glazen. 'Lee, is die opname van jou?'

Lee Dickson, sinds twee jaar districtshoofd in Havana, beaamde dat meteen. 'Ja, meneer. Ik kwam gisteravond laat aan en ik heb meneer Radnor gevraagd hem u vanmorgen meteen te geven. Ik vind het uiterst belangrijke informatie, waar we snel iets mee moeten doen.'

Philip Radnor, een corpulente man met een duidelijk latijns uiterlijk, hoofd van de afdeling 'Cuba' bij de CIA, knikte zwijgend. Even bleef het stil en toen zei Michael Lewis: 'Laat het nog eens horen, Philip, en vertaal het stukje bij beetje voor mij. Mijn Spaans is niet je-dát.'

Dat gold niet voor de twee andere mannen, die uitstekend Spaans spraken.

Philip Radnor spoelde de cassette terug en startte hem opnieuw, waarna hij het gesprek stukje bij beetje vertaalde, maar niet de laatste zin. Dat ontging Michael Lewis niet en meteen vroeg hij: 'Wat zei hij aan het einde?'

Philip Radnor en Lee Dickson wisselden een korte blik en toen zei het districtshoofd van het kantoor in Havana met een onaangedane stem: 'Pijp me, sir. Het is een gesprek tussen twee homoseksuelen.'

Michael Lewis reageerde niet. Nadat hij een slok koffie had genomen, wendde hij zich tot Lee Dickson. 'Nou, Lee, vertel ons hier eens meer over. Als ik het goed begrijp, was die Carlito er getuige van hoe Fidel Castro een ernstige beroerte kreeg.'

'Ja, meneer,' beaamde het districtshoofd.

'En wanneer is dat gebeurd?'

'Het zou donderdag 10 maart om negen uur 's morgens in het privékantoor van Fidel Castro moeten zijn gebeurd, op de vijfde verdieping van het gebouw waarin de Revolutionaire Raad is gevestigd, achter het standbeeld van José Martí op het Revolutieplein in Havana. Het gesprek is twee dagen erna opgenomen, op zaterdag de twaalfde, en op de zestiende, gisteren dus, heb ik van mijn bron *Iglesia*, in George Town, op de Kaaimaneilanden, de cassette gekregen. Toen ik hem had afgeluisterd, vond ik de informatie zo belangrijk, dat ik hem meteen aan u wilde laten horen.'

'Wie is Iglesia?' vroeg Michael Lewis met enige argwaan. Hij vond de bijnaam misplaatst voor iemand die zijn gastheer pijpte...

'Een van mijn weinige bronnen in Havana die soms toegang heeft tot de binnenste cirkel rondom Fidel Castro,' legde Lee

Dickson uit. 'Hij is een Spaanse architect die al een jaar of tien in Cuba woont, Miguel Barreiro. Hij is heel rijk, homoseksueel en kent de hele Cubaanse nomenklatoera. Een voorganger van me, John Hickam, heeft hem ongeveer vijf jaar geleden gerekruteerd. Philip Radnor kan getuigen dat hij al veel belangrijke informatie heeft doorgespeeld over het machtsevenwicht binnen de kring van Cubaanse leiders.'

'Betaalt u hem veel?'

'Geen cent!' antwoordde Lee Dickson meteen. 'Hij haat het Cubaanse regime en heeft geen geld nodig. Bovendien denk ik dat hij het wel spannend vindt om spionnetje te spelen.'

Michael Lewis vroeg voorzichtig: 'Waarom woont hij dan nog in Havana, als hij het Cubaanse regime haat.'

Dat leek hem een logische vraag. Kalm en ernstig antwoordde Lee Dickson: 'Omdat hij van Cubanen houdt. Jong, knap en bij voorkeur zwart. Op dit eiland vind je enorm veel biseksuelen. Laten we zeggen dat het hier geaccepteerd is.'

Om een opkomend gevoel van walging te onderdrukken, nam de tweede man van de CIA nog een beetje koffie. Toen vervolgde hij: 'Goed. Wie is die Carlito die erbij was?'

'Een lid van de persoonlijke lijfwacht van Fidel Castro. Ze worden uitgekozen op grond van hun politieke overtuiging en hun fysieke kwaliteiten. Ongeveer een derde bestaat uit oude getrouwen van de *Líder Máximo* en voor de rest zijn het jonge negers uit de omgeving van Santiago de Cuba. Hun aanstelling vindt plaats na een psychologisch onderzoek, dat wordt uitgevoerd door een specialist van de *Dirección General de la Seguridad del Estado*. De staatsveiligheidsdienst. Degene om wie het ons gaat, is Carlos Fernández. Hij is tweeëntwintig jaar oud en werkt er nu ongeveer acht maanden.'

'Mijn god,' verzuchtte Michael Lewis. 'Hebben ze dan tijdens zijn psychologische test niets gemerkt?'

Lee Dickson kon een lichte zucht niet onderdrukken. 'Sir, zoals ik u al zei, zijn talloze Cubanen biseksueel en het feit dat iemand homoseksueel is, wordt niet als een bedreiging voor de staatsveiligheid gezien. De broer van Fidel, Raul Castro, is het zelf ook, en bijna alle leden van zijn lijfwacht zijn zoals hij.'

Michael Lewis brieste geprikkeld: 'Ik heb altijd gelezen dat het Cubaanse regime homoseksualiteit verbood.'

'In theorie, ja,' reageerde Lee Dickson voorzichtig. 'Er is bovendien enorm veel sekstoerisme naar Cuba.'

'Nou nou, hoe zijn die Carlito en uw bron met elkaar in contact gekomen?'

'Elke week worden er in Havana semi-clandestiene homofeesten georganiseerd,' legde het districtshoofd uit. 'Dat gebeurt aan de rand van de stad, in parken of boerderijen die voor de gelegenheid worden afgehuurd. Ze noemen het *fiestas mariquitas*. Een geheime ontmoetingsplaats voor alle homoseksuelen, zonder sociaal onderscheid. Daar legt onze bron zijn contacten. Hij kwam Carlos Fernández bij toeval tegen, zonder dat hij wist wat voor werk hij deed. Hij vond hem gewoon aantrekkelijk. Dat was ongeveer drie maanden geleden. Carlos Fernández, die uit de provincie komt, kent niet veel mensen in Havana en moet verblind zijn geweest door de manier van leven van Miguel Barreiro, die een luxueuze villa heeft in de chique wijk Miramar. Daarheen neemt hij zijn veroveringen mee om rum te drinken en seks te hebben. Tijdens een van die bijeenkomsten vertelde hij over het gezondheidsprobleem van Fidel Castro.'

'Wacht eens even,' onderbrak Michael Lewis hem verbaasd, 'Iglesia neemt ál zijn gesprekken met zijn...' – hij zocht naar een woord - '...partners op.'

Lee Dickson glimlachte opnieuw. 'Hij neemt ze niet alleen op, hij filmt ze ook. Hij bewaart graag herinneringen aan zijn erotische uitstapjes. In dit geval heeft hij ons er een enorme dienst mee bewezen. We hebben nu hard bewijs van wat er is gebeurd.'

De tweede man van de CIA hapte naar lucht bij het aanhoren van deze tropische schaamteloosheden. Hij stond op, pakte een Dominicaanse sigaar – Cubaanse waren in de Verenigde Staten verboden – van zijn bureau, stak hem aan en liet zich weer op de bank zakken. 'Goed,' zei hij. 'Bent u zeker van uw bron? Hebben de Cubanen hem niet in de gaten?'

'Ik denk het niet, sir,' antwoordde Lee Dickson behoedzaam. 'Ik ben uiterst voorzichtig en ik ontmoet hem niet op Cuba. Miguel Barreiro heeft geïnvesteerd in onroerend goed op de Kaaimaneilanden, waar hij regelmatig naartoe gaat. Dat is hooguit een halfuur vliegen van Havana. Via een systeem van lege postbussen laat hij me weten wanneer hij erheen gaat en dan ontmoeten we elkaar daar, nadat ik er via Miami naartoe ben gegaan, om de Cubaanse inlichtingendienst af te schudden. Deze opname heeft hij me in George Town gegeven. Wanneer we verdergaan met deze zaak, zal ik hem daar opnieuw ontmoeten. Via die Carlito, die hij regelmatig ontmoet, moet ik een methode ontwikkelen waarmee hij me op een veilige manier op de hoogte kan houden van de gezondheid van Fidel Castro.'

Opnieuw bleef het even drukkend stil in het kantoor. Lee Dickson, het districtshoofd van Havana, kookte inwendig. Misschien beschikte hij wel over de informatie waar iedereen in het Witte Huis al jarenlang van droomde en nu werd er over elk detail geruzied! Fidel Castro had sinds 1959, het jaar waarin hij de macht greep, tien Amerikaanse presidenten overleefd. De snijdende stem van Michael Lewis rukte hem uit zijn sombere overpeinzingen.

'Goed,' begon hij, 'is Fidel Castro sinds afgelopen donderdag nog gezien?'

Lee Dickson stikte bijna van woede. 'Sir,' zei hij verontwaardigd, 'als dat zo was, zou ik hier niet zijn. Maar,' voegde hij er meteen voorzichtig aan toe, 'dat wil nog niets zeggen. Hij blijft soms gedurende langere tijd onzichtbaar, terwijl hij kerngezond is. We hebben maar heel weinig informatie over zijn leven.

10

Nauwelijks meer dan we vroeger over de leiders van het Kremlin hadden.'

Dat kwam aan! Michael Lewis had vroeger de leiding gehad over de afdeling 'USSR'. Stijf wendde die zich tot Philip Radnor en hij vroeg op beleefde toon: 'Phil, jij kunt ons vast van alles vertellen over het leven van Castro?'De man van de afdeling 'Cuba' sloeg een dossier open en antwoordde enigszins verkrampt: 'Nou, veel weten we niet... Fidel Castro woont samen met zijn tweede vrouw, Delia Soto Del Vale, en vijf van zijn kinderen. Ze wonen in een groot huis ten westen van Havana, met een zwembad, een manege en zelfs een atoomkelder voor zestig man. De toegang wordt uiterst streng bewaakt. Volgens onze informatie staat het huis via een tunnel in verbinding met een klein vliegveld in de buurt van Baracoa, waar permanent een privéjet klaarstaat, zodat Fidel Castro te allen tijde snel weg kan vluchten.'

'Waar werkt hij?' vroeg Michael Lewis.

'Zijn kantoren liggen aan het Revolutieplein, midden in Havana, op de vijfde verdieping van een van de drie gebouwen achter de aan José Martí gewijde obelisk. Castro komt er niet vaak en altijd in een konvooi van drie zwarte Mercedessen, soms gevolgd door een ambulance. Ze komen over de Quinta, de Vijfde Straat, de brede laan die van oost naar west de wijk Miramar doorsnijdt. Op vrijwel elke kruising staat een wachtpost met een agent van de *Policía Nacional Revolucionaria*, die via de radio in contact staat met zijn hoofdkwartier.'

Philip Radnor draaide gehoorzaam zijn verhaal af. Helaas had hij niet veel te zeggen, dus snel voegde hij eraan toe: 'We weten dat Fidel Castro soms per helikopter reist, maar dat wordt nooit van tevoren afgesproken. Hij komt heel weinig naar buiten. Zijn enige openbare bezigheden die vooraf bekend zijn, zijn de televisietoespraken die hij in de regel in aanwezigheid van enkele duizenden personen in de zaal van het Paleis van de Revolutie houdt. Hij ontvangt soms ook bezoekers, maar dat gebeurt steeds minder.'

'Goed,' zei de tweede man van de CIA weer. 'Hebt u een manier om er nú achter te komen hoe het met de gezondheid van Fidel Castro staat?'

De adamsappel van het hoofd van de afdeling Cuba ging een paar keer op en neer, voordat hij toegaf: 'Nee, meneer. Niet echt. Zijn maîtresse, die hij al heel lang heeft, zijn grote liefde, Naty Revuela, vierentwintig jaar oud, woont niet ver van Siboney, maar hij ziet haar vrijwel nooit meer. En hij wordt zo streng bewaakt, dat het vrijwel onmogelijk is om bij hem in de buurt te komen.'

'En technische middelen?'

Philip Radnor schudde zijn hoofd. Op spijtige toon antwoordde hij: 'We hebben nog nooit een bericht onderschept over het privéleven van de Líder Máximo. De Cubanen vertrouwen de telefoon niet.'

Michael Lewis trok zenuwachtig aan zijn sigaar. 'In godsnaam! Er zijn toch talloze overlopers! Ik heb papieren langs zien komen...'

'Zeker, sir,' gaf de man van de afdeling Cuba onderdanig toe, 'maar daarin staat niets over de laatste periode. En we hebben nog nooit iemand uit de hoogste rangen gekregen. Op de dochter van Fidel Castro na, Alina, die in 1993 uit Cuba is gevlucht. Maar veel heeft ze ons niet kunnen vertellen. Informatie zoals we nu van Lee hebben gekregen, is zeldzaam.'

Hij zweeg, geschrokken van zijn eigen moed. Sinds het ontslag van directeur-generaal George Tenet in 2004 durfde niemand op het kantoor nog eigen initiatief te ontplooien.

Er viel een stilte en iedereen dacht aan Cuba, een eiland van twaalfhonderd kilometer lang, dat loom in de Caribische Zee lag, nog geen tweehonderd kilometer ten zuiden van Miami. Michael Lewis drukte zijn sigaar uit in de asbak en vroeg: 'Wat is uw conclusie, heren? Is Fidel Castro dood?'

Philip Radnor kroop nog dieper weg in zijn stoel, maar Lee Dickson zei: 'Dat kunnen we onmogelijk zeker weten, sir. Maar dat hij problemen met zijn gezondheid heeft, valt niet te ontkennen. Ik ben geen arts, maar gezien de symptomen, lijkt het me een herseninfarct.'

'Is dat vaker gebeurd?' vroeg Michael Lewis meteen.

Philip Radnor sloeg zijn dossier open. 'Fidel Castro is al verscheidene keren zonder enige verklaring verdwenen. Hij zou in december 1989 een beroerte hebben gehad, veroorzaakt door een te hoge bloeddruk, die aan stress was te wijten. Zijn privéarts, Pepin Naranjo, heeft het er met enkele vrienden over gehad. En in juli 1993, tijdens de opening van een hotel aan het strand van Varadero, is er ook iets misgegaan. Om een uur of zeven 's avonds bleef hij twintig minuten lang doodstil, als een standbeeld staan, tot hij door zijn lijfwachten werd meegenomen. In het voorjaar van 1997 is hij, zonder enige verklaring, zes maanden van het toneel verdwenen. Zo ook gedurende enkele weken in de winter van 2002. Toen hij terugkwam, zei hij dat hij een ontsteking in zijn linkerbeen had gehad, die was veroorzaakt door een muggenbeet. Ik heb hier het rapport van een arts van het kantoor die de verschijningen van Castro op de televisie heeft bestudeerd. Hij zegt dat hij er bijna zeker van is dat Fidel Castro al eerder een beroerte heeft gehad en dat hij is gerevalideerd. Hij zegt dat hij dat merkt aan de manier waarop Castro praat.'

'Hebben we een medisch dossier van Castro?'

'We weten dat hij in 1986 is gestopt met roken,' vervolgde Philip Radnor. 'Hij leidt een rustig leven, drinkt zo nu en dan een beetje whisky en hij houdt van pastasalade, ananas, Roquefort en bordeauxwijn. Kennelijk is hij kerngezond. Toen hij begin dit jaar in het openbaar ten val kwam, heeft hij zijn knie gebroken, maar hij was voor een man van zijn leeftijd ongelooflijk snel weer op de been.'

Michael Lewis luisterde met groeiende afkeer. Een communist die van kaas en Franse wijn hield! 'Hoe oud is hij?' vroeg hij.

'Achtenzeventig jaar, sir.'

Michael Lewis staarde peinzend naar de peuk van zijn sigaar. Een dergelijk verhaal had hij niet verwacht. Kennelijk hechtten zijn twee medewerkers grote waarde aan de situatie. 'Hoe dan ook, we kunnen er dus niet achter komen hoe het op dít moment staat met de gezondheid van Fidel Castro,' herhaalde hij.

'Nee, meneer,' antwoordden de twee mannen in koor. 'Als het slechts een lichte beroerte was, kan hij weer snel op het toneel verschijnen. Maar hij kan net zo goed doodgaan...'

Michael Lewis schrok op. 'Mijn god. Maar dan zouden we het wel weten. De Cubanen zullen hem toch niet in het geheim begraven.'

'Natuurlijk niet,' gaf Lee Dickson toe, 'maar hij kan ook een tijdlang tussen leven en dood blijven zweven.'

'Wat gebeurt er wanneer hij er niet is?' vroeg Michael Lewis meteen.

Philip Radnor keek in zijn dossier en las: 'In geval van afwezigheid, ziekte of overlijden van de voorzitter van de Raad van State, Fidel Castro, zullen zijn functies worden overgenomen door de vicepresident, zoals beschreven in artikel 94 van de Cubaanse grondwet. Dat is dus de jongste broer van Fidel, Raul Castro.'

'Dat is duidelijk,' concludeerde Michael Lewis.

Philip Radnor was geschokt. Hij stikte bijna van verontwaardiging. 'Sir,' merkte hij sluw op. 'Al jarenlang bestudeert het kantoor de mogelijke scenario's in het geval van een biologische afloop, dat wil zeggen: de dood van Fidel Castro. Sommige van die scenario's vormen een ernstige bedreiging voor de veiligheid van ons land. De situatie daar is erg gecompliceerd en mogelijk zelfs explosief. Wanneer Castro ernstig ziek is, kunt u ervan overtuigd zijn dat een heleboel mensen uit zijn directe kring al hard werken aan een machtsovername. Dus wanneer we nu, dankzij deze opname, enkele tegenmaatregelen kunnen nemen, zal dat heel wat problemen voorkomen...'

De tweede man van de CIA zweeg lange tijd. Hij hechtte duidelijk weinig waarde aan het Cubaanse dossier, dat al bijna een halve eeuw oud was. De CIA had al lang geleden de pogingen opgegeven Fidel Castro te vermoorden en beperkte zich tot het schaduwen van pro-Castro netwerken in Florida. Tegelijkertijd werd op verschillende manieren geprobeerd een zwakke, verdeelde oppositie te steunen. Het leek alsof Líder Máximo voor de eeuwigheid was aangesteld. Ten slotte schudde Michael Lewis zijn hoofd. 'Goed,' zei hij. 'Ik zal proberen het Witte Huis achter ons te krijgen. Schrijf een memo over de bron van dit document en stuur me een kopie.'

Philip Radnor en Lee Dickson stonden op. Toen ze bij de deur waren, zei Michael Lewis nog snel: 'O, trouwens, laat die laatste zin weg.'

Het had geen zin de diepgelovige George W. Bush te choqueren.

Philip Radnor en Lee Dickson hadden net hun lunch in een Italiaans restaurant in Tyson Corner, een kilometer of tien van Langley, beëindigd, toen de beveiligde telefoon van de man van de afdeling Cuba overging. Het was Michael Lewis, die zowel opgewonden als verbijsterd klonk.

'Philip,' zei hij, 'ik verwacht je om drie uur bij mij op kantoor. De baas zal er ook zijn. Kennelijk ben je op iets belangrijks gestuit. Is Lee bij je?'

'Ja.'

'Zeg hem dat hij onmiddellijk naar de Kaaimaneilanden moet gaan om contact op te nemen met zijn bron Iglesia. We moeten hoe dan ook een bevestiging zien te krijgen van de informatie die we vanmorgen hebben ontvangen. *Top priority*.'

Hij hing zonder enige plichtpleging op. Philip Radnor kon het wel uitschreeuwen van plezier. Met een triomfantelijke glimlach keek hij het districtshoofd van Havana aan. 'Nou, Lee, ik denk dat er de komende dagen nog weinig van slapen zal komen. De president wil weten of Fidel Castro dood is of op sterven ligt. Ze bereiden onmiddellijk alle scenario's van een biologische oplossing voor. Mijn god, wanneer ik kan meehelpen aan het opdoeken van dat verrotte regime, kan ik met een tevreden gevoel met pensioen.'

Lee Dickson stond al opgewonden op. Van alle districtshoofden die elkaar de afgelopen veertig jaar op Cuba hadden opgevolgd, zou hij degene zijn die getuige was van het einde van het Castro-regime. Zijn naam zou de analen van de geschiedenis ingaan. De gedachte dat hij in het geheim rechtstreeks getuige kon zijn van het einde van Fidel Castro, gaf hem vleugels. Carlos Fernández, die deel uitmaakte van de meest nabije kring rondom de dictator, zou hem informatie uit de eerste hand geven.

De telefoon van Philip Radnor ging opnieuw over.

'Haal de meest recente films van Castro tevoorschijn en haal er een specialist van de medische ploeg bij!' droeg Michael Lewis hem op. 'De bijeenkomst vindt plaats bij de directeur. Wanneer je nog een paar goede analisten hebt, neem die dan mee. Aan de slag! Misschien moeten we nog een uitleg geven aan de andere kant van de Potomac. Vooruit, geen getreuzel!'

'*Yes, sir*,' antwoordde Philip Radnor met een onderdanige stem. Nadat hij de verbinding had verbroken, wendde hij zich tot Lee Dickson en zei op felle toon: 'Straks zegt die schoft nog dat híj degene is geweest die alarm heeft geslagen. Ik vraag me af of hij wel weet waar Cuba ligt.'

'Rustig maar,' suste het districtshoofd van Havana. 'Onze tijd komt wel.'

Hij pakte een glas waarin nog een restje *Valpolicella* zat en zei, als een parodie op de toost van de religieuze joden in Jeruzalem: 'Volgend jaar in Havana.'

1

De Falcon 900 daalde met een sierlijke bocht naar het begin van de landingsbaan van het vliegveld Owen-Roberts op het eiland Groot-Kaaiman. Door het raampje zag Lee Dickson in de ondergaande zon de blauwe zee liggen, met daarlangs het goudgele zand van Seven Miles Beach, en de kleine, koloniale huizen tussen de kokospalmen. De Kaaimaneilanden lagen ten zuiden van Cuba en maakten deel uit van het Britse rijk. Het was een klein paradijs waarin honderden banken floreerden en luxueuze hotels waren gevestigd, met golfbanen en georganiseerd diepzeeduiken voor de toeristen. Dit alles in een oase van rust en veiligheid in het centrum van de Cariben, te midden van een rustige bevolking.

Lee Dickson was in een jubelstemming. De bespreking met Porter Goss, de nieuwe directeur van de CIA, was uiterst goed verlopen. Het nieuws van de naderende dood van Fidel Castro, dat bliksemsnel tot het Witte Huis was doorgedrongen, was er als een bom ingeslagen. Operatie 'Iglesia', zo genoemd naar de inlichtingenbron, was meteen in gang gezet. Zo'n kans zouden ze niet nog eens krijgen! Voordat hij met de speciale dagelijkse, voor diplomaten en journalisten gereserveerde vlucht van Miami naar Cuba zou reizen, was Lee Dickson terug naar Groot Kaaiman gegaan om de volgende fase van de operatie voor te bereiden. Zijn bron Iglesia was van vitaal belang, want zolang de dood van Fidel Castro niet zeker was, konden ze niets op Cuba op poten zetten, zelfs niet met Amerikaanse hulp.

Alles moest gebeuren tussen het moment waarop de CIA via Iglesia van de dood van de dictator op de hoogte werd gesteld en het moment waarop het nieuws zou worden bekendgemaakt. De timing was van het grootste belang.

Met de door Lee Dickson verzamelde inlichtingen konden ze

een actie op poten zetten die al lange tijd op de kantoren van de CIA klaarlag.

Vijf jaar geleden had een *case-officer* van de CIA in Moskou, Gordon Brown, contact gelegd met een Cubaanse kolonel: de Cubaanse defensie-attaché in Moskou, Anibal Guevara. Normaal gesproken voerde die het bevel over een brigade zware helikopters, MI-18's van Russische makelij, maar hij was naar Rusland gestuurd om te onderhandelen over de aankoop tegen een voordelig tarief van reserveonderdelen. Kolonel Anibal Guevara had de case-officer van de CIA verscheidene keren ontmoet en hij had hem veel verteld. Hij voelde er niets voor om zich bij de miljoenen Cubanen in Miami te voegen, ondanks de aantrekkelijke aanbiedingen van het Amerikaanse kantoor. Maar hij droomde ervan zijn land van binnenuit te veranderen. Hij wilde met behulp van een handvol officieren, onder wie hijzelf, het regime omverwerpen. Maar de allereerste voorwaarde voor zijn plannen was het uitschakelen van Fidel Castro...

Na zijn vertrek uit Moskou had de CIA via contacten in Madrid en Caracas kunnen nagaan dat zijn goede bedoelingen nog steeds oprecht waren. Helaas was aan de voorwaarden om in actie te komen tot op heden nog steeds niet voldaan.

Maar nu leek alles mogelijk te zijn.

Lee Dickson, die nauwlettend door de Cubaanse geheime dienst in het oog werd gehouden, zou zich niet bemoeien met de plannen van de Cubaanse officieren. Die zouden door een onafhankelijke agent van het kantoor in Havana worden benaderd. Zijn enige opdracht was zich ervan te vergewissen of aan de eerste voorwaarde voor een staatsgreep werd voldaan.

Daarvoor moest hij zijn bron Iglesia ervan overtuigen dat ze nauwer met elkaar in contact moesten komen staan. En dat was niet eenvoudig. Miguel Barreiro was niet geïnteresseerd in geld en had tot nu toe alleen op eigen initiatief gehandeld.

De wielen van de Falcon 900 raakten de grond. De *company* had hem met deze vlucht meegestuurd om zijn reis beter geheim te kunnen houden. De gewone lijnvluchten zouden door agenten van de Cubanen in de gaten worden gehouden. Op de Kaaimaneilanden wemelde het van de agenten van de Cubaanse inlichtingendienst. Tot nu toe had Lee Dickson de strengste veiligheidsmaatregelen genomen om zijn bron te beschermen. Eén misstap en er was geen operatie Iglesia meer.

De Falcon kwam op enige afstand van het luchthavengebouw tot stilstand en het trapje vouwde zich open. Lee Dickson sprong op de grond, net toen er een witte auto aan kwam rijden, met achter het stuur een van zijn case-officers die op het eiland waren gestationeerd. Hij stapte in en meteen reed de auto naar de uitgang van het platform. Bij het hek liet de chauffeur het paspoort van Lee Dickson aan de op wacht staande politieagent zien. Deze was op de hoogte. Op de Kaaimaneilanden waren douane en marechaussee een farce. Op het eiland bestond geen criminaliteit, behalve dat de zee zo nu en dan enkele balen vol met cocaïne op het strand wierp, die ergens tussen Colombia en Cuba door een schip op volle zee waren gedumpt.

'Is er nog nieuws?' vroeg het districtshoofd van het kantoor in Havana aan zijn adjudant.

'Niets bijzonders, sir. Ik heb Iglesia twee lijfwachten van onze ploeg B toegewezen. Twee keer per dag doen ze verslag.'

Ploeg B bestond uit een tiental anti-Castro Cubanen die op het eiland waren geïnfiltreerd om contraspionage te plegen. Ze probeerden Castro-agenten te ontmantelen en hen te bewegen over te lopen. Eigenlijk hadden ze weinig te doen, want de Cubaanse geheime diensten wantrouwden dit door de Britten gecontroleerde eiland, waarop de Amerikanen de vrije hand hadden, als de pest.

De auto reed over Eastern Avenue naar George Town, dat met zijn talloze hotels aan de westkant van het eiland lag. Lee Dickson logeerde in het Radisson, een vrij bescheiden hotel dat gemakkelijk in de gaten kon worden gehouden. Twintig minuten later waren ze in zijn kamer, die op zijn naam stond, en meteen pakte hij de telefoon. Iglesia zou de volgende dag heel vroeg naar Cuba vertrekken, dus hij moest hem vanavond ontmoeten. Zelf zou hij de volgende dag naar Miami gaan, waar hij het speciale toestel naar Havana zou nemen.

Miguel Barreiro stond naakt voor de spiegel zijn gebruinde huid te bewonderen, toen de telefoon ging. Hij was klein, gespierd en had zwart, naar achteren gekamd haar. Zijn blik fonkelde van intelligentie en hij genoot van het leven. Hij had de vijftig nog niet bereikt.
'*Sí, dígame?*'
'Zullen we samen gaan eten?' vroeg een bekende stem in het Engels.
'Ja. Waar?'
'De Papagallo. Om acht uur?'
'Uitstekend.'
Het beste restaurant van het eiland. Het lag in een vogelreservaat in het uiterste noorden van West Bay, in een volkomen verlaten streek. Het dak bestond uit palmbladeren en overal groeide bamboe en vlogen vogels, waaronder een papegaai die de klanten in allerlei talen kon uitschelden.
Miguel Barreiro kleedde zich aan. Hij had weinig zin om terug naar Cuba te gaan. Het beviel hem goed op de Kaaimaneilanden. Het koloniale gebouw van het Hyatt, met zwembaden en strakke gazons, was het toppunt van raffinement. De Spaanse architect at meestal in restaurant Hemingway, op het plein waaraan het hotel ook lag, aan de andere kant van West Bay Road. In de regel deed hij dat met zijn verovering van die dag. Hij versierde hen in Rock Hole, de vervallen wijk van het eiland, en hij bood hun een beetje luxe in ruil voor wat seks. De negers waren er zacht en enigszins sloom, maar vaak knap en hij genoot ten volle van hen. Hij had trouwens bijna nee tegen Lee Dickson gezegd, want hij

had heel wat aangenamere plannen voor die avond gehad... Met tegenzin trok hij een lichtblauwe boxershort aan, een witte, linnen broek en een bij zijn boxershort passende *guayabera*, een geborduurd, Cubaans overhemd.

In elk geval stond hem wel een goede, Italiaanse maaltijd te wachten.

Hij haalde zijn huurauto op van het parkeerterrein en sloeg in noordelijke richting West Bay Road op. Het was ruim een half-uur rijden naar de Papagallo. Hij schonk geen enkele aandacht aan de auto die vlak achter hem van het parkeerterrein kwam. En de tweede, die eveneens, zonder koplampen, wegreed, zag hij evenmin.

Lee Dickson had een tafel achter in het restaurant gereserveerd, in de Papagallo Room, waar het nog donkerder was dan in de rest van het restaurant. Er waren weinig klanten: het restaurant was duur en lag afgelegen.

De Amerikaan luisterde ongeïnteresseerd naar Miguel Barreiro, die hem vertelde dat hij in de North Sound een aantal villa's had opgekocht die door de laatste orkaan waren verwoest. Tot een gerant zich naar zijn oor boog: 'Meneer, er is telefoon voor u.'

Het hart van de Amerikaan ging sneller kloppen. Hij kende niemand in George Town, op de mensen van het kantoor na. En die hadden de opdracht uit zijn buurt te blijven. Het verbaasde hem, maar het lukte hem zijn bezorgdheid onder een glimlach te verbergen en hij stond op. 'Neem me niet kwalijk.'

De hoorn lag op de bar, niet ver van de caissière.

'Hallo?'

'Meneer, met Raimundo.'

Een van de twee Cubanen die Iglesia moesten beschermen. Waarom belde hij in godsnaam? Ze zouden zich ergens in de buurt van het parkeerterrein verscholen moeten houden. Plotseling werd hij bang. 'Waarom belt u?'

'Meneer, er is een probleem,' zei Raimundo. 'Een ernstig probleem. Uw vriend wordt gevolgd.'

'O!'

Meer wist Lee Dickson niet te zeggen. Meteen liet hij zijn blik door de zaal gaan. Er zaten alleen stelletjes, die weinig weg hadden van spionnen. Toen zag hij in de schaduw bij de bar een man met een latijns uiterlijk die met een van de papegaaien bij de ingang speelde. Ongeveer veertig jaar oud, achterovergekamd haar, goed gekleed. Hij dronk daiquiri. Zachtjes vroeg Lee Dickson: 'Positief geïdentificeerd?'

'Ja, G2. Gisteren aangekomen. Hij viel ons meteen na aankomst van de vlucht uit Havana op. Officieel vertegenwoordigt hij een bedrijf dat op commerciële basis kreeften in de Cariben kweekt. Maar we kennen hem. Een gevaarlijke man. Luís Miguel Reloj. Hij heeft al eens in een groep dissidenten op Cuba geïnfiltreerd, maar ik denk dat ze hem daar hebben doorgekregen.'

Hoewel de G2, de Cubaanse contraspionagedienst, al lang geleden was vervangen door de DGSE, de Dirección General de la Seguridad del Estado, gebruikte Raimundo nog steeds de oude naam.

'Is hij alleen?' vroeg Lee Dickson.

'Ja.'

De Amerikaan kneep de telefoonhoorn bijna fijn. De zaak was duidelijk: wanneer de Cubanen ontdekten dat Iglesia met hem in contact stond, kon er van een operatie geen sprake meer zijn. Miguel Barreiro zou meteen na terugkeer op Cuba worden gearresteerd en hij zou alles verraden. Een ramp! De Cubaanse agent liet de papegaai nu met rust en stak een sigaret op.

'Meneer?'

'Ja.'

'Ik dacht dat u had opgehangen.'

'Nee, nee, ik denk na.'

Lee Dickson wist niet goed raad met deze onverwachte situatie. Hij moest snel een besluit nemen. Hij mocht er met geen woord over reppen tegen Miguel Barreiro, die meteen in paniek zou raken. Het districtshoofd moest zelf een oplossing zien te vinden. Hij kon het probleem niet aan zijn meerderen voorleggen. Hij dacht aan de grootse operatie die door deze complicatie dreigde mis te lopen. Hoe hij zijn hersenen ook pijnigde, hij kon geen goede oplossing vinden. Maar hij moest toch iets doen. 'Raimundo,' zei hij ten slotte, 'breng hem om, maar ga uiterst behoedzaam te werk. Je mag geen sporen achterlaten. Oké?'

'Oké,' antwoordde de agent van de CIA.

Lee Dickson hing op en liep glimlachend naar de tafel. 'Het spijt me,' zei hij tegen Miguel Barreiro, 'er was een probleem met mijn terugvlucht van morgen. Goed, zullen we de volgende keer op Cuba in restaurant Le Chansonnier afspreken?' Hij riep de ober en bestelde een fles *Taittinger Comtes de Champagne*. Niets was goed genoeg voor Iglesia. In de tussentijd konden zijn 'babysitters' hun werk doen.

'Goed,' stamelde de Spanjaard. 'Maar dat is heel gevaarlijk.'

'Nee, nee,' bracht Lee Dickson daartegenin. 'De Cubanen koesteren geen achterdocht jegens u, u woont al tien jaar in Havana, u werkt voor hen en u doet niet aan politiek. Ik heb als beloning twee kleine diamantjes voor u meegenomen.'

'Nee, nee,' riep Miguel Barreiro meteen uit. 'Dat is te gevaarlijk. Soms word je van top tot teen door de douane gefouilleerd.'

De Spaanse architect was zenuwachtig en ten slotte vroeg Lee Dickson om de rekening. Hij wist niet dat Iglesia een afspraak aan de rand van het zwembad had met een knappe, lichtbruin getinte jongen.

Ze liepen langs de Cubaan aan de bar, die weer met de papegaai speelde. De man schonk hun geen enkele aandacht. Vijf minuten later reden ze in hun eigen auto's terug naar George Town. Lee Dickson bad in stilte dat Raimundo de situatie in de hand zou hebben.

Luís Miguel Reloj wachtte minstens een kwartier voordat hij zijn consumptie betaalde. Hij verontschuldigde zich bij de gerant dat zijn vriend niet voor het eten was komen opdagen. Inwendig kon hij wel juichen: hij kende de man die met Miguel Barreiro had gegeten heel goed. Zijn foto was verspreid onder alle agenten van de DGSE. Het was het hoofd van de imperialistische spionnen in Havana.

Er moest een belangrijke reden voor zijn dat hij hierheen was gekomen om die Spaanse architect te ontmoeten. De Cubaanse agent was in opperbeste stemming, want hij had een nieuw spionagenetwerk blootgelegd. Hij was blij dat zijn meerderen hem naar George Town hadden gestuurd om die Spanjaard te schaduwen, die toch al heel lang op Cuba woonde. Het was niet de eerste keer dat hij naar de Kaaimaneilanden was gegaan. Er moest dus een nieuwe reden voor zijn. Morgen zou hij met een telelens foto's van de Amerikaan maken, om zijn verslag meer overtuigingskracht te geven. Als Fidel hem dan nog geen motor met zijspan gaf, bestond er geen revolutionaire gerechtigheid meer.

Luís Miguel Reloj was in zo'n euforische stemming, dat hij geen aandacht schonk aan de twee mannen die op het parkeerterrein op hem afkwamen. Plotseling explodeerde zijn wereld. Een van de onbekende mannen had hem bij het passeren met zijn knie een harde stoot in zijn onderbuik gegeven. Hij vouwde dubbel van de pijn en hij werd door iets in zijn nek getroffen, waarna hij het bewustzijn verloor.

Toen hij bijkwam, duurde het even voordat hij besefte dat zijn handen op zijn rug waren gebonden en dat hij dubbelgevouwen in de kofferbak van een auto lag die over een weg vol met kuilen hobbelde. Eerst begreep hij het niet, maar toen nam de paniek langzaam maar zeker bezit van hem. Ze hadden hem niet gedood, wat ze eenvoudig hadden kunnen doen. Waarom ontvoerden ze hem? Hij was niets waard. Langzaam kwam hij tot rust: ze wilden hem vast alleen bang maken.

Raimundo en Diego, zijn vaste kompaan, hadden de hoofdweg verlaten en sneden via een weg door het natuurpark af naar Botabona Road. De koplampen beschenen een verlaten savanne waaruit enkele kokospalmen omhoogstaken. Geen kip te zien. Raimundo, die reed, stopte de auto. Meteen klonk er gebonk van achteren. De gevangene sloeg met zijn hoofd tegen de zijkant van de kofferbak.

'Wat doen we?' vroeg Diego. 'Dit lijkt me een goede plek.'

De gevangene doden was eenvoudig. Ze konden hem met stenen doodslaan of hem wurgen. Maar daarna moesten ze het lichaam kwijt. Ze hadden geen schoppen of houwelen en de roofvogels zouden het lijk snel in de gaten krijgen. Het wemelde in het vogelpark van de parkwachten.

'We gooien hem in zee!' zei Raimundo.

Diego schudde zijn hoofd. 'Idioot! Met al die diepzeeduikers overal! Bovendien kan hij op het strand aanspoelen. Zelfs als we naar het moeras gaan...'

Ze zwegen, terwijl het bonken achterin harder werd. Plotseling riep Raimundo uit: 'We dumpen hem op de scheepswerf!'

'Op de scheepswerf? Maar wat...'

Plotseling zag Diego een brede glimlach op het gezicht van zijn partner. 'Uitstekend. Laten we gaan.'

Ze reden verder. Op Botabona Road sloegen ze rechts af in de richting van Morgans Harbour, de kleine haven van het eiland, waarvandaan de weinige vissersschepen vertrokken. Er vlak naast lag een eenvoudige scheepswerf, die vrij toegankelijk was. Ze waren er binnen tien minuten, zonder een andere auto te zijn tegengekomen. Er woonden hier weinig mensen... Ze passeerden een openstaand hek, zigzagden tussen de boten door, die gerepareerd werden, en kwamen op de noordpunt uit. Daar lag een open terrein. Raimundo stopte en stapte uit. Hij liet de koplampen van de auto branden.

Voorzichtig liep hij verder tot aan de rand van een vierkant bassin van ongeveer twintig bij twintig meter, dat in verbinding stond met de zee. Het oppervlak van het water bewoog iets, als door de wind, maar er stond geen wind. Raimundo pakte een steen en gooide die in het water. Meteen begon het water te kolken en er waren twee donkere vormen te zien. Tevreden keerde de Cubaan terug naar de auto en zacht zei hij tegen zijn kameraad: 'Kom mee, alles is in orde.'

De gevangene ging als een duivel tekeer in de kofferbak. Toen de twee Cubanen die opendeden, kwam hij overeind en probeerde weg te komen. Maar Raimundo pakte hem bij zijn arm en trok hem mee.

De gevangene kreeg geen tijd te reageren: de twee Cubanen tilden hem moeiteloos op en sleurden hem naar het bassin. Ervan overtuigd dat ze hem in de haven wilden gooien, gilde hij: 'Hé, ik kan niet zwemmen!'

Ze reageerden zelfs niet. Toen ze aan de rand van het bassin stonden, gooiden ze hem ruw van de rand en met zijn hoofd omlaag viel Luís Miguel Reloj met een grote plons in het zwarte water.

Zodra hij bovenkwam, stortten twee grijze gedaanten zich als een kolkende massa op hem: de twee haaien die in het bassin leefden en gevoerd werden met roggen, werden er gehouden tot ze aan een dierentuin zouden worden verkocht. Een ervan viel de Cubaan met opengesperde kaken op zijn rug zwemmend aan en hapte naar zijn borst. Luís Miguel Reloj slaakte een onmenselijke kreet en verdween onder water, meegesleurd door het monster. De tweede kwam enkele seconden te laat en zijn kaken klapten dicht in de leegte... Toen volgde er een lugubere waterdans, waarin de twee haaien vochten om deze onverwachte maaltijd.

Gefascineerd keken Raimundo en Diego toe hoe de langwerpige gedaanten de resten van hun slachtoffer aan stukken scheurden.

Langzaam maar zeker werd het water rustiger. De haaien

begonnen weer aan hun rondjes, want ze lagen nooit stil. Van de Castro-agent restte geen spoor. Misschien wat stukjes op de bodem van het bassin, maar daar kwam niemand.

'Dat is weer een vuile Castro-aanhanger minder,' gromde Raimundo, wiens broer door de revolutionairen was gefusilleerd.

2

Miguel Barreiro zat achter het stuur van zijn grijze Mercedes en remde af voor de bioscoop Yara, op de kruising van Calle L en de Rampa, vlak tegenover het Havana Libre. Hij draaide het raam van zijn rechterportier omlaag en boog zich naar een van de jongemannen die aan de rand van de stoep stonden, zoals elke zaterdagavond. In de bioscoop draaiden oude, Franse films, maar daar waren ze niet voor gekomen.

'Hallo!' riep de architect naar een jongeman met een heel mager, fijn getekend gezicht. 'Waar is het feest?'

De ander keek hem met een scherpe blik aan, maar toen hij de minuscule tekenen van een lid van de homoseksuele gemeenschap herkende, verscheen er een glimlach vol begrip op zijn gezicht. 'Bij het Leninpark,' zei hij. 'Vlak voor de hoofdingang is een zijweg. Sla daar links af. Ga honderd meter verderop nog een keer naar links, een pad op dat tegen de heuvel omhoog naar een boerderij loopt. Daar is het.'

'Dank je wel,' zei Miguel Barreiro.

Hij wilde al wegrijden, toen de jongeman hem toeriep: 'Mag ik meerijden?'

'Natuurlijk. Stap in.'

De jonge homoseksueel stapte in de Mercedes en Miguel Barreiro reed Calle L uit, een weg zoekend tussen de oude, versleten, Amerikaanse auto's uit de jaren vijftig, fietstaxi's en Russische Lada's, waaruit het grootste deel van het Cubaanse wagenpark bestond. Hij kon nog maar net een soort felgeel ei ontwijken: een plastic omhulsel op een driewieler, een beetje zoals de Thaise *samlo's*, die dan ook meteen door de autoriteiten van Havana 'kokomobiels' waren gedoopt: tot groot vermaak van de toeristen die in de Cubaanse hoofdstad verbleven. Op de stoepen van de slecht verlichte straat verdrong zich een dichte menigte die stond te wachten tot er misschien een *camel-lo*, een oude, door een vrachtwagen of tractor getrokken bus langs zou komen. Of ze probeerden te liften.

Openbaar vervoer bestond in dit land vrijwel niet, wegens gebrek aan geld en benzine. De Cubanen liepen dus veel.

Miguel Barreiro zette de radio aan. Hij werd heen en weer geslingerd tussen een gevoel van ongerustheid en verlangen Carlito terug te zien, de mooie lijfwacht van Fidel. Elke zaterdagavond stroomden honderden homoseksuelen naar een plek die elke week ergens anders was, altijd ver van het centrum van de stad, waar dan een soort privé-'homofeest' werd georganiseerd.

De door Havana patrouillerende politieagenten waren natuurlijk uitstekend op de hoogte, maar deze feesten werden geduld als een uitlaatklep. Officieel was homoseksualiteit uit Cuba uitgebannen, maar homo's manifesteerden zich probleemloos op verscheidene stranden of op straat. De helft van de *jineterías* die op de Quinta rondhingen, waren travestieten.

Miguel Barreiro kwam aan op la Rampa en reed naar het noorden. Het Leninpark lag ongeveer tien kilometer van het centrum.

'Heb je daar met iemand afgesproken?' vroeg de jongeman die hij had meegenomen. 'Ik heet Manuelo.'

De combinatie Miguel en de Mercedes trok hem duidelijk aan. De architect glimlachte. 'Ja, met mijn vriend. Maar ik betaal de toegang wel voor je.'

Eigenlijk zag hij een beetje tegen het feest op. Toen hij de vorige dag Lee Dickson in de Papagallo had ontmoet en de Amerikaan hem had uitgelegd dat de informatie over het herseninfarct van Fidel Castro een staatsaangelegenheid was geworden, was Miguel Barreiro in paniek geraakt. Hoewel hij vreselijk de pest had aan het Cubaanse regime, een dictatuur die steunde op verklikkers en angst, was hij een opportunist, en hij wilde vooral geen problemen. Ondanks het regime leidde hij bijna een leven als in een noordelijk land. Op de zwarte markt kon hij vrijwel alles krijgen wat hij nodig had. Bovendien kon hij niet zonder die prachtige jongens met hun donkere huid, die zo zacht en lief waren. In dit land waar de salarissen tussen de acht en veertig dollar lagen, was het kleinste cadeau al een fortuin waard.

Toen hij de cassette met de opname aan de man van de CIA had gegeven, had hij het eerst spannend gevonden, maar op de Kaaimaneilanden besefte hij pas in wat voor wespennest hij zich had gewaagd. Lee Dickson stond erop dat hij hem meer informatie zou geven over de gezondheid van Fidel Castro. En die informatie zou hij zijn jonge geliefde, de mooie Carlito, afhandig moeten zien te maken. Als die ook maar de minste achterdocht zou krijgen, zou hij hem óf alles vertellen wat hij wist, of hem bij de politie aangeven. Hij kreeg al kippenvel bij de gedachte in de kelders van de Villa Marista terecht te komen, het hoofdkwartier van de Dirección General de la Seguridad del Estado, de Cubaanse Gestapo die het regime al zesenveertig jaar met ijzeren hand beschermde.

En zelfs als Carlito zich nergens van bewust was, zou Miguel Barreiro nog tegen de lamp kunnen lopen. In La Havana wemelde het van de agenten van de Seguridad, die werden geholpen door een netwerk van spionnen en verklikkers die alles afluisterden.

Verder was er nóg een reden waarom hij Carlito moest vinden. Voordat hij naar de Kaaimaneilanden was vertrokken, had hij hem zijn auto uitgeleend, die hij voor zijn werk gebruikte: een Peugeot 205. Dat was zeer uitzonderlijk op Cuba, waar privé-auto's uiterst zeldzaam waren. Carlito had een rijbewijs en had zijn familie in Camaguey willen opzoeken, zonder verplicht te zijn zich in de weinige autobussen te persen. Miguel wilde nu zijn auto terug hebben.

'Linksaf,' zei zijn passagier, 'de Avenida San Francisco op.'

Verrast gaf Miguel een ruk aan het stuur en schoot nog net door het oranje verkeerslicht de zijweg in. Meteen slaakte hij een vloek. In de schaduw zag hij langs de stoep een witte auto staan met een groot zwaailicht op het dak, bij een groep mensen die verzameld stond bij een bordje waarop *transporte alternativo* stond. Met die pompeuze naam hadden de autoriteiten het liften tot openbaar vervoer verheven. Bij al deze genummerde halte-punten stond een vrouw van de Policía Nacional Revoluciona-ria die alle auto's met een blauw nummerbord aanhield. Dat waren auto's in staatseigendom en deze waren verplicht een paar passagiers mee te nemen die ongeveer dezelfde kant op gingen. De namen van degenen die weigerden, werden geno-teerd. Dat kwam de dader op een ernstige reprimande te staan van het hoofd van het comité ter verdediging van de revolutie in hun huizenblok.

Een schel fluitje deed Miguel Barreiro opschrikken. Hij trapte op de rem en stopte. De in het grijs geklede agent kwam naar hem toe en stak zijn hand uit: 'Papieren, *compañero*, u bent door rood gereden.'

De hatelijke blik in zijn ogen en zijn strenge gezicht beloofden weinig goeds. Miguel Barreiro pakte zijn papieren en schoof er een biljet van tien inwisselbare peso tussen. Dat wil zeggen: tien dollar.

'Ik heb het niet gezien. Neemt u me niet kwalijk.'

De agent bekeek de papieren langdurig en gaf ze toen terug. De tien peso hield hij natuurlijk. Zonder een woord te zeggen, liep hij weg. De jonge passagier van Miguel was in zijn stoel wegge-kropen. Hij gromde tussen zijn tanden: 'Vuile hond. Zo ver-dient hij minstens honderd dollar per maand bij.'

Ze reden weg.

Hoe verder ze van het centrum kwamen, hoe minder verlichting er was en hoe meer gaten er in het wegdek zaten. Het leek wel of je op het platteland was, maar ze waren nog in Havana. Toen ze van de Avenida San Francisco afsloegen, die hier Calle 100 heette, zag Miguel Barreiro links een lang hek liggen waarachter allerlei gebouwen lagen. Zijn maag kromp samen. Dit was het grootste ondervragingscentrum van de DGSE, waarin je maandenlang *incomunicado* kon blijven en dagelijks werd gemarteld.

Twee kilometer verderop bereikte hij een kruising en zijn koplampen beschenen rechts het grote hek van het Leninpark, dat enkele tientallen hectaren besloeg. Het hek was nu gesloten.

'Linksaf,' zei Manuelo.

Miguel Barreiro reed een slecht verlichte weg op, die hij een kilometer volgde zonder enig teken van leven te zien. Toen stopte hij geërgerd.

Dit moest een teken van het lot zijn. Als hij het feest niet zou vinden, zou hij Carlito ook niet kunnen vinden. Hij was kwaad vanwege de Peugeot 205, die zijn gewicht in goud waard was. Behalve de meer dan een halve eeuw oude Amerikanen die op miraculeuze wijze rijdende werden gehouden, hadden slechts heel weinig Cubanen een auto. Alleen enkele geluksvogels die regelmatig geld ontvingen van hun ouders, die in Florida woonden. Met deze hulp, die ook een deviezenbron voor de regering van Fidel Castro was, konden ze het hoofd boven water houden.

'Goed,' zei Miguel Barreiro, 'waar is het nou?'

Manuelo tuurde de duisternis in. Toen slaakte hij een kreet en wees naar een haaks op de weg liggend pad dat naar enkele in de verte knipperende lichtjes liep. 'Daar!'

Miguel Barreiro reed het pad op en kwam honderd meter verderop bij twee mannen met zaklantaarns, die bij een openstaand hek stonden. Hij passeerde het hek en een andere man gebaarde dat hij rechts af moest slaan, waar een weiland als parkeerterrein diende, vlak achter het feestterrein, waarvandaan oorverdovende muziek klonk. Het hart van de architect ging sneller kloppen bij de gedachte dat hij zijn Carlito zou terugzien...

Hij parkeerde achteraan op het weiland en haalde een biljet van tien peso uit zijn zak, dat hij aan Manuelo gaf. 'Hier, veel plezier.'

De ander liep blij weg. Miguel Barreiro stapte eveneens uit en zocht in de duisternis naar zijn Peugeot en Carlito. Hij stond de rij in het gras geparkeerde auto's nog te bekijken, toen een stem achter hem riep: '*Señor* Miguel!'

Hij draaide zich om en kwam oog in oog te staan met een volle, veel te fel opgemaakte mond, zwaar aangezette, blauwe oogleden en een wipneus. Een wit T-shirt omspande twee grote borsten en onder een gele minirok staken twee lange benen. Een prachtig travestietje, zei Miguel Barreiro bij zichzelf. 'Echte' vrouwen kwamen niet op deze feesten.

'Kennen we elkaar?' vroeg de architect.

'Ik ben Dalia, ik zou met Carlito komen, maar hij zegt dat je je niet ongerust moet maken. Hij komt nog.'

Miguel Barreiro nam Dalia met een lange, geamuseerde blik op. Travestieten namen vaak een vrouwelijke voornaam aan. Hij betwijfelde of de mooie Carlito wel al zijn zaad voor hém bewaarde, maar hij was niet jaloers. 'Goed,' zei hij ten slotte. 'Laten we een glas rum nemen en op hem wachten.'

Ze liepen naar de gebouwen die om het feestterrein stonden en hij betaalde de toegang voor Dalia. Er waren al meer dan honderd mannen aanwezig, die midden op een soort afgesloten binnenplaats stonden. In een hoek stond op schragen een geluidsinstallatie die onophoudelijk salsamuziek uitbraakte. Aan de bomen hingen stroboscopen, die de gedaanten op de dansvloer en de eromheen staande gasten met korte flitsen beschenen.

De lucht was heerlijk warm en de standaardkleding, guayabera en broek, was overal te zien, op hier en daar enkele travestieten in vrouwenkleding na.

Miguel Barreiro en Dalia liepen naar de bar. Achter een houten balie stonden twee oude badkuipen vol met ijs waarin flessen bier, rum en whisky, en zelfs enkele flessen Taittinger champagne voor de rijken koel werden gehouden. Dalia nam een *Buca-*

nero en Miguel schonk een plastic beker vol met rum en ijsblokjes. 'Wanneer komt Carlito?' vroeg hij.

Dalia schudde zijn hoofd. 'Dat weet ik niet.'

Het feest zou tot twee uur duren. Miguel ging op zoek naar
eventuele vrienden en zo nu en dan stopte hij om even in zijn
eentje te dansen. Hij werd heen en weer gesleurd tussen een
verlangen naar de zachte huid en het grote geslachtsdeel van
Carlito en de angst bij een uiterst gevaarlijke zaak te worden
betrokken. Omdat hij in Havana niet rechtstreeks met Lee
Dickson kon communiceren, hielden ze contact via een lege
postbus.

Miguel Barreiro bezocht regelmatig een van de beste *paladars*,
Le Chansonnier, in Calle J, die was gevestigd in een heel mooi,
oud huis dat enigszins was gerestaureerd en door homoseksuelen werd geleid. Tijdens zijn bezoek liet hij er in het waterreservoir van een toilet een in plastic verzegelde envelop achter
waarin de laatste informatie stond die hij van Carlito had gekregen. De architect zwoer dat hij hier gauw mee zou stoppen. Hij
was te bang en durfde er niet langer mee door te gaan. Hij zou
zeggen dat Carlito was verdwenen. Hij werd er tenslotte niet
voor betaald om Fidel Castro ten val te brengen.

Hij liep naar Dalia, die, tegen een stenen putrand geleund, aan
een glas bier stond te nippen. Miguel Barreiro was aan zijn
tweede glas rum begonnen en voelde zich al minder gespannen.
Het witte flitslicht van een stroboscoop verlichtte Dalia schoksgewijs, wat zijn trotse borsten nog beter deed uitkomen. De
architect zei glimlachend: 'Je hebt daar heel mooie implanta-
ten.'

Toch was plastische chirurgie in Cuba erg duur. Dalia keek hem
kwaad aan: 'Dat zijn geen siliconen, ik ben een vrouw!'

Miguel Barreiro barstte bijna in lachen uit. Dalia was vast de
enige vrouw op deze avond. De anderen waren niet meer dan
min of meer geslaagde travestieten. Hij had kunnen weten dat
die kleine Carlito ook succes bij de vrouwen had. Dalia was een

prachtige halfbloed met een licht gekleurde huid, ondanks haar felle make-up en haar grote billen, die een volbloed negerin waardig waren. Even dacht hij eraan dat het wel leuk zou zijn wanneer hij Carlito zou nemen terwijl die deze kleine neukte...

'*Holá*, Miguel. Hoe is het?'

Een helemaal in het wit geklede, atletische neger kwam op hen af. Basilio, een vroegere minnaar van de architect, die bij La Cubana de Aviación werkte. Ze praatten wat en plotseling viel het Miguel geamuseerd op dat Dalia's blikken regelmatig naar de witte broek van de neger gleden, waaronder zich een indruk-wekkend geslachtsdeel aftekende.

'Ik ga iets te drinken halen,' zei Basilio, en hij liep naar de bar. Zodra hij weg was, proestte Miguel het uit: 'Zeg, je mag mijn vriend Basilio wel, hè?'

Dalia lachte zenuwachtig. 'Ja, ik hou van negers. Als ik die grote penissen zie, loopt het water al in mijn mond. Heerlijk.'

Ze wiegde van haar ene voet op de andere. Basilio kwam terug met drie glazen rum en ze dronken. Plotseling kwam Miguel op een idee. Hij pakte Dalia's hand en legde die op de witte broek. 'Ik geloof dat Dalia je wel ziet zitten,' zei hij met een stem vol verstandhouding.

Basilio wierp een blik op Dalia, die hij voor een travestiet aan-zag. Als vanzelf had Dalia haar vingers om de penis van de neger geklemd, die nu zichtbaar groeide. Toen pakte hij haar bij haar andere hand en nam haar mee naar de achterste rand van het weiland, naar enkele struiken in de duisternis, waarin al meerdere stelletjes elkaar hadden gevonden. Aan zijn rum nip-pend, leunde hij tegen een boom en keek Dalia na. Meteen trok ze, zonder te aarzelen, de ritssluiting van de witte broek omlaag, stak haar hand naar binnen en haalde er een lange, zwarte penis van indrukwekkende afmetingen uit. Langzaam kwam hij overeind, terwijl ze hem streelde. Miguel Barreiro verloor het stel geen moment uit het oog. Gefascineerd keek de vriendin van Carlito toe hoe de penis in haar handen groeide.

Toen stak ze hem in haar mond, maar ze kreeg hem niet verder dan een derde naar binnen.

Miguel Barreiro had graag met haar willen ruilen. Met gesloten ogen liet Basilio haar begaan, terwijl hij zacht met zijn heupen schokte, om zijn penis zo diep mogelijk in haar mond te stoten. Miguel Barreiro werd steeds jaloerser en plotseling kwam hij op een idee. Hij liep naar het stel toe en fluisterde in Basilio's oor: 'Zet hem op, hij heeft een lekkere kont... Lekker nauw.'

'Natuurlijk,' beaamde de grote neger, en hij trok zijn penis terug uit Dalia's gulzige mond en trok haar aan haar haar overeind. Zijn stijve geslachtsdeel stond als een pikhouweel omhoog en was minstens vijfentwintig centimeter lang. Miguel Barreiro kreeg er het water van in de mond, maar hij pakte de mooie penis slechts vast om te voorkomen dat hij slap zou worden, terwijl Basilio de jonge vrouw omdraaide, met haar gezicht naar de boom. Dalia was opgewonden door de rum en deze staaf van hard vlees. Nog meer stelletjes om hen heen vermaakten zich met elkaar, tot ze teruggingen naar het feest.

Miguel Barreiro stak zijn rechterhand onder de minirok van Dalia en trok haar slipje opzij. 'Steek je kont naar achteren, slet,' fluisterde hij.

Ervan overtuigd dat Basilio haar 'normaal' zou nemen, deed ze wat hij vroeg. Ze was vergeten waar ze was en hoewel Carlito haar regelmatig in haar kont nam, bedreef hij ook de liefde met haar. Vastberaden leidde Miguel de enorme penis naar de juiste plaats en fluisterde in Basilio's oor: 'Vooruit, nu!'

Basilio gaf een enorme stoot met zijn heupen en een derde deel van de monsterlijke penis drong binnen tussen de billen van Dalia, die een kreet slaakte. Dat wond Basilio nog meer op. Hij klemde zijn handen om de heupen van de jonge vrouw en stootte nog een keer hard, waardoor hij diep in de billen van zijn partner drong. De halfbloed, ruw in haar billen genomen, zich met haar handen aan de boom vastklemmend, snikte en kreunde onophoudelijk. Basilio kon er geen genoeg van krijgen. Toen kwam hij met een laatste stoot in haar klaar. Daarna trok hij zich snel uit haar terug en borg kalm zijn penis in zijn witte broek op, terwijl hij naar Miguel knipoogde. 'Je had gelijk. Heel lekker.'

Miguel Barreiro was hard als staal. Hij pakte zijn penis en tegen de boom geleund begon hij zichzelf te bevredigen. Basilio liep terug naar het feest. Dalia draaide zich om en keek hem met een troebele blik aan, terwijl ze met een schorre stem mompelde: 'Schoft! Jij hebt hem naar binnen geduwd. En je zag het zelf, hij was helemaal buiten zinnen. Hij stond te kwijlen als een muildier. Ik dacht dat ik doodging, ik kon bijna geen lucht meer krijgen. Die paal van hem... alsof hij een arm naar binnen stak. Als hij me nou gewoon had geneukt...'

Met een strakke blik in zijn ogen kwam Miguel Barreiro klaar, dromend van die enorme penis. Toen grinnikte hij. 'Ik zal niet tegen Carlito zeggen dat je je door een grote neger hebt laten neuken.'

'O, nee! Dan vermoordt hij me.'

Nu hij tot rust was gekomen, keek Miguel Barreiro op zijn Breitling Aerospace Advantage, die hij net twee dagen geleden op de Kaaimaneilanden had gekocht: halftwee. Hij begon zich ongerust te maken. En Carlito had geen telefoon. Hij liep naar de bar, mompelend dat hij vreselijk naar hem verlangde.

'Daar is hij!'

Carlito, gekleed in een geel T-shirt en een linnen broek, kwam in het licht van de stroboscopen door de menigte naar hem toe. Voor Miguel Barreiro was hij als een zwarte god. Dalia had haar make-up in orde gemaakt, maar ze kon nauwelijks op haar benen staan.

De twee mannen omhelsden elkaar. Carlito leek zich niet op zijn gemak te voelen. Bezorgd vroeg Miguel Barreiro: 'Zijn er problemen met je familie?'

'Nee, nee,' antwoordde de jongeman afwezig. Zenuwachtig stak hij een sigaret op en liep naar de bar om een glas rum te halen. Miguel volgde hem met zijn ogen. Op dit moment was de CIA heel ver weg. Hij kon maar aan één ding denken: de lange, zwarte penis van Carlito zijn keel in voelen dringen. Plotseling dacht hij weer aan Dalia. 'Ga je met ons mee naar huis?' stelde hij voor.

'Ik ben doodop,' zei ze.

Carlito kwam terug. Hij dronk zijn glas rum in één slok leeg en zei toen: 'Miguelito, ik heb een probleem.'

Miguel Barreiro's adem stokte in zijn keel. 'Wat voor probleem?'

'Met de wagen.'

'Is hij stuk?'

'Niet precies. Ik leg het je uit. Maar ik heb nu geen zin om hier te blijven.'

'Dat komt goed uit,' antwoordde Miguel Barreiro. 'Ik ook niet. Laten we gaan.'

Ze liepen naar het parkeerterrein. De luidsprekers braakten nog steeds hun salsa uit en de flitsen van de stroboscopen beschenen schoksgewijs de verstrengelde stelletjes. Hoe meer rum er werd geschonken, hoe meer stelletjes er verdwenen voor een kort samenzijn. Miguel zag aan de rand van het parkeerterrein twee jongens in het gras in een gepassioneerde 'soixante-neuf'.

In de schaduw streelde hij de billen van Carlito. 'Ik hoop dat je niet te moe bent.'

In werkelijkheid maakte hij zich daar niet bezorgd om. Carlito was tweeëntwintig jaar oud en ijzersterk. Tijdens hun eerste ontmoeting had hij Miguel vier keer genomen, bijna zonder tussenpozen. Een ware seksmachine.

'Neem jij de 205?' vroeg Miguel toen ze op het parkeerterrein stonden.

'Ik rij met jou mee,' antwoordde de jonge lijfwacht van Fidel Castro. 'Ik ben niet met de auto. Ik leg het je straks uit,' zei hij

opnieuw, alsof hij er niet over wilde beginnen waar Dalia bij
was.

Miguel drong niet aan, maar hij begon zich nu toch ernstig
ongerust te maken. Dalia stapte achter in de Mercedes en ging
languit op de achterbank liggen. Terwijl ze reden, liet Miguel
zijn hand in het kruis van Carlito glijden, die hem kalm liet
begaan. Plotseling vergat de architect alle zorgen om zijn Peugeot en fluisterde tegen de jongeman: 'Haal je pik tevoorschijn.'

Carlito gehoorzaamde en Miguel begon hem meteen te strelen.
Het deed hem goed hem onder zijn vingers steeds harder te voelen worden. De jongeman was hard als staal toen ze voor het
zwarte hek van de villa van Miguel stopten. Die liet het aan zijn
nachtwaker over de auto weg te zetten en liep meteen door naar
binnen. Dalia volgde hen als een slaapwandelaar. Toen ze in de
salon een bank zag staan, rende ze erheen en liet zich er meteen
op vallen. Ze viel vrijwel direct in slaap.

Miguel Barreiro was al met Carlito in zijn slaapkamer. De jonge Cubaan trok zijn broek al uit, tegenover twee schilderijen
met karikaturen van mannen met monsterlijk grote geslachtsdelen. Miguel was zelf ook al naakt. Op het bed geknield keek hij
toe hoe Carlito naar hem toe kwam en hem gulzig in zijn mond
nam, om hem snel te bevredigen.

Vervolgens draaide hij zich om en bood zich aan Carlito aan.
Toen hij de lange penis binnen voelde dringen, viel hij bijna
flauw van genot.

Tot rust gebracht, lag Miguel Barreiro naakt op zijn bed naast
Carlito een kleine Cohiba te roken. Hij had wierook aangesto-
ken en dat verdreef een beetje de geur van zweet en sperma. Het
was heel warm, want de architect had er niet aan gedacht de airco aan te zetten, zo gejaagd had hij gereageerd op het terugzien
van zijn minnaar.

Dalia lag met samengebalde vuisten te slapen. De architect

draaide zich naar Carlito en vroeg, nu weer met een gevoel van bezorgdheid: 'Wat is er nou met de auto gebeurd? Waar is hij?'

'Nou,' begon de jongeman, 'ik ben met mijn oom, die slager is, naar Camaguey gegaan, naar de Calle Trocadero. Toen hij zag dat ik met de auto zou gaan, stelde hij voor een koe te stelen, die te slachten en de beste stukken naar Havana te brengen om daar te verkopen.'

Miguel Barreiro onderdrukte een glimlach. Weer zo'n manier waarop de Cubanen zich onder dit regime in leven wisten te houden. Rundvlees was in Havana niet te krijgen. Daar waren een heleboel onduidelijke redenen voor. Om te beginnen zou de droogte de helft van de veestapel het leven hebben gekost. Vervolgens had Fidel Castro besloten dat de Cubanen alleen varkensvlees en kip mochten eten. Kortom, op de zwarte markt werd rundvlees tegen torenhoge prijzen verkocht, maar de smokkelaars riskeerden een gevangenisstraf van twintig jaar.

'En heb je een koe gestolen?' vroeg de architect.

'Ja, op een boerderij in de buurt.'

'Dat is niet verstandig, daar krijgen ze last mee.'

In Cuba kreeg een boer van wie een koe werd gestolen, een boete.

'We zullen zijn boete vergoeden,' beloofde Carlito. 'We hebben de koe geslacht en ter plekke hebben we de goedkopere stukken verkocht. De beste hebben we meegenomen om hier te verkopen.'

'In míjn auto?' vroeg Miguel Barreiro geschrokken.

'Ja, maar we hadden het vlees ingepakt.'

'En wat is er toen gebeurd?'

'Aan de rand van de stad was een wegversperring, op de Via Rommental, vlak voor de tunnel. Twee van die schoften van de *policía especial*. We dachten dat ze ons met ons rode nummerbord niet zouden aanhouden. We zijn met hen in discussie gegaan en hebben hun een mooi stuk vlees aangeboden, maar ze waren met zijn tweeën en ze waren voor elkaar bang dat de ander hem zou aangeven. Dus toen hebben we ze een klap op hun kop gegeven en zijn ervandoor gegaan.'

Miguel Barreiro kwam geschokt overeind. 'En je hebt mijn auto daar achtergelaten!'

'Met het vlees,' vulde Carlito fijntjes aan. 'Als ze ons zouden hebben gearresteerd, zou dat ons minstens vijftien jaar gevangenisstraf hebben gekost. Vooral mij. De comandante zou het me nooit hebben vergeven. Hij is heel strikt wanneer het op voedselverdeling aankomt.'

Miguel Barreiro dwong zichzelf tot kalmte. Dit was een ramp. 'Morgenochtend staat de politie hier op de stoep,' kermde hij. 'Wat moet ik tegen hen zeggen?'

'Ze weten niet hoe we heten,' zei Carlito. 'We hebben onze papieren niet laten zien. Je kunt zeggen dat je auto is gestolen,' voegde hij er met een zachtere stem aan toe. 'Je zet hem vaak neer op het parkeerterreintje aan de Calle 84.'

Miguel Barreiro zei bij zichzelf dat wanneer hij dit van tevoren zou hebben geweten, hij weinig plezier aan het feest zou hebben beleefd. De komende uren zouden zwaar worden. 'Weet je zeker dat ze je niet hebben geïdentificeerd?' drong hij aan.

'Zeker,' beaamde Carlito nog eens. 'Iedereen kan je auto hebben gestolen toen je op de Kaaimaneilanden was. We kunnen elkaar gewoon blijven ontmoeten. Komende zaterdag weer.'

'Ben je weer aan het werk?'

'Nee, de comandante is ernstig ziek. Hij is niet meer uit zijn kamer in zijn privékliniek naar buiten gekomen. Zijn broer Raul gaat elke dag bij hem langs. Het schijnt dat hij een beroemde arts uit Madrid heeft laten komen. Die is gisteren aangekomen. Hij is heel somber. Ik zal aan Chango offeren om hem snel beter te laten worden.'

Chango was een van de goden van de *santería*, Cubaanse voodoo, die op het eiland vrolijk werd gemixt met het christendom. Cubanen geloofden steevast in magie en het noodlot.

'Denk je dat hij doodgaat?' flapte Miguel Barreiro eruit.

41

'Robertico zei dat het heel ernstig was. Hij praat niet meer en hij is helemaal stijf.'

Een beroerte.
Lee Dickson zou tegen het plafond springen, wanneer hij dat hoorde. Miguel Barreiro was apetrots dat hij over zulke historische informatie beschikte. Dit noemden ze het nuttige met het aangename combineren.
'Goed,' zei hij ten slotte, 'ik heb liever niet dat je hier blijft slapen. Waar moet ik je afzetten?'
'Ik ga bij Dalia slapen. Ze woont in het centrum, in de Calle Manrique.'
Terwijl de jongeman zich aankleedde, maakte Miguel Barreiro Dalia wakker, die versuft was door rum, genot en slaap.
Twintig minuten later zette hij hen af op de hoek van de Calle Padre Varela en de San Lázaro, op een steenworp afstand van de Calle Manrique.
Toen hij terug naar huis reed, besloot hij eerst de informatie over de toestand van Castro via de lege postbus door te geven. Wanneer Fidel zou doodgaan, barstte de bom pas echt.

3

'Op zijn naaste medewerkers na zijn wij de enigen die weten dat Fidel Castro stervende is. Als hij niet al dood is.'

De lage, schorre stem van Frank Capistrano, de *Senior Security Advisor* van het Witte Huis, een oude vriend van Malko, trilde van opwinding. Hij hief zijn hoofd op en liet zijn blik snel door de kleine, schemerige eetzaal van hotel Hay-Adams gaan, op steenworp afstand van het Witte Huis. Naast hun eigen tafel waren er nog twee tafels bezet. Een daarvan door vier sigaren rokende congresleden en de andere door een aantrekkelijke negerin die de *Washington Post* zat te lezen, in afwachting van haar minnaar. Het Hay-Adams verhuurde ook luxueuze kamers aan congresleden die het zich konden veroorloven vierhonderd dollar te betalen voor een heet avontuurtje.

Tevreden pakte Frank Capistrano de fles Taittinger Comtes de Champagne Blanc de Blancs, die de oberkelner zojuist had gebracht en schonk drie flûtes in. Zo nu en dan kon hij zijn drukke werkzaamheden even opzijzetten voor de pleziertjes des levens. Philip Radnor, hoofd van de afdeling Cuba bij de CIA, ging nog verder: 'Dit is een onverwachte buitenkans. En die is ons in de schoot geworpen door een bron die onze COS in Havana al lange tijd koestert.'

Malko onderdrukte een geeuw. Hij was net die ochtend uit Oostenrijk aangekomen, waar hij zonder veel spijt een late winter had achtergelaten. Maar met veel meer tegenzin had hij de prachtige gravin Alexandra achtergelaten, zijn eeuwige verloofde, met haar lastige karakter maar vol seksuele verbeeldingskracht. Hij had last van een jetlag. Voordat de speciale adviseur was aangekomen, had Philip Radnor de situatie voor hem samengevat: Fidel Castro had waarschijnlijk een beroerte gehad en zweefde op een onbekende plaats in Havana tussen leven en dood. Hij kon een vraag aan Frank Capistrano niet onderdrukken: 'Frank, herinner je je het Latijnse spreekwoord nog: *Testis unus, testis nullus*? Eén getuige is géén getuige. Als het nou vals alarm is? Als Fidel er nou gewoon weer bovenop is gekomen?'

Frank Capistrano legde met een satanische glimlach zijn grote, behaarde hand op die van Malko. '*Njet*! Onze COS in Havana heeft drie dagen geleden opnieuw bericht ontvangen van zijn bron Iglesia. Dit was een geschreven bericht van een informant uit de binnenste ring van vertrouwelingen van Castro en er werd in bevestigd dat hij een herseninfarct heeft gehad. Hij had ook gehoord dat Cuba in het grootste geheim een Spaanse neuroloog heeft laten komen. En toen we de lijsten van de vluchten Madrid-Havana van de afgelopen dagen controleerden, kwamen we de naam Elizardo Matas tegen, een van de bekendste neurologen in Spanje. Dat kan toch geen toeval zijn.'

Inderdaad was dat concreter nieuws. Maar Malko begreep nog steeds niet welke rol hij in dit historische evenement kon spelen. 'Ik neem aan dat de dood van Fidel Castro geen verrassing voor je is,' merkte hij op. 'Het was te verwachten, gezien zijn leeftijd.'

Frank Capistrano grinnikte en wees met zijn dikke, harige wijsvinger naar Philip Radnor. 'Zijn analisten zullen minstens een dozijn hypotheses de revue hebben laten passeren. Met allemaal één gemeenschappelijk uitgangspunt: de hele wereld is het erover eens dat er op Cuba niets kan veranderen zolang Castro nog leeft. In zesenveertig jaar tijd heeft hij een totalitaire staat opgebouwd waar alles gebeurt wat hij zegt. Zijn handlangers zijn banger voor hém dan voor wat ook. Bovendien is hij erg goed wanneer het erop aankomt een echte oppositie de kop in te drukken. Daar gebruikt hij verscheidene middelen voor.'

Philip Radnor boog zich naar Malko toe. 'Op 7 augustus 1994, nadat Rusland de olieleveranties aan Cuba had gestopt, tijdens de speciale periode, ontstond er wegens het gebrek aan elektriciteit, gas en water een spontane opstand in Cuba. Duizenden mensen gingen de Malecón op en riepen: "Dood aan Fidel!". De politie reageerde nauwelijks. Bij ons begonnen alle alarmbellen te rinkelen. We hebben alles wat we maar hadden in staat van paraatheid gebracht. We verwachtten een bloedbad. Maar we vergisten ons: twee dagen later stond Fidel Castro duizenden mensen toe vanuit Cuba naar Florida te vertrekken. De crisis was de kop ingedrukt.'

'Die klootzak,' siste Frank Capistrano met opeengeklemde kaken.

'Castro reageerde niet altijd zo cool,' vervolgde Philip Radnor. 'In maart 2003 zijn vijfenzeventig dissidenten, die zich hadden verenigd in het project-Varela, dat om een herziening van de Cubaanse grondwet vroeg, tot in totaal 1450 jaar gevangenisstraf veroordeeld. Ondanks protesten uit de hele wereld. En in april van datzelfde jaar zijn drie jonge negers gefusilleerd die hadden geprobeerd een ferry in de haven van Havana te kapen, waarbij geen slachtoffers zijn gevallen. Ondanks het feit dat Castro hun persoonlijk had beloofd dat ze het er levend af zouden brengen.'

Malko nam een slok van zijn Taittinger en merkte met lichte spot op: 'Frank, je hoeft me de situatie op Cuba niet uit te leggen. Het kantoor heeft me er al eens naartoe gestuurd. En bijna was ik erin gebleven ook. Al is het uiteindelijk niet al te slecht afgelopen.'

'Ik weet het, ik weet het,' gromde de Amerikaan. 'Je hebt er goed werk gedaan.'

'Wat niets heeft opgeleverd,' zei Malko. '*Nitsjevo.* Ik neem aan dat er sindsdien wel het een en ander zal zijn veranderd. En dat jullie klaarstaan om in actie te komen zodra Castro dood is. Er is nu toch wel een oppositie?'

Philip Radnors gezicht betrok. 'Op papier wel. Dissidenten en intellectuelen die door het regime worden opgejaagd en de helft van de tijd achter de tralies zitten. Het is ons nooit gelukt een oppositie op poten te krijgen, zoals in de Oekraïne of andere landen. De mensen zijn te bang. Met de hulp van de Castro-haters in Miami hebben we alleen wat informatienetwerken, die dan nog vaak door mensen van Castro worden geïnfiltreerd.'

'Vertel mij wat,' merkte Malko bitter op. Hij was er bijna het leven bij ingeschoten omdat de 'parel' van de agenten van de CIA in Havana voor de Cubaanse *Seguridad* bleek te werken. 'Mag ik u iets aanraden? Vraag de troepen die uit Irak terug-keren om een omweg via Cuba te maken. Volgens mij zal het niet langer dan een dag of vier kosten om het regime te verja-gen.'

Philip Radnor Chaplin glimlachte zuur. 'Dat is beslist waar, militair gezien. Er is nauwelijks sprake van een Cubaans leger. Maar politiek gezien is het onmogelijk om Cuba te bevrijden. Dan krijgen we de hele wereld op onze nek.'

'Wat wilt u dan?' vroeg Malko.

Ze waren de laatste gasten in de eetzaal en de oberkelner hield hen scherp in de gaten. Hij wilde sluiten. Frank Capistrano tel-de op zijn dikke vingers af: 'Om te beginnen een bloedbad ver-mijden, dat tot een massale emigratie naar Florida kan leiden. Dat is de nachtmerrie van de president. Aangezien de Cubanen elkaar continu verraden, zullen ze, zodra de dood van de Líder Máximo bekend wordt, hun machetes slijpen en elkaar ermee te lijf gaan. We willen een kalme overgang, zoals in de Oekraïne of Georgië.'

'Dit was een andere situatie,' merkte Malko fijntjes op. 'Wat is het scenario wanneer Castro overlijdt?'

'Zijn jongste broer, Raul, 73 jaar oud, volgt hem op,' legde Phi-lip Radnor uit. 'Maar hij heeft kanker, drinkt als een Maleier en heeft geen enkele uitstraling. Hebt u wel eens een foto van hem gezien?'

'Nee.'

'Kijk.'

Hij haalde uit zijn map een foto van een man met een baret op. Hij had een dunne snor, een kromme neus, een dikke buik en hij was klein van stuk.

'De Cubanen noemen Fidel "het paard" en Raul "de ezel",' legde Philip Radnor vriendelijk uit. 'Ik denk in elk geval dat Raul Castro snel uit de weg zal worden geruimd.'

'Door wie?'

'Dat is een goede vraag,' gaf Frank Capistrano toe. 'Er zijn meerdere mensen die daarvoor in aanmerking komen: om te beginnen Carlos Lage, de vicepresident, een apparatsjik in hart en nieren, die altijd in de schaduw van Fidel heeft gestaan. Hij controleert min of meer het staatsveiligheidsapparaat en de partij, met alle aanverwante instellingen. En dan is er ook nog het leger.'

'Daar zijn we bang voor,' legde Philip Radnor uit. 'Het leger heeft de toeristische sector al in handen en zou zijn macht verder willen uitbreiden, om aan niemand meer verantwoording te hoeven afleggen, zoals in Birma en Algerije is gebeurd. In dat geval komt er voorlopig geen einde aan het lijden voor de Cubanen. De hoge militairen moeten op de hoogte zijn van de gezondheidstoestand van Fidel en zijn zich al vast aan het voorbereiden.'

De fles Taittinger Comtes de Champagne was leeg, maar Frank Capistrano leek nog niet van plan te zijn terug naar het Witte Huis te gaan. Hij riep de oberkelner en bestelde een glas whisky met ijs. 'Malko,' zei hij. 'Tijdens de komende dagen komt er een moment waarop we in actie zullen kunnen komen. Zelfs als hij nog niet echt dood is, zullen degenen die nu aan de macht zijn, beseffen dat het met Castro afgelopen is. Ze zullen dus in het geheim hun mensen in stelling brengen. We moeten zorgen dat we sneller zijn dan zij.'

Malko begreep niet goed wat de Amerikaan wilde. 'Frank,' zei hij, 'dit is een *Kriegspiel*. Het probleem is, dat alles zich op Cuba afspeelt, en wij zijn in Washington. Hoe wil je invloed op de overgang uitoefenen en die naar de hand van de Amerikanen zetten?'

Hij had er meteen spijt van dat hij het had gevraagd. Frank Capistrano keek hem met een gemaakt naïeve blik aan. 'Via jou,' antwoordde hij met zijn schorre stem. 'Je denkt toch niet dat ik je een eersteklas ticket heb gegeven alleen om met je te lunchen?'

Hij was tenminste direct.

Malko dwong zich te glimlachen. 'Frank, je hebt me al naar heel wat verrotte uithoeken van de wereld gestuurd, terwijl je me bergen goud beloofde. Maar dit is anders. Vraag maar aan meneer Radnor hóé ik tijdens mijn laatste missie uit Cuba ben vertrokken. Het was een dubbeltje op z'n kant. Ik had de *fine fleur* van de Cubaanse Seguridad op mijn hielen.'

'Ik ken alle details van je vertrek,' reageerde de speciale adviseur kalm, 'en daar houd ik terdege rekening mee. Ik laat je ook geen contact opnemen met een van de lokale netwerken die met behulp van de mensen in Miami zijn opgezet.'

'Mooi. Wat ben je dan wel van plan?'

De twee mannen keken elkaar lange tijd aan, tot Philip Radnor zijn keel schraapte en van wal stak: 'Luister. Zoals u weet, heeft het kantoor een vertegenwoordiging in Cuba. Die is gevestigd in het gebouw ter behartiging van de Amerikaanse belangen, dat vroeger onze ambassade was. Daar werken ongeveer vijftig Amerikanen, van wie een vijftiental van ons. Alleen kunnen ze niet veel doen, op contacten met dissidenten onderhouden na, om hen een hart onder de riem te steken en de Cubanen dwars te zitten. Clandestiene activiteiten zijn vrijwel onmogelijk. Bovendien werken er ongeveer driehonderd Cubanen in onze kantoren. Ik hoef u niet te vertellen dat die allemaal ook voor de Cubaanse geheime dienst werken. Lee Dickson, ons districtshoofd, gaat dus braaf de cocktailparty's af en bezoekt dissidenten. Meer niet.'

'Ik dacht dat hij de contactpersoon van die bron Iglesia was?'
'Buiten Cuba. En omdat dit een bijzondere situatie is, gebruiken ze een dode postbus. De door de Castro-haters in Miami opgezette informatienetwerken zijn zo vergeven van de infiltranten, dat hij daar beter geen contact mee kan hebben. Tijdens zijn laatste revolutionaire defilé liet Fidel Castro voor de lol aan het einde van de rij zevenentwintig infiltranten meelopen die al jaren in de dissidentenorganisaties waren geïnfiltreerd.'
'Dat klinkt bemoedigend,' beaamde Malko. 'Wat bent u dan van plan?'
Philip Radnor haalde een dunne, paarse map uit zijn tas en maakte hem open. 'Sinds ongeveer vijf jaar werken we al naar dit moment toe. We zijn ervan overtuigd dat de enige manier om een politieke omwenteling te bewerkstelligen, is contact op te nemen met bepaalde personen in het leger. Hebt u wel eens van generaal Ochoa gehoord?'
'Ja,' antwoordde Malko, 'hij is gefusilleerd vanwege een drugszaak. Hij was een held van het Cubaanse leger.'
'Arnaldo Ochoa is op 13 juli 1989 om vier uur 's morgens gefusilleerd,' vervolgde Philip Radnor. 'Samen met kolonel Antonia de la Guardia, majoor Amado Pradón en kapitein Jorge Martínez. Hij had niets met de drugssmokkel te maken, waarvan hij werd beschuldigd. In opdracht van Fidel Castro zelf had hij contact opgenomen met Pablo Escobar, de leider van het kartel in Medellín. Met de bedoeling hem zwart te maken.'
'Waarom? Hij was een van de beste officieren van het Cubaanse leger,' opperde Malko.
Philip Radnor glimlachte zuur. 'Er is veel op Fidel Castro aan te merken, maar hij is een voorzichtig man. Arnaldo Ochoa was net terug van zijn internationale missies in Angola, Ethiopië en Nicaragua. In de ogen van de Líder Máximo was hij met subversieve ideeën teruggekomen. Hij wilde dat het regime soepeler werd en zich meer openstelde voor de buitenwereld. Hij sprak een beetje dezelfde taal als Gorbatsjov. Fidel reageerde

zoals Stalin zou hebben gereageerd. Hij heeft een zaak tegen hem op poten gezet en zich zo van een in zijn ogen te idealistische generaal ontdaan. Hij moest hem uit de weg ruimen: Ochoa was te populair.'

'Daarna heeft Raul Castro, die minister van Defensie is, grote schoonmaak in het Cubaanse leger gehouden,' vulde Frank Capistrano aan. 'Hij noemde het *Plan pijama*. Alle officieren die van revisionistische ideeën werden verdacht, werden met pensioen gestuurd.'

Malko nam een slok koude koffie. 'Dan is het probleem opgelost,' zei hij. 'Castro kan met een gerust hart sterven.'

'Niet helemaal,' verbeterde Philip Radnor hem, 'want er zijn ook nog de kinderen van Ochoa...'

'De kinderen van Ochoa? Had hij kinderen?' vroeg Malko verbaasd.

De Amerikaan glimlachte. 'Nee, maar veel officieren van het Cubaanse leger koesterden groot ontzag voor hem. Ook soldaten. Die waren toen onbelangrijk, maar ze zijn intussen gepromoveerd. En nu, vijftien jaar na de dood van Ochoa, haten ze Castro nog steeds, al houden ze zich stil. De chef-staf, generaal Albano López Muera, respecteert Ochoa nog steeds en gaat regelmatig naar zijn graf op het kerkhof Colón, in Havana. Hij zal weliswaar geen militaire opstand ontketenen, maar hij kan een belangrijke rol spelen. Andere officieren, met name degenen in de helikoptereenheden, zijn heel wat radicaler. Als ze de kans krijgen, zullen ze in actie komen.'

Malko keek hem met een sceptische blik aan. 'Hoe weet u dit allemaal? Hebt u een kristallen bol? U hebt zelf gezegd dat het kantoor in Havana niet kan functioneren.'

Philip Radnor wisselde een korte blik met Frank Capistrano en zei: 'We hebben contact gehad met een officier van het Cubaanse leger toen hij defensie-attaché was. Hij is naar Cuba teruggegaan en is nu generaal. Onze relatie duurt intussen al vijf jaar. Hij staat aan het hoofd van een eenheid in de buurt van Havana die stadsguerrilla's opleidt en beschikt over zware MI-8- en MI-18-helikopters.'

'Kon u in Havana contact met hem blijven onderhouden?'

'Nee, natuurlijk niet. Dat ging altijd via het buitenland. Tijdens onze laatste ontmoeting was het duidelijk dat zijn ideeën nog steeds niet zijn veranderd. Alleen konden we niets voor hem doen.'

Er viel een korte stilte. Plotseling besefte Malko dat hij zich op een hellend vlak bevond. 'Wat zijn concreet uw plannen?' vroeg hij aan Philip Radnor.

Het was Frank Capistrano die antwoord gaf. Nadat hij zijn Defender had leeggedronken, liet hij de ijsblokjes in zijn glas ronddraaien. 'Die zijn eenvoudig: zodra Fidel dood is, denk ik dat een groep officieren de veiligheidsdienst van Raul Castro kan uitschakelen en de belangrijkste posities kan overnemen. Onze analisten verzekeren ons dat de Cubanen er zo schoon genoeg van hebben, dat ze met iedere verandering zullen instemmen, vooral als die wordt bewerkstelligd door Cubanen als zij.'

'Dat is een gewaagde gok,' merkte Malko op.

'Toen Boris Jeltsin in augustus 1991 in Moskou op een tank klom, was dat ook gewaagd,' merkte Frank Capistrano op. 'Bij dit soort zaken heb je nooit honderd procent zekerheid, maar zo'n kans krijgen we nooit meer. Ik denk dat die officieren snel in actie kunnen komen. Bovendien willen ze generaal Ochoa wreken.'

'Goed,' stemde Malko in, en hij deed of hij gek was. 'Het kantoor in Havana geeft hun dus het startsein.'

De lange stilte die volgde, maakte hem duidelijk dat hij het bij het verkeerde eind had. Ten slotte riep Frank Capistrano de oberkelner en bestelde nog een glas Defender, voordat hij Malko met een quasionschuldige blik opnam. 'Malko,' zei hij, 'ik wil vooral niet de mensen van het kantoor in Havana hierbij betrekken. Te riskant. Die gebruiken we voor een afleidings-manoeuvre met de dissidenten. Zodat de Cubaanse geheime dienst denkt dat we het op die manier zullen gaan doen. Ik heb iemand nodig die het lef heeft om het militaire netwerk in actie te laten komen. Dat moet iemand zijn in wie ze vertrouwen hebben. Niet een of andere obscure case-officer met een diplomatieke dekmantel, die alleen maar de kans loopt dat hij zal worden uitgewezen. Ze zullen zich alleen aansluiten bij iemand die dezelfde risico's loopt als zij: het executiepeloton.'

'Bedankt voor je vertrouwen,' zei Malko. 'Maar je weet heel goed dat dat onmogelijk is. Zodra ik in Havana uit het vliegtuig stap, word ik gearresteerd. Mijn foto zal zeker in alle kantoren van de Seguridad hangen.'

Frank Capistrano en Philip Radnor wisselden een blik. De directeur van de afdeling Cuba bij de CIA haalde een envelop uit zijn tas en maakte die open. Er zat een Canadees paspoort in. 'U heet Walter Zimmer,' zei de Amerikaan. 'Dit paspoort staat officieel geregistreerd.'

Frank Capistrano haalde eveneens een envelop uit zijn jasje en schoof die naar Malko toe, die hem openmaakte. Er zat een cheque in van de Chase Manhattanbank, op zijn naam. Het vakje voor het bedrag was leeggelaten.

4

Malko staarde naar de blanco cheque en het paspoort en schudde zijn hoofd. 'Frank,' zei hij, 'je bent gek of je wilt me kwijt.
Wanneer de Cubanen mij in handen krijgen, fusilleren ze me
meteen en niemand die iets voor mij zal kunnen doen. Dat weet
je.'
'Ik weet het,' gaf de speciale adviseur van het Witte Huis toe.
'Maar ze krijgen je niet te pakken. We zijn op álles voorbereid.
Het is een uiterst riskante missie, maar ik moet je toch vragen
ermee in te stemmen. Je zult de geschiedenis een andere wending geven. Dit is een unieke kans om wraak te nemen op Castro, die ons al een halve eeuw voor schut zet. En om het arme
Cubaanse volk te bevrijden.'
Malko kon een glimlach niet onderdrukken. 'Frank, dit is geen
anti-Castrobijeenkomst, hoor. De operatie, zoals jij hem voor
ogen hebt, maakt grote kans te mislukken. De enige manier om
Cuba te bevrijden, is een openlijke aanval met massale militaire
middelen, zoals in Irak...'
'We hebben niet één soldaat naar de Oekraïne gestuurd,' bracht
de speciale adviseur daartegen in, 'en daar gaat alles uitstekend.
We bereiden een eventuele aanval op Castro al jarenlang voor.
We hebben jóú nodig.'
'Terwijl je een grote ploeg mensen op het kantoor in Havana
hebt plus duizenden anti-Castro-emigranten, die er alleen maar
van dromen Castro te verjagen, en vrijwel onbeperkte middelen,' protesteerde Malko.
Frank Capistrano liet zich niet uit het veld slaan. 'Deze reactie
had ik verwacht,' gaf hij toe. 'Ik zal je mijn plan uitleggen. Onze
vriend, de Cubaanse generaal, meent het echt: hij verlangt geen
geld, hij wil gewoon Cuba bevrijden van het regime-Castro.
Jouw opdracht is in de eerste plaats contact met hem op te

nemen en hem op de hoogte te brengen van de gezondheidstoestand van Castro.'

'Weet hij dat niet?'

'Geen idee,' moest Frank Capistrano toegeven, 'maar die kans is groot. Alleen enkele getrouwen zullen ervan afweten. We hebben niet veel tijd. Zodra Raul Castro zijn plan Alba heeft gestart, wordt het veel moeilijker.'

'En wat is dat?'

'Het plan om officieel de macht te grijpen. We kennen niet alle details van dat plan.'

'Ik moet dus contact opnemen met de Cubaanse generaal en hem zeggen dat Castro dood is,' onderbrak Malko hem. 'En dan...'

'Alleen wanneer hij ook echt dood is,' verbeterde Philip Radnor hem snel. 'Lee Dickson zal u op de hoogte houden. Op een manier die u zelf kunt opgeven. Wanneer u akkoord gaat, krijgt u een brief mee, die is ondertekend door George Bush, waarin hem een hart onder de riem wordt gestoken. Dat maakt u een stuk geloofwaardiger en het benadrukt natuurlijk ook het belang dat we aan deze zaak hechten.'

'Het is een militaire staatsgreep,' merkte Malko op. 'Een *golpe*, zoals ze in het Spaans zeggen.'

'Een beetje wel,' gaf Frank Capistrano toe. 'En wij staan klaar om hem te helpen.'

'Hoe?'

'Door de communicatiemiddelen van het Cubaanse leger en de veiligheidsorganen op elektronische wijze lam te leggen.'

'Hoe heet de generaal die die *golpe* zou moeten uitvoeren?'

'Generaal Anibal Guevara. Hij heeft in Angola en Ethiopië gevochten.'

'En waar vind ik hem?'

'Hij heeft een dode postbus op het kerkhof Colón, in Havana,' legde Philip Radnor uit. 'U moet een bos bloemen op een bepaald graf achterlaten en de volgende dag terugkomen. Zíj nemen contact met ú op. Ik zal u de details geven. De rest moet u ter plekke regelen.'

Malko kon zijn scepsis niet onderdrukken. 'Denkt u niet dat het beter zou zijn wanneer uw cos in Havana die taak op zich zou nemen? Of een gerepatrieerde Cubaan?'

Frank Capistrano grinnikte bedroefd. 'Malko, die generaal waagt zijn huid. Hij zou nóóit onze cos willen ontmoeten. Hij weet dat hij in de gaten wordt gehouden. En de Castrohaters in Miami zijn zo grondig door de agenten van Castro geïnfiltreerd, dat hij meteen zou worden gearresteerd. Maar als hij juist iemand als jij binnen ziet komen, zal generaal Anibal Guevara begrijpen dat we hem echt willen helpen.'

'Hoe?'

'Het is nog te vroeg om daar iets over te zeggen.'

'Voor het geval dat ik word gevangengenomen en gemarteld,' merkte Malko spottend op. 'U hebt gelijk dat u voorzichtig bent.'

De twee Amerikanen reageerden niet. Zijn grapje was misplaatst. Frank Capistrano vervolgde: 'Wanneer je in Havana aankomt, valt er absoluut niets op je aan te merken. Een welgestelde, Canadese toerist die komt genieten van de *jineterías* en de zon. Iemand die oude vrienden komt opzoeken.'

'En voor wie zou ik moeten doorgaan?'

'Je bent effectenmakelaar in Toronto. Gescheiden. Je bent al twee keer als toerist in Cuba geweest. Zeven jaar geleden en drie jaar geleden. Varadero, Cayo Largo en een beetje Havana. Je hebt in het Havana Libre gelogeerd.'

'En als ze me nagaan?'

'We hebben de identiteit van een bestaande Canadees en zijn paspoortnummer genomen.'

'Weet hij dat?'

'Nee. Hij zit wegens oplichting in de gevangenis. Je paspoort is dus volkomen in orde, zelfs voor de Canadese autoriteiten. Je komt in Havana aan en je installeert je in het Nacional. De reservering wordt vanuit Toronto gedaan. Je zoekt een paar oude vrienden van Walter Zimmer op. Dat geeft je een uitstekende dekmantel. Als je een paar Cubaanse meisjes oppikt, is dat ook uitstekend. Voor je missie hoef je alleen maar een keer langs te gaan op het kerkhof Colón om een ontmoeting met generaal Guevara te organiseren.'

'Als ik jou zo hoor,' concludeerde Malko, 'is het gewoon een ontspannen uitje. De vorige keer dat ik naar Cuba ging, heette ik Mark Linz en was ik ook een anonieme toerist. Drie dagen later wist de Cubaanse geheime dienst wie ik was.'

Philip Radnor liet beschaamd zijn hoofd zakken. 'Dat is waar,' gaf hij toe. 'Ons netwerk op Cuba was geïnfiltreerd. Neemt u met niemand contact op. Alleen met generaal Anibal Guevara.'

Frank Capistrano deed er nog een schepje bovenop: 'Het dossier Mark Linz zal allang in het archief zijn opgeborgen. En je regelt je visum pas bij aankomst, zonder een foto af te geven. Bovendien, wanneer ze de naam Walter Zimmer in hun computer invoeren, zullen ze zien dat hij al eerder als toerist in het land is geweest, zonder dat dat problemen heeft gegeven. Veel Canadezen komen naar Cuba. En je blijft hooguit een paar dagen...'

'Trouwens, hoe weet ik of Fidel Castro dood is?' vroeg Malko. 'Als hij komt te overlijden...'

Philip Radnor gaf meteen antwoord. 'Lee Dickson houdt contact met zijn bron Iglesia. Hij zal het u laten weten via een dode postbus in hotel Nacional. In de toiletten in de kelder, vlak bij het zwembad, in de derde wc-cabine rechts, wanneer u binnenkomt, zit op de bovenste, houten deurpost een doorzichtig plaatje geplakt. U hoeft er maar met uw hand langs te gaan. Niemand zal zich erover verbazen wanneer u daar regelmatig naartoe gaat.'

Kwaad betrapte Malko zichzelf erop dat hij bezig was alle details in zijn hoofd te prenten. Alsof hij er al mee akkoord was gegaan... 'En als er iets misgaat met dat fantastische plan?' protesteerde hij. 'Als de Cubanen erachter komen wie ik ben? Moet ik dan Cuba uit zwémmen? Als een *balsero* op een vlot?'

'Met alles is rekening gehouden,' zei Philip Radnor kalm. 'Eén van de mensen met wie u contact moet opnemen, is vertegenwoordiger van een Britse oliemaatschappij die veel voor de Cubanen heeft gedaan. Hij werkt voor ons. In geval van problemen zal hij u het land uit helpen. Hij heeft een 48-voets Bertram motorjacht in de jachthaven Hemingway liggen en hij gaat regelmatig vissen in de baai van Havana. Omdat hij veel voor Cuba heeft gedaan, laten ze hem met rust. U moet vooraf een keertje met hem de zee op gaan. Wanneer het dan nodig mocht zijn u het land uit te halen, kunt u gewoon een eindje met hem gaan varen om te vissen. De Cubaanse territoriale wateren lopen tot twaalf mijl uit de kust. Dat is twintig minuten varen, met zijn boot. Hij stuurt een signaal met zijn gps, waarna twee schepen van de kustwacht positie innemen aan de rand van de internationale wateren. Voordat een Cubaanse patrouilleboot de achtervolging inzet, bent u al in Miami.'

'De vorige keer dat ik Cuba uit werd gehaald, ging ook over zee,' herinnerde Malko hem. 'Daar heb ik geen goede herinneringen aan.'

'Nu is het anders,' benadrukte Philip Radnor. 'De jachthaven Hemingway ligt twintig minuten van het Nacional...'

Er viel weer een stilte. De oberkelner stond bijna staande te slapen. Frank Capistrano keek op zijn enorme Breitling en verzuchtte: 'Ik moet nu gaan. Wat zou je zeggen van een ontbijt op mijn kantoor? Om acht uur. Dan geef je me je antwoord.'

Perplex en nog even onzeker zat Malko in de bar van het Willard over zijn dilemma na te denken. Hij had geen trek. Te gespannen. Hij had vaker zijn leven op het spel gezet, maar zelden had hij op deze manier quitte of dubbel moeten spelen. Hij zat al lang genoeg in dit vak om te weten dat ook de beste dekmantels werden doorzien. Vooral in een land als Cuba, waar overal contraspionnen op de loer lagen. Hij haalde de cheque van Frank Capistrano uit zijn zak en bekeek hem peinzend. Dit was de eerste keer dat ze hem op deze manier benaderden.

'Malko!'

Hij schrok op en keek om. Een lange blondine met een knot keek hem glimlachend aan. Ze was in gezelschap van een man met grijzende slapen, die tot aan haar schouder reikte. Binnen enkele seconden herkende hij haar aan haar kobaltblauwe ogen. Fedora Kulak: voormalig luitenant van de KGB, opgeleid bij de *Spetnatz*, secretaresse van sovjetgeneraal Evgueni Polyakov. Acht jaar geleden had ze met haar chef voor de vrijheid gekozen en uiterst geheime documenten mee naar het Westen genomen. De laatste keer dat Malko haar had gezien, had ze meer dood dan levend, nadat ze door een agent van de KGB in haar rug was geschoten, in een bed in het MacLeanziekenhuis gelegen, in Virginia. Door haar robuuste voorkomen had ze het overleefd.

Malko liet zich van zijn barkruk glijden en kuste haar hand. Ze zag er nog even stralend uit: haar borsten werden omspannen door een zwarte trui van kasjmier, ze had een vlakke buik en ze droeg een korte, leren rok, zwarte kousen en een met nerts afgezette, leren jas. En die fantastische blik...

'Dit is mijn man,' zei ze, 'senator James Stone, afgevaardigde van Iowa. James, Malko is een spook die voor de goede zaak vecht.'

Senator Stone had een vlekkerig gezicht en leek blij te zijn Malko te ontmoeten. 'Hebt u nog geen plannen voor het eten?' vroeg hij.

'Nee, ik geloof het niet, maar ik wil u niet tot last zijn.'

'Helemaal niet!' drong Fedora aan. 'James stapt dadelijk in de trein naar Tallahassee, waar hij morgen een vergadering heeft. Hij is gek op spionageverhalen.'

'Laten we naar de eetzaal gaan,' stelde de oude Amerikaan voor. 'Ik maak graag kennis met vrienden van mijn vrouw, maar ze heeft me er nog niet aan veel voorgesteld.'

Daar was een goede reden voor: de meesten lagen óf op het kerkhof, óf zaten in Rusland.

Ze gingen in de sombere eetzaal van het Willard zitten. De man van Fedora Kulak bestelde vooraf een dubbele Defender met ijs. Zijn rossige tint sprak boekdelen. Zodra ze zaten, schoof Fedora Kulaks voet voorzichtig onder tafel langs Malko's been. Al sinds hun eerste ontmoeting, acht jaar geleden op het metrostation Smolenskaja in Moskou, vond hij haar een prachtige vrouw. Hoewel ze zich sterk tot elkaar aangetrokken hadden gevoeld, was er niets uit voortgekomen. Op een vluchtige, maar heftige flirt na, in Moldavië, in een auto, samen met nog twee personen, onder wie de toenmalige geliefde van Fedora, generaal Polyakov.

Ze hief haar glas. 'Op onze ontmoeting. *Na zdarovié*!'

Haar sensuele mond stond in fel contrast tot de stalen gloed in haar kobaltblauwe ogen. Onder tafel streek de neus van haar pump stiekem langs Malko's kruis.

Malko stond net zijn stropdas los te knopen, toen er zacht op de deur van zijn kamer op de achtste verdieping van het Willard werd geklopt. Het diner had niet lang geduurd en was weggespoeld met een fles Taittinger Comtes de Champagne Blanc de Blancs millésimé 1995. Mede om dit buitengewone toeval te vieren. De senator dronk almaar door. Malko had afscheid van hen genomen toen Fedora was opgestaan om haar echtgenoot naar het station te brengen, waar hij de trein naar Tallahassee zou nemen. Ze had beloofd hem te bellen wanneer ze in Europa zou zijn.

Fedora Kulak stond in de deuropening, ietwat scheef in haar openhangende, leren jas, een uitdagende glimlach op haar volle lippen. Zonder een woord te zeggen, liep ze door, sloot de deur en drukte zich met heel haar lichaam tegen Malko aan. Hij legde een hand op haar heup en voelde een jarretelbandje, dat hem nog verder opwond.

'Ik hcb me thuis even omgekleed,' fluisterde ze. 'Ik had niet verwacht je vandaag hier tegen te komen...' Ze had veel geleerd van generaal Polyakov, die gek was op lingerie en zich graag liet verrassen wanneer hij haar zomaar op de hoek van zijn bureau nam. Fedora was afkomstig uit het verre, ijskoude Siberië en was vastbesloten daar nooit meer naar terug te gaan. Daarvoor had ze alles overgehad.

Binnen enkele seconden was Malko zijn dilemma over Cuba vergeten. Fedora was nog steeds een even grote brok erotiek. Malko voelde de spitse punt van een warme tong met zijn oor spelen en de zachte stem van de vrouw fluisterde in het Russisch: 'Ik verlang naar je.'

Ze voegde meteen de daad bij het woord. Met een sierlijke beweging trok ze een van de lange naalden die haar knot bijeen hielden uit haar honingblonde haar en liet het over haar rug vallen. Malko schoof zelf haar zwarte, kanten string omlaag, waarna ze zich op haar knieën liet zakken en hem helemaal in haar mond nam. Hij hield het al bijna niet meer uit en trok haar overeind, duwde haar op het bed en schoof haar rok omhoog, zodat haar zwarte, met jarretels opgehouden kousen zichtbaar werden. Ze liepen hoog door, bijna tot aan haar blonde plukje schaamhaar.

Gedurende enkele tellen bekeek hij haar en bewonderde haar volle dijen en vlakke buik. Toen trok ze hem met de kracht van een man op zich. 'Vooruit, waar wacht je op!'

Hij drong met één stoot in haar en Fedora stak haar tong als een angel diep in zijn keel.

Fedora lag op haar buik uit te hijgen. Ze droeg alleen nog haar kousen met de jarretelgordel. Malko bekeek haar met een bewonderende blik. Ze moest al bijna tegen de vijftig lopen, maar ze had een lichaam als van een jonge vrouw: harde, ronde billen en gespierde benen. Haar huid was glad en soepel en slechts enkele kleine rimpels rondom haar ogen gaven een idee van haar leeftijd. Malko schrok op. Fedora begon hem weer te strelen, bijna gedachteloos, zoals je een dier liefkoosde.

Al snel deden haar vingers en de aanblik van haar trillende billen weer een reusachtige erectie bij hem ontstaan. Voorzichtig ging hij op haar liggen en duwde haar dijen open. Langzaam keerde hij terug in haar vagina. Ze was gloeiend heet. Hij trok zich terug en drukte nu het uiteinde van zijn penis tegen de ring tussen haar billen. Fedora liet haar rechterhand onder zich glijden en begon zichzelf te strelen. Met een schorre stem zei ze: 'Steek hem erin!'

Langzaam, heel langzaam, duwde Malko tegen haar kringspier. Het ging gemakkelijker dan hij had verwacht. Fedora was al verscheidene keren klaargekomen en al haar spieren waren ontspannen. Toch slaakte ze een kreetje toen hij zich niet langer kon inhouden en in haar stootte. Ze beet in het kussen en kwam tegelijkertijd met haar billen omhoog, terwijl ze hem in het Russisch smeekte haar hard en met geweld te nemen. Vermoeid door twee orgasmes, duurde het lange tijd tot Malko zijn kracht geheel terug had. Woest stootte hij in haar en Fedora slaakte kreetjes om hem aan te moedigen. Ze stond nu zo wijd open, dat hij niet meer voelde waar hij haar nam. Ten slotte kwam hij met een rauwe kreet klaar, diep in de schokkende billen van de Russin begraven.

Badend in het zweet lagen ze uit te hijgen. 'Ik neem een douche,' zei ze ten slotte. 'Bestel maar alvast champagne.'

Toen ze gehuld in een witte badjas terugkwam, stond er al een fles Taittinger Comtes de Champagne Rosé in een ijsemmer klaar. Malko stapte eveneens onder de douche en Fedora liet de kurk knallen. Na de eerste belletjes vroeg hij haar: 'Hoe is het je na het ziekenhuis vergaan?'

Fedora trok gedachteloos haar kousen omhoog, nam een slok champagne en zei: 'Ik heb drie weken in het MacLeanziekenhuis gelegen, waarvan één week op de intensive care. Ik wilde niet sterven. Toen dat allemaal achter de rug was, hebben je vrienden van de CIA me in Vienna, Virginia, in een *safehouse* ondergebracht om me te ondervragen. Daar ben ik drie maanden gebleven en ik heb er hard gewerkt om Engels te leren. Je weet dat ik geen woord Engels sprak. Daarna heb ik een *green card* gekregen en een contract als adviseuse over het Oostblok bij een *think tank* van de company. Ik was voor vijf jaar veilig onder dak. Ik heb een klein appartement gehuurd in Alexandria, Virginia, aan de andere kant van de Potomac en ik ben begonnen een nieuw leven op te bouwen. Ik heb kunnen sparen. Ze hebben me heel netjes behandeld. Toen mijn contract was afgelopen, kreeg ik een Amerikaans paspoort. Ik heb de naam van mijn moeder gekozen, Koelanine. En ik heb een nieuwe baan gevonden, een echte: analiste bij de Rand Corporation. Planningen maken. Ook weer met betrekking tot het Oostblok. En toen ontmoette ik op een dag James, die lid was van de Raad van Bestuur. Weduwnaar, heel sympathiek. Hij viel als een blok voor me.'

'Dat kan ik begrijpen,' zei Malko.

Fedora trok een pruilmondje. 'O, we neuken nauwelijks. Hij vindt het fijn om aan me te zitten en we vertellen elkaar verhaaltjes. Hij is een goede man. Alleen heeft hij alvleesklierontsteking en zal hij het niet lang meer maken. Maar hij is erg aardig. Kijk.'

Ze liet hem een prachtige, met robijnen afgezette Breitling Calisto zien, die ze om haar pols droeg. Ze nam nog een beetje champagne en vroeg: 'En jij? Wat doe jij in Washington?'

'Ben je gelukkig?'

Fedora haalde haar schouders op. 'Ik verveel me een beetje. Ik had gehoopt dat de CIA me werk zou geven, maar ze zijn bang dat ik banden met de anderen heb gehouden. Dat is belachelijk.'

Malko zweeg enige tijd. Eerst, toen hij Fedora Kulak tegenkwam, had hij alleen aan een aangename afleiding gedacht, maar toen begon er een ander idee in zijn hoofd te rijpen. 'Ken je Cuba?' vroeg hij.

Ze lachte. 'Nee. Waarom?'

'Zou je er graag naartoe willen gaan? Met mij?'

Ze boog zich naar hem toe en kuste hem vluchtig. 'Ik wist niet dat je zo romantisch was. Wil je ons een huwelijksreis aanbieden?'

'Niet echt,' moest Malko toegeven.

Toen hij zijn verhaal had gedaan, keek Fedora hem met een ernstige blik aan. 'We kennen elkaar niet echt goed,' zei ze, 'maar ik ben er trots op dat je me dit hebt voorgesteld. Ik vind dat je de opdracht moet aanvaarden en er een heleboel geld voor moet vragen. In dit land geldt: hoe meer geld je kost, hoe meer je wordt gerespecteerd. Het is natuurlijk gevaarlijk, maar wanneer je weigert, daal je in hun achting. Je bent voor dit leven gemaakt. Natuurlijk zul je ooit op een dag het onderspit delven, maar... *nitsjevo*.'

'Wil je mee?'

Fedora Kulak lachte. 'Voor een miljoen dollar vast en zeker. Maar eerlijk gezegd ga ik ook voor niets met je mee. Lekker met je vrijen in de Caribische zon en zwemmen in een lekkere, warme zee... Maar ik wil niet dat je vrienden me voor een gek aanzien. Vraag hun om vijf miljoen dollar. Ze zullen uit je handen eten.'

Malko zei bij zichzelf dat hij dat zelf niet zou hebben gedurfd. Hij gaf niet om geld. Een vrouw als Fedora zou in Havana van onschatbare waarde kunnen zijn. Ze had bewezen niet voor een kleintje vervaard te zijn, toen ze met Polyakov dwars door Europa vluchtte, met de KGB en nog een paar geheime diensten op haar hielen. Ze was een wild beest, gehuld in een dekmantel van opperste vrouwelijkheid. '*Dobre*,' zei hij ten slotte. 'Ik zal Frank Capistrano een voorstel doen dat hij niet kan afwijzen.'

'Ik herinner me die vrouw nog,' zei Frank Capistrano peinzend. 'Een harde. Misschien is het nog zo'n slecht idee niet. We moeten haar gewoon een Canadees paspoort op haar naam geven. Daar zorgt de technische dienst wel voor. En verder?'

Malko pakte de cheque die hij de vorige dag had gekregen en legde die op tafel. Frank Capistrano wierp er een korte blik op en schrok absoluut niet toen hij het bedrag zag: vijf miljoen dollar. Duidelijk opgelucht stak hij Malko zijn hand toe: 'Afgesproken,' zei hij slechts. 'Ik wist wel dat je het zou doen. En ik vertrouw er ook op dat alles goed zal aflopen.'

'Goed of slecht,' zei Malko, 'daar beschikt het lot over.'

5

Voor het hek van het grijze, zes verdiepingen hoge gebouw waarin het kantoor voor Amerikaanse belangen was gehuisvest, stond een halfbloed van hooguit een jaar of twaalf oud met spitse borsten onder haar witte blouse. Met een kinderstemmetje riep ze: 'Stelletje imperialisten! Ik ben echt niet bang voor jullie!'

Achter haar scandeerde het koor van betogers dat op het parkeerterrein was samengekomen: '*Venceremos, patria o muerte.*' We zullen overwinnen, het vaderland of de dood.

De soldaten van het Cubaanse leger, die om de tien meter stonden opgesteld rondom dit bastion van het yankee-imperialisme, stonden bij 35 graden hitte ongemakkelijk in hun groene uniformen te zweten en schonken geen enkele aandacht meer aan deze herhaaldelijk voorkomende 'spontane' demonstraties.

Miguel Barreiro moest afremmen, want een aantal demonstranten stond op de Malecón, de laan die door heel Vedado, het centrum van Havana, langs de Atlantische Oceaan liep. De Cubanen hadden de met klimop begroeide reling de bijnaam de 'sofa' gegeven, want elke avond kwamen ze er met honderden zitten, met hun gezicht naar de zee en Florida. Een sofa van zes kilometer lang.

Het kantoor voor de Amerikaanse belangen was een enorm ettergezwel voor het regime van Castro. Vlak achter de demonstratie stonden op standaards, rondom een reusachtig hakenkruis, enorme foto's van de misstanden in de Abu-Ghraibgevangenis.

Een vermoeide soldaat duwde een paar demonstranten opzij zodat de Mercedes kon doorrijden. Hij was duidelijk liever ergens anders geweest.

Helaas kon hij zijn beurt om op wacht te staan niet ontlopen.

Voor de *compañeros* van het revolutionaire leger was het een grote eer om mee te werken aan de bewaking van deze vooruitgeschoven post van de vijanden van het Cubaanse volk. Op de hekken geplaatste camera's en soldaten hielden de wacht alsof elk moment hordes vuurspuwende draken uit dit lelijke gebouw naar buiten konden stormen om de Cubaanse revolutie aan te vallen.

Miguel Barreiro kreeg eindelijk de ruimte en gaf gas. Hij schrok op toen een in blauw gehulde motorrijder met een helm op en prachtige, zwartleren laarzen, hem inhaalde. Deze politieagenten waren onophoudelijk scherp op hun hoede voor de kleinste verkeersovertredingen. Ze waren vooral te vinden op de Malecón en de Quinta, waarover Fidel Castro regelmatig langsreed. Ze waren voor het merendeel zwart en ze schiepen er een groot genoegen in blanken te beboeten. Boze tongen beweerden dat ze juist om die reden werden uitgekozen. Negers op Cuba werden vaak slecht behandeld door het regime. En er waren maar heel weinig zwarte automobilisten.

De Spaanse architect reed iets verderop de Rampa op, een belangrijke verkeersader naar het zuiden. Hij reed gedachteloos. Sinds de vorige dag leefde hij in angst. Om acht uur 's morgens had een agent in een grijs uniform van de *policía criminalista* hem een oproep gegeven zich de volgende dag om negen uur op het ondervraagcentrum op Calle 100 in Boyeros te melden. Dat was een complex van tientallen gebouwen, verdeeld over een reusachtig terrein dat werd omgeven door prikkeldraad en wachttorens. Terwijl hij verder reed tussen de oude, stinkende, slecht afgestelde rammelkasten, onderdrukte Miguel Barreiro een woeste aandrang om te keren en naar het vliegveld te vluchten.

Maar hij wist dat dat onmogelijk was.

Na de bekentenissen van Carlito had hij zich rustig gehouden en hij had tot maandagochtend gewacht tot hij de verdwijning van zijn Peugeot bij het politiebureau van zijn wijk had aange-

geven. Hij had uitgelegd dat hij zaterdagochtend van de Kaaimaneilanden was teruggekeerd en pas maandag had ontdekt dat
zijn auto was verdwenen. Want die stond in een andere straat
geparkeerd en hij gebruikte hem alleen voor zijn werk. De
agent die zijn aangifte had opgenomen, had een beetje verrast
gereageerd: op Cuba werden maar heel weinig auto's gestolen.
Diezelfde avond had Miguel in het paladar Le Chansonnier
gegeten en hij had de laatste onthullingen van Carlito in een
waterdichte, plastic envelop in het waterreservoir van een van
de toiletten verborgen, zoals afgesproken. Zonder over de blun-
ders van Carlito te reppen.

Toen hij over de Independencia reed, probeerde hij zichzelf
gerust te stellen. Hij was niet gemaand naar de Villa Marista te
komen, het hoofdkwartier van de Staatsveiligheidsdienst, maar
naar de gewone policía criminalista, die diefstallen en delicten
afhandelde die met de zwarte markt te maken hadden. Ze hadden zeker zijn auto gevonden en hij zou hem nu terugkrijgen.

Uit voorzorg was hij eerst naar een van zijn bouwterreinen aan
de Calle 100 gegaan. Je wist maar nooit wanneer je terugkwam... Zigzaggend tussen de fietstaxi's en oude Amerikaanse
wrakken uit de jaren vijftig, haalde hij een *camello* in, een enorme, overvolle bus die door een tractor werd getrokken. De Independencia liep verder naar het zuiden, door steeds armere wijken. Op verscheidene plaatsen stroomde het water uit kapotte
waterleidingen over de straat. In tegenstelling tot wat hij meestal deed, liet Miguel Barreiro drie meisjes staan die zich aan de
nationale Cubaanse sport waagden: *botella*, liften. Hij had geen
zin om te praten.

Eindelijk kwam hij bij een groot, openstaand hek op de kruising
van Calle 100 en Calle Albado. Een van de wachtposten kwam
naar hem toe en hij liet hem zijn oproep zien.

'Derde gebouw rechts,' zei de agent onverschillig, en hij noteerde het nummer van de Mercedes.

In Cuba noteerden agenten alles, maar dan ook álles. Deze

informatie werd vervolgens ingevoerd in de centrale gegevens-banken van de DGSE, waarin ook alle informatie van de verklik-kers terechtkwam. Op elk ministerie bestond een afdeling 'O' die was belast met het verzamelen van de informatie van ver-klikkers, anoniem of niet. Alles moest binnen zestig dagen wor-den behandeld. Met deze enorme berg aan informatie konden de vijanden van de revolutie beter worden ontmaskerd...

Miguel Barreiro parkeerde in de schaduw van een enorme kapokboom en stapte uit. Zijn benen konden hem nauwelijks dragen. Hij droeg een elegante, Cubaanse guayabera en een grijze broek.

Hij zat in zijn eentje op een houten bankje in een kleine kamer, waar hij samen met een tiental andere 'opgeroepenen' had zit-ten wachten. Hij had geen woord met hen gewisseld. Niemand vertrouwde elkaar en de agenten van de DGI, de contraspionage-dienst, waren overal en in de meest diverse vermommingen te vinden.

Het was stikkend heet in het kantoortje, dat werd opgesierd door een grote foto van Fidel Castro in de Sierra Maestra. De ventilator aan het plafond was defect. Ze hadden in dit gebouw toch geen last van stroomstoringen, die zo'n nachtmerrie voor de Cubanen waren?

De deur ging met zo'n ruk open, dat Miguel Barreiro's hartslag bijna naar de 200 schoot. Hij stond op en bekeek met verbazing de vrouw die binnenkwam: een halfbloed en veel groter dan hij. Ze had haar haar naar achteren gebonden en ze was gekleed in een blauwe blouse en een rok tot aan haar knie. In haar hand had ze een blauwe map. Haar blik was streng, maar ze zag er aan-trekkelijk uit, met haar grote, felrode mond. Ze nam hem met een vijandige blik op. 'Señor Barreiro, ik ben ondervraagster eerste klas Caridad Valdés. Uw papieren, alstublieft.'

Als buitenlander had de architect geen recht op de benaming *compañero*. Die was aan Cubanen voorbehouden. Hij maakte deel uit van de kapitalistische buitenwereld, die zich echter uiteindelijk bij het Cubaanse paradijs zou voegen, als het aan de Líder Máximo lag. Caridad Valdés bladerde het paspoort lange tijd door, gaf het terug aan Miguel Barreiro, pakte zijn oproep, borg die op in het dossier, liep om haar bureau heen en ging zitten. Vervolgens sloeg ze de map open en de architect was blij te zien dat er een paar foto's van zijn Peugot in zaten. Hij deed zijn mond open, maar de vrouwelijke politieagent was hem voor en zei ernstig: 'Señor Barreiro, dit is een zeer ernstige zaak.'

Miguel Barreiro voelde het bloed uit zijn gezicht wegtrekken. Als hij niet had gezeten, zou hij zijn gevallen. Het lukte hem met verstikte stem te vragen: 'Hebt u mijn gestolen auto gevonden?'

'Ja, natuurlijk.'

Meer zei ze niet en ze liet hem in zijn sop gaarkoken. Iemand deed de deur open, maar deed hem snel weer dicht. Vervolgens vroeg de ondervraagster met een onaangedane stem: 'U hebt verklaard dat u niet weet wie hem had gestolen van het parkeerterrein naast uw huis, aan de Calle 84?'

'Ja, ja,' stamelde de architect. 'Dat klopt.'

'Goed,' vervolgde de ondervraagster. 'Een van onze speurders heeft een getuige gevonden die heeft gezien dat de dief uw auto stal.'

'O, ja?'

Zijn guayabera plakte op zijn rug. Meedogenloos vervolgde de ondervraagster: 'Het was een jongeman die uit uw huis naar buiten kwam, señor Barreiro. Om acht uur 's morgens. De bewaker wilde net weggaan.'

Het hart van de architect stopte bijna met kloppen. Hij keek op en zijn blik kruiste de kille blik van de ondervraagster. Hij begreep dat hij binnen enkele seconden een besluit moest nemen. Toen hij aan de cellen in Villa Marista dacht, zei hij met een matte stem: 'O, ja, dat was een vriend die de nacht bij mij had doorgebracht. Maar ik wist niet...'

'Zijn naam?'

'Carlito, ch... Carlos.'

'Is dat alles?'

'Ja. Ik ken zijn achternaam niet.'

Dat was in elk geval waar. Hij had hem nooit aan Carlito gevraagd.

'Kent u hem goed?'

Miguel Barreiro keek naar het dikke dossier. Ze wisten alles van hem, zoals altijd. Het werd tijd om eieren voor zijn geld te kiezen. Met een armzalige, onderdanige glimlach gaf hij toe: 'Ik had hem een tijdje geleden op een *fiesta* ontmoet en we mochten elkaar wel. Daarna heb ik hem mee naar huis genomen om een glas rum te drinken.'

'Wat voor soort fiesta, meneer Barreiro?'

De architect transpireerde, en dat kwam niet alleen door de hitte. Hij dwong zich te glimlachen. 'Een fiesta in het Leninpark.'

De ondervraagster zweeg lange tijd, terwijl ze Miguel Barreiro met onverholen afkeer bleef aankijken. Toen zuchtte ze, alsof ze haar schaamte had overwonnen en legde drie foto's op haar bureau. Met een neutrale stem vroeg ze: 'Herkent u uw auto?'

Het was inderdaad de Peugeot. De portieren stonden open. Erachter was een witte auto te zien met op de zijkant het opschrift POLICIA CRIMINALISTA. Maar Miguel Barreiro's blik bleef strak gericht op wat er op de voorgrond te zien was. De auto stond in de berm van een brede weg en er vlak voor waren twee lichamen te zien die met hun gezicht omlaag op het wegdek lagen. Een van hen had nog een pistool in zijn rechterhand. De bovenste helft van hun rug en hun nek waren een rauwe massa. Waarschijnlijk met machetes bewerkt.

Vol afgrijzen keek Miguel Barreiro zijn ondervraagster aan. Hij kon geen woord uitbrengen. Zij legde kalm uit: 'Dat zijn de lichamen van *compañeros* Vladimiro Fernández en Fernando Martín, die op laffe wijze zijn vermoord door de inzittenden van die auto. Een afgrijselijke, dubbele moord en ik ben verplicht u als medeplichtige te zien zolang ik geen bewijs heb dat de auto gestolen is, zonder dat u het wist.'

De woorden hamerden in Miguel Barreiro's hoofd. Op een dergelijk delict stond het executiepeloton. De doodstraf bestond nog steeds in Cuba en werd regelmatig toegepast. Hij wilde uitschreeuwen dat dit onmogelijk was, dat een lid van de persoonlijke lijfwacht van Fidel Castro zo'n misdaad niet kon plegen, maar hij begreep dat hij daarmee zijn eigen graf zou delven. En dan zou hij hier weken-, misschien wel maandenlang opgesloten blijven. De prachtige Spaanse ambassade, aan de rand van het oude centrum van Havana, Vieja Havana, leek hem plotseling een andere wereld.

Carlito vervloekend, protesteerde hij met een gebroken stem: 'Dat is afgrijselijk. Ik begrijp er niets van. Die jongen heeft kennelijk mijn sleutels gestolen. Die lagen in de hal...'

Hij bezweek onder de meedogenloze blik van de ondervraagster en plotseling begreep hij dat hij het niet langer voor zich kon houden. Overeind komend lukte het hem met bijna normale stem te zeggen: *'Compañera*, het is waar, ik geef toe dat ik heb gelogen. Ik dacht dat de zaak niet zo ernstig zou zijn. Die jongen had me gevraagd of hij mijn auto mocht lenen om naar zijn familie in Camaguey te gaan. U weet dat het niet eenvoudig is er met het openbaar vervoer te komen. Toen ik terugkwam van mijn reis, zag ik dat hij hem niet had teruggebracht. Ik dacht dat hij pech had gehad, want het is een oude auto. Ik kon hem op geen enkele manier bereiken, en omdat ik niets van hem hoorde, heb ik hem als gestolen opgegeven.'

'En u hebt hem niet meer gezien? Hij heeft u ook niet gebeld?'

'Nee, *compañera*.'

Dat konden ze controleren. Zijn telefoon werd ongetwijfeld afgeluisterd, zoals die van alle buitenlanders die in Cuba woonden, evenals die van dissidenten en 'verdachte elementen'. De praktijk van het plaatsen van afluistermicrofoons was zo wijdverspreid, dat ze soms openlijk te werk gingen. Dat werd gedaan door de *técnica*, een eenheid die vroeger door de Oost-Duitse geheime dienst in het leven was geroepen. Alles kwam samen in het reusachtige afluistercentrum Lourdés, in de buitenwijk van Havana. In elk groot hotel was een kamer waartoe alleen agenten van de DGI toegang hadden en waar de schermen stonden opgesteld van de camera's die in bepaalde kamers waren aangebracht en de bandrecorders draaiden die met de talloze microfoons waren verbonden. En hoe goed de buitenlandse ambassades ook werden uitgekamd en schoongemaakt, het lukte de DGI altijd nieuwe microfoons te plaatsen.

De ondervraagster pakte de foto's weer en richtte haar kille blik op Miguel Barreiro. 'Weet u waar die Carlito is?'

Met een droge mond schudde Miguel Barreiro zijn hoofd. 'Nee, dat zweer ik, *compañera*. Ik weet niet waar hij woont. Maar wat is er gebeurd? Waarom zijn die twee dappere politieagenten gedood?'

'Die Carlito en een handlanger hebben een koe gestolen en geslacht,' legde ze uit. 'Daarna hebben ze hem aan stukken gesneden en die in de auto meegenomen om ze aan de paladars of aan smokkelaars te verkopen. Voor elk van die delicten riskeren ze al een gevangenisstraf van vijftien jaar. Ze werden door een patrouille van de *policía especial* aangehouden toen ze Havana in wilden rijden en toen hebben ze die twee *compañeros*-agenten vermoord.'

Geschokt staarde Miguel Barreiro zwijgend voor zich uit. Wat een schoft, die Carlito! 'Ik wou dat ik u kon helpen,' zei hij onderdanig. 'Maar ik weet niets over hem.'

Dat was zo goed als waar. Wanneer hij over de positie vertelde, die Carlito vervulde, maakte hij zijn zaak er alleen maar erger op.

'Goed,' besloot de ondervraagster terwijl ze opstond. 'U mag dit allemaal opschrijven.'

Ze liep om het bureau heen en legde een balpen en papier voor

Miguel neer. Toen vertrok ze, en hij hoorde dat ze de sleutel in het slot omdraaide. Ze ging waarschijnlijk om instructies bij haar superieuren vragen. Alles liep bij de Cubaanse politie via strenge, hiërarchische lijnen. Miguel Barreiro begon te schrijven. Zijn guayabera plakte van het zweet aan zijn rug. Hij zou zijn oude Peugeot niet snel terugzien...

Caridad Valdés kwam met een sigaar in haar hand terug het kantoor in. Ze pakte Miguel Barreiro's 'bekentenis' en las hem aandachtig door. Toen legde ze de papieren op het bureau en vroeg: 'Bent u niets vergeten, señor Barreiro?'
Dat leek op een valstrik. Hij zou eigenlijk nog moeten zeggen wat hij over Carlito wist, maar hij zweeg. 'Nee, ik geloof het niet. Maar als me iets te binnen schiet...'
Caridad Valdés borg de ondertekende papieren zorgvuldig in het dossier op, nam een trek van haar sigaar en keek Miguel Barreiro aan. 'Señor Barreiro, u hebt niets verteld over uw reizen naar de Kaaimaneilanden,' vervolgde ze.
Miguel Barreiro viel bijna van zijn stoel van verbazing. Hij was zo naïef geweest te denken dat hij er zo gemakkelijk onderuit zou komen. Met grote moeite lukte het hem uit te brengen: 'Ik dacht niet dat... dat er een verband was met...'
De ondervraagster onderbrak hem droog. 'De staatsveiligheidsdienst is in alles geïnteresseerd. Wat doet u daar telkens?'
De architect voelde zich weer iets zelfverzekerder. De zaken die hij op de Kaaimaneilanden deed, waren volkomen legaal, ook in de ogen van de Cubanen. 'Ik investeer,' legde hij uit. 'Ik heb geld in Spanje en dat zet ik daar uit. Er is een orkaan geweest en talloze huizen zijn verwoest, maar de eigenaars zijn door de verzekeringsmaatschappijen schadeloos gesteld. Er is dus genoeg geld om zaken te doen.'
Hij werd steeds spraakzamer, zonder te beseffen dat er op Cuba geen kapitaal bestond. Alles was in handen van de staat, zelfs de kleinste winkeltjes. Het begrip winst maken was onbekend in

de communistische wereld. De ondervraagster luisterde toe, terwijl ze haar sigaar rookte. Plotseling zei ze: 'Hebt u veel geld verdiend aan het huis dat u in de North Sound hebt gekocht?'

Miguel Barreiro was stom van verbazing. Dat was een privé-transactie geweest. Alleen het kantoor, Real Estate Broker, en de eigenaar wisten ervan. Hij had er nooit naar Cuba over gebeld of gefaxt. Deze vraag betekende dat hij op de Kaaiman-eilanden werd geschaduwd door de G5, de Cubaanse contra-spionagedienst in het buitenland. Hij begon in paniek te raken.

Dat ze van deze verkoop op de hoogte waren, betekende dat ze hem volgden. En als ze hem volgden... Hij dacht terug aan het diner met Lee Dickson in de Papagallo. De Amerikaan was vast en zeker bekend bij de Cubaanse geheime dienst. Miguel Barreiro bereidde zich voor op nog meer tegenslagen. Hij kon altijd nog zeggen dat hij de Amerikaan toevallig had ontmoet en niets over zijn achtergrond wist.

Maar wanneer de Cubanen ontdekten dat hij een spion van de CIA had ontmoet én contact had met een lid van de persoonlijke garde van Fidel Castro, was de kans natuurlijk groot dat ze heel kwaad op hem zouden worden.

'Hebt u er veel aan verdiend?' vroeg de ondervraagster opnieuw.

'Dat weet ik later pas. Ik moet er nog mee aan de gang,' legde de architect met een verlegen glimlach uit, en hij vroeg zich af waarom ze dat vroeg. Want het antwoord interesseerde haar duidelijk niet.

Er viel een stilte. De architect wachtte gelaten op de volgende aanval.

'Goed,' zei Caridad Valdés terwijl ze opstond. 'U wordt voor een confrontatie opgeroepen wanneer die misdadiger is opge-pakt. Uw auto is natuurlijk in beslag genomen tot aan het einde van het proces en u zult ongetwijfeld tot een flinke boete wor-den veroordeeld vanwege uw medeplichtigheid aan een illegale zwarte-marktactiviteit.'

'Natuurlijk,' antwoordde Miguel Barreiro gelaten en hij moest zich inhouden om niet naar de deur te rennen.

Ze gingen zonder enig afscheid in de gang uit elkaar. De Cubaanse had nog geen twee meter gelopen, toen ze zich omdraaide. 'Wanneer u iets te binnen schiet, neemt u dan contact op met het revolutionaire comité in uw wijk,' zei ze. 'Cuba verschaft u gastvrijheid, dus u dient zich netjes te gedragen.'

Waarom was ze over zijn onroerendgoedtransacties begonnen? Dat was vast een waarschuwing. Wat wisten ze over zijn reizen? Hij vervloekte Lee Dickson, de Amerikanen en de CIA. Zijn hoogmoed had hem in een lastig parket gebracht. Toen hij in zijn Mercedes stapte, die in een oven was veranderd, trilde hij zo erg, dat hij zijn sleutels op de grond liet vallen.

Plotseling dacht hij aan Dalia, de vriendin van Carlito. Wanneer ze haar zouden vinden, was ze een getuige die kon beamen dat hij Carlito wel terug had gezien. Als een zombie stopte hij bij het hek, liet zijn afgestempelde oproep zien en reed de Calle 100 op.

Pas veel later, bij het verkeerslicht op de kruising van de Independencia en de Los Alamos, zag hij de kleine, rode Suzuki, met achter het stuur een man in een poloshirt, die door het rode licht reed om hem niet uit het oog te verliezen.

In Cuba nam alleen een politieagent het risico door rood te rijden... Het was zover, hij bevond zich in de kaken van het kille monster dat de Cubanen al zesenveertig jaar terroriseerde. Zijn hele doen en laten zou vanaf nu worden gevolgd.

Hij mocht geen enkele misstap begaan. De CIA en Lee Dickson kon hij wel vergeten.

6

VAMOS BIEN. Het gaat goed met ons.

De kreet stond met enorme letters langs de Rancho-Boyeras-laan, vlak bij de uitgang van het vliegveld José Martí. Hij bena-drukte een van opzij genomen portret van een glimlachende Fidel Castro. Alsof de arme Cubanen, afgestompt door de tota-litaire Castromachinerie, nog in wonderen zouden kunnen gelo-ven. Ze moesten van dag tot dag zien te overleven op zwarte bonen en rijst. Het ontbrak hun aan alles, en vooral aan vrijheid. Iets verderop schreeuwde een andere poster je *SOCIALISMO O MUERTE* toe. Net als vroeger Adolf Hitler, zag Fidel Castro zijn volk liever lijden dan dat hij zijn doctrine zou verzachten. Hij stond aan het hoofd van een staat die, samen met Noord-Korea, als enige het doctrinaire communisme van de jaren twintig oplegde. Koppig daagde hij de hele wereld uit.

Malko zat achter in een Mercedes 'turistaxi' en keek naar het langsglijdende landschap. Cuba leek sinds zijn vorige bezoek nauwelijks te zijn veranderd.

Over het kapotte wegdek, dat eruitzag als na een aardbeving, bewogen zich vooroorlogse Amerikaanse auto's die twintig keer waren overgeschilderd en dikke, zwarte rook uitbraakten. Hier en daar waren ook Lada's te zien. Deze zagen er daarentegen bijna fonkelnieuw uit, evenals de zeldzame Japanse of Franse auto's en oude, kanariegele, Canadese schoolbussen.

Malko begon zich te ontspannen.

Het passeren van de Cubaanse immigratiedienst had hem enke-le flinke scheuten adrenaline gekost, maar hij had, in stilte bid-dend, zijn Canadese paspoort op naam van Walter Zimmer getoond, samen met zijn toeristenvisum, dat hij voor twintig dollar bij aankomst had gekocht. De beambte had het afgestem-peld en het zonder een woord te zeggen teruggegeven. Daarna was de douane slechts een formaliteit geweest. Fedora Kulak zou de volgende dag aankomen, eveneens uit Toronto, en ze had in het Havana Libre gereserveerd. Ze moesten elkaar 'toevallig' op het terras van het Nacional ontmoeten en een avontuurtje beginnen. Malko wist nog niet wat hij aan de Russin zou hebben, maar ze was een goede partner.

Hun briefing in Langley had enkele uren geduurd. Philip Radnor had Malko de agenda van Walter Zimmer gegeven, die vol stond met de namen van vrienden in Havana en doorgestreepte telefoonnummers en namen. Lee Dickson, die op de hoogte was van zijn komst, was opgedragen geen fysiek contact met hem te leggen. Zodra Malko zich in het Nacional had geïnstalleerd, moest hij controleren of er een bericht voor hem lag in de toiletten in de kelder. En daarna moest hij voorzichtig beginnen contacten te leggen. Allereerst de minst gevaarlijke.

Marita Díaz, een jonge Cubaanse van wie de broer naar Canada was geëmigreerd en die een schilderijengalerie in Vieja Havana had. George Wimont, de oliemakelaar met het motorjacht, die Malko eventueel het land uit zou brengen. En natuurlijk generaal Anibal Guevara, die man die na de dood van Castro de macht moest grijpen.

Ze kwamen in het centrum van de stad aan en Malko zag al de eerste fietstaxi's en een gele 'kokomobil', die hijgend en puffend voort kroop. Er was toch nog enige vooruitgang geboekt. Zijn taxi reed de Rampa af en in de verte zag hij de zee liggen. Florida lag aan de overkant... Vroeger moest Havana een mooie stad zijn geweest, nu zag het eruit als een spookschip met door salpeter weggeteerde muren en vervallen gebouwen. Het straalde een soort wulpse onverschilligheid uit, een morbide schoonheid in een schimmelig koloniaal decor. De mensen leken futloos, afgestompt en gehypnotiseerd, als leden van een sekte.

Het Nacional lag op een rotspunt en torende boven de Malecón uit. Het hotel was redelijk onderhouden en zag er niet al te

77

slecht uit. Voor de ingang wemelde het van de goedkope toeristen die met van alles en nog wat liepen te sjouwen en in bussen werden gepropt voor een bliksembezoek aan de stad, voordat ze naar het getto-strand Varadero zouden gaan.

Malko kreeg een ruime kamer met uitzicht op zee. Een toerist als alle andere. Hij ging meteen naar de kelder om bij Cubanatur een auto te huren. Toen hij uit het verhuurkantoor naar buiten kwam, liep hij eerst naar het toilet, dat daar enkele meters vandaan lag.

Toen hij de deur van de derde cabine achter zich had afgesloten, streek hij met zijn hand langs de bovenste deurstijl en meteen voelde hij een plastic kaartje. Met zijn nagel peuterde hij het los en stak het in zijn zak. Pas toen hij in zijn kamer was, bekeek hij het. Er stonden alleen wat letters en cijfers op: 880 5438 6PM 23.

Hij moest dus vandaag, 23 maart, vanavond om zes uur een telefooncel met het nummer 880 5438 bellen, waarna hij Lee Dickson, het districtshoofd van de CIA, aan de lijn zou krijgen. Hij had nog ruim drie uur.

Hij pakte zijn zwembroek en ging naar beneden, naar het zwembad. Toen hij langs de receptie kwam, kocht hij een telefoonkaart. Voor het geval hij zou worden geschaduwd, wat pure routine was, moest hij overkomen als een normale toerist. Dat betekende: meisjes versieren. Hij passeerde een prachtig meisje in de hal. Een halfbloed die samen met een man met grijs haar was. Ze wierp hem een brandende blik toe. Hij had zich nog niet bij het zwembad geïnstalleerd, of ze kwam eveneens zijn kant op en nam plaats op de ligstoel naast de zijne. Meteen knoopte ze in het Engels een gesprek met hem aan. 'Bent u net aangekomen?' vroeg ze.

'Ja.'

'Waarvandaan?'

'Canada.'

'O. Er zijn veel Canadezen in Cuba.'

Ze keek hem aan met een zelfverzekerde blik die weinig aan de verbeelding overliet.

'Bent u alleen?' vroeg Malko.

'Zo goed als,' zei ze glimlachend. 'Mijn vriend vertrekt straks. Ik ben met hem in Varadero geweest. Ik mag hier geen hotel nemen. Ze zijn hier strenger, vanwege de *jineterías*.'

Malko nam meteen zijn kans waar. 'Bent u vanavond vrij om te gaan eten?'

'Ja, uitstekend. Wilt u naar een paladar gaan? Ik weet een leuke, La Cocina de Lilian, in Miramar.'

'Goed dan,' zei Malko. 'Om negen uur in de lobby. Hoe heet u?'

'Beatriz.'

Hij stond op om terug te gaan. 'Nou, Beatriz, tot vanavond.'

In Cuba werd niet volgens Spaanse tijden geleefd. Meteen om zes uur overspoelden de Cubanen de stenen reling van de Malecón, waar ze tot laat in de nacht bleven rondhangen. Dit was het enige vermaak in een arme stad waarin je met gewone peso's vrijwel niets kon kopen.

Nadat hij zich had omgekleed, haalde hij op het parkeerterrein zijn gehuurde Skoda, die slechts 84.000 op de teller had staan. Hij reed richting Vieja Havana, aan de andere kant van de Malecón. Het leek wel of de stad was gebombardeerd! Van sommige gebouwen stonden alleen de gevels overeind, andere leken op het punt te staan in te storten en slechts een paar werden gerestaureerd met behulp van geld van UNESCO.

Hij haalde enkele oude Amerikaanse auto's in, die waren omgebouwd tot collectieve taxi's en vol met toeristen zaten die dit droevige schouwspel fotografeerden. Nadat hij de weg naar de haven had gevolgd, parkeerde hij voor het rummuseum Havana Club. Op de eerste verdieping van het gebouw bevond zich de galerie van Marita Díaz. Het was een idee van de CIA geweest contact met haar op te nemen. Haar broer woonde in Toronto en een vriend van hem, die banden met de CIA had, had gevraagd of Malko een brief voor zijn zuster wilde meenemen. Als ze net zo anti-Castro was als haar broer, zou ze uiteindelijk misschien nog van nut kunnen zijn. Malko ging de galerie binnen: er was geen mens! Aan de muren hingen onbelangrijke, non-figuratieve, moderne schilderijen.

Zodra hij binnen was, kwam er een jonge, sensueel glimlachende vrouw naar hem toe. Ze had een zonnebril in haar haar en ze droeg een bloemetjesjurk. Ze was klein, maar zag er goed uit. 'Zoekt u iets?'

Malko glimlachte. 'Ja, een zekere Marita Díaz.'

'Dat ben ik,' antwoordde ze verbaasd. 'Waarom?'

'Ik kom uit Canada,' legde Malko uit. 'Ik heet Walter Zimmer en ik heb een brief voor u van uw broer.'

De jonge Cubaanse verstrakte. 'Mijn broer! Kent u hem?'

'Niet persoonlijk,' zei Malko, 'maar we hebben gemeenschappelijke vrienden. Dit is de brief.'

Ze nam hem aan, waarna ze Malko meenam naar een kantoortje en meteen de deur dichtdeed. Met een vreselijk verlegen blik stopte ze de brief in haar zak. 'Mijn vriend is een tegenstander,' legde ze uit. 'Ik schaamde me ontzettend, toen hij naar Miami was vertrokken. Hij is weggelopen! Ik ben een echte patriot, ik was lid van de *pionieras*, ik ben in Libië geweest, ik heb kolonel Khadafi ontmoet. Ik weet niet eens of ik die brief wel zal lezen.'

Malko hield zijn verbazing voor zich. In plaats van een anti-Castro-fanaticus, was ze een fan van Fidel Castro! Hij kon niets anders doen dan te vertrekken. Maar zo gemakkelijk liet Marita Díaz hem niet gaan. 'Het is aardig van u,' zei ze. 'Ik wil u graag bedanken. Wilt u morgen met me gaan lunchen? Ik zal u over mijn land vertellen. Is dit uw eerste bezoek?'

'Nee, nee, ik hou veel van Cuba,' zei Malko.

Het gezicht van de jonge Cubaanse straalde meteen. 'Goed. In welk hotel zit u?'

'Het Nacional.'

'Ik kom u er om halfeen halen. In de lobby. En als ik u ergens mee kan helpen...'

Plotseling deed ze veel vriendelijker en haar glimlach leek bijna uitdagend.

Nadat hij was vertrokken, wandelde Malko nog een stukje door de smalle, ongelijke straatjes van Vieja Havana, te midden van de toeristen en de oude, vervallen gebouwen. De eigenaars waren zesenveertig jaar geleden vertrokken met het idee er na een maand of zes terug te keren. Niemand had hen ooit meer gezien... Hun personeel had er nu zijn intrek genomen, maar ze hadden geen cent om het te onderhouden en lieten de huizen blootstaan aan de invloeden van hitte en vocht, wat funest was. De orkanen waren in Cuba nog erger en rukten elke keer weer enkele stenen van de gebouwen, die toch al nauwelijks overeind stonden.

Hij keek op zijn Breitling: tien over vijf. Dadelijk was het tijd voor zijn eerste serieuze contact.

Precies om zes uur koos Malko het nummer 880 5438 vanuit een van de telefooncellen in de lobby van het Nacional. Het leek hem dat hij het beste daar kon bellen waar iedereen hem kon zien. Er werd meteen opgenomen en een mannenstem vroeg: 'Walter?'

'Ja.'

'Waar bent u?'

'In het Nacional, in de hal. Er lopen mensen om me heen, maar ik sta hier redelijk goed. Wat voor nieuws is er?'

'Goed nieuws,' zei Lee Dickson. 'Meteen nadat ik terug was, kreeg ik bericht. De situatie is ongewijzigd, u kunt dus naar uw contactpersoon gaan.'

'Wanneer weet u meer?'

'Over achtenveertig uur. Ga er morgenochtend meteen heen, want misschien duurt het even. We weten niets over zijn doen en laten. Ga naar het kerkhof Colón,' vervolgde de Amerikaan. 'Aan pad B ligt tombe 47654. Het is een anoniem graf. Bij de ingang van het kerkhof is een kleine winkel. Koop daar twee bossen bloemen. Leg er een waar u zelf wilt en leg de andere op dat graf.'

'Is dat alles?'

'Ga een dag later terug en vraag naar Joachim. Hij werkt op het kerkhof. Vraag hem waar het graf van *El Grande General* ligt. Hij zal u vertellen wat de volgende stap is.'

'Is hij te vertrouwen?'

'Absoluut, volgens onze contactpersoon. Ik zal op de bekende plek een nieuwe telefoonafspraak voor u achterlaten. Wees voorzichtig.'

Nadat hij had opgehangen, stapte Malko in zijn auto en reed de Malecón af naar Miramar. Hij wilde hernieuwd kennismaken met Cuba.

Generaal Francisco Cienfuegos, een van de meest gevreesde mannen van Cuba, het hoofd van de Dirección General de Inteligencia, de belangrijkste afdeling van de DGSE, zei tegen zijn medewerkster Isabel Jovellar: 'Ik heb het dossier van de Spaanse architect, Miguel Barreiro, bij de *policía criminalista* weggehaald. Handel jij het verder af.'

'Goed,' antwoordde Isabel Jovellar. 'Hij is een homo, hè?'

'Ja.'

'Ik hou niet van homo's. Tenminste, van sommige niet.' Ze herinnerde zich plotseling de voorkeuren van Raul Castro, waarmee heel Cuba in zijn maag zat. Cienfuegos keek niet op, hij vertrouwde haar: ze was een van zijn beste mensen. Ze had voor een lastige taak gekozen: bij de dissidenten infiltreren. Ze was ermee akkoord gegaan eerst zes maanden in de gevangenis te zitten, om haar 'achtergrond' als vijand van het regime hard te maken. Daarna was ze met open armen door de tegenstanders ontvangen en ze had hen een voor een verraden, om vervolgens opnieuw voor de anonimiteit te kiezen. Ze was getrouwd met een beambte van de CDR en was officieel onafhankelijk boekbindster. Een beroep dat nu zelfstandig kon worden uitgeoefend, net als dat van clown, zonder in dienst van de staat te zijn. Door deze status kon ze talloze contacten bij de 'doelwitten' van de DGI onderhouden.

Om geen aandacht te trekken, verplaatste ze zich op een eenvoudige Suzuki motorfiets. Bovendien was Isabel Jovellar zwart als roet, wat ieders laatste achterdocht jegens haar deed vervagen: er werkten maar heel weinig negers voor de veiligheidsdiensten.

'Ik heb nog iets voor je,' zei de generaal. 'Maar dit is moeilijker.'

'Ik zal mijn best doen,' verzekerde Isabel Jovellar hem.

'Konijntje,' zei generaal Cienfuegos teder, 'wat zou ik zonder jou moeten... Vooruit, aan de slag nu, ik voel het al komen.'

Isabel Jovellar, die schrijlings op de knieën van haar chef zat, haar rok omhoog over haar heupen geschoven en haar slipje aan een van haar enkels, waar het was blijven hangen aan een gouden kettinkje, dat ze daar droeg, kwam gehoorzaam overeind en liet de penis die in haar stak, bijna uit haar vagina komen.

Gedurende enkele seconden zag ze door het raam het keurig onderhouden grasveld van de Villa Marista, met in het midden een laan waarop twee Lada's stonden geparkeerd, en het zwarte hek dat het hoofdkwartier van de DGSE afscheidde van de Calle San Miguel. Toen duwde generaal Cienfuegos met zijn grote handen op haar heupen en drong opnieuw in haar. Het leek wel of de grote penis van haar geliefde tot aan haar maag in haar stootte.

'O, mijn beertje, wat ben je sterk!' kreunde ze.

Dit was een gewoonte. Ze kwam elke avond rond zeven uur 'verslag doen' bij generaal Cienfuegos. Dan begon ze met hem snel te bevredigen, want de generaal was erg hitsig. Daarna ging ze op zijn schoot zitten, met zijn penis diep in haar buik begraven, en praatten ze over van alles en nog wat, terwijl ze in een kalme draf op en neer bleef gaan.

Tot aan de laatste galop.

Geleid door de handen van haar geliefde die om haar heupen klemden, ging Isabel Jovellar als een waanzinnige op en neer, elke keer kreunend van genot wanneer hij in haar stootte, terwijl generaal Cienfuegos door haar blouse heen haar borsten likte. De teakhouten stoel onder hen kraakte als een schip in volle storm.

De jonge negerin maakte er geen geheim van dat ze genoot. Generaal Cienfuegos was geschapen als een fokhengst en hun semi-clandestiene ontmoetingen wonden haar vreselijk op.

Met een woest gekreun kwam haar minnaar diep in haar klaar. Toen werd het stil in het kantoor, tot Isabel zich voorzichtig van de paal in haar buik losmaakte, er een zachte kus op drukte en naar de toiletten ging. Toen ze terugkwam, had de generaal zijn kleren op orde gebracht en zat hij, een Cohiba 'robusto' rokend, een dossier te lezen. Ze liep naar hem toe en hij gaf een tikje op haar billen. 'Konijntje, ik had het net over een nieuwe opdracht. Ik heb redenen te geloven dat de imperialisten zullen proberen voor een zeer belangrijke opdracht een agent van hen Havana binnen te krijgen, als ze het al niet hebben gedaan.'

'Heb je iets waaraan we hem kunnen herkennen?' vroeg Isabel Jovellar meteen.

'Helaas niet,' moest de generaal bekennen. 'Ik zei al dat het een heel moeilijke opdracht is. Maar ik heb een idee. Dit is een lijst van alle mannen die sinds het begin van de week in hun eentje het land binnen zijn gekomen, als toerist of voor zaken. Er zijn er ongeveer dertig die aan het juiste profiel voldoen. Ik wil dat je hen een voor een nagaat. Kijk of je iets abnormaals aan hen kunt ontdekken. Ik weet dat het aan jou wel is toevertrouwd de vijanden van de revolutie te ontmaskeren.'

'Dank je, maar ik weet niet of het wel zal lukken zonder verdere aanwijzingen,' protesteerde Isabel Jovellar. 'Denk je dat die agent contact zal opnemen met de imperialisten die hier zijn?'

'Waarschijnlijk wel,' beaamde het hoofd van de DGI. 'Maar ik weet niet hoe. We hebben de surveillance van Lee Dickson, de man van de CIA, verscherpt. Elke ochtend krijg je verslag van zijn activiteiten van de voorgaande dag. Met een beetje geluk...'

Isabel Jovellar besefte heel goed dat de generaal haar niet alles vertelde wat hij wist, maar ze had geleerd geen vragen te stellen. Ze bukte zich en gaf een lichte kus op zijn grote snor. 'Tot ziens, schatje.'

Generaal Cienfuegos keek van achter het raam Isabel na, die heupwiegend over het grasveld wegliep, en hij zei bij zichzelf dat hij aan haar een heel plezierige medewerkster had. Hij pakte zijn aktetas en ging naar het parkeerterrein naast het gebouw, aan de Calle Anita. Zijn chauffeur opende onderdanig het portier voor hem. 'Naar San Miguel del Padrón,' zei de generaal.

Dat was de gevangenis van Eenheid II, waar verdachten van ernstige delicten werden ondervraagd die niet direct van belang waren voor de DGI. Honderden verdachten zaten er in piepkleine cellen gepropt, zonder enige hygiëne. In de kelder bevonden zich de ondervraagruimtes van de *policía especial*, waar heel wat ruwere ondervraagmethodes werden toegepast dan bij de DGI.

Een halfuur later reed de Mercedes van de generaal het hek van de gevangenis door. Francisco Cienfuegos werd vol ontzag begroet door een luitenant-kolonel, die de reden voor zijn bezoek kende en hem door een gang die stonk naar zweet, urine en vuil rechtstreeks naar de kelder bracht. De officier opende de deur van een cel en stapte opzij.

Wat hem eerst deed terugdeinzen was de stank van braaksel.

Op een houten brits lag een neger. Zijn enkels en polsen waren met kettingen aan een in de muur verankerde ring vastgemaakt. Hij leek te slapen. Zijn gezicht en zijn lichaam zaten onder de blauwe plekken en kneuzingen, zijn rechterarm was in een vreemde hoek geknakt. Hij leek de twee mannen niet op te merken.

'Heeft hij bekend?' vroeg generaal Cienfuegos.

'Natuurlijk,' antwoordde de officier trots. 'Volgens hem heeft zijn oom onze twee collega's vermoord. De schoft. Ik denk dat hij de waarheid spreekt. Hij staat nu geheel tot uw beschikking, *compañero* generaal.'

'Hij is er niet best aan toe,' merkte generaal Cienfuegos op.
'Sinds gisteren heeft hij geen woord meer gezegd. Ik denk dat ze hem wat al te hard tegen zijn hoofd hebben geslagen. Als u hem wilt meenemen, laten we een ambulance komen.'

Generaal Cienfuegos hield zijn adem zo veel mogelijk in om de stank van de cel niet te diep in zijn longen te laten dringen. Vol walging bekeek hij de menselijke gedaante die op de brits lag. De DGI had het onderzoek van de *policía especial* de goede kant op geleid met behulp van de gegevens die ze over deze jonge lijfwacht van Fidel Castro hadden. Hij zou een memo opstellen voor de psychologische eenheid die de kandidaten moest controleren. Ze hadden een gevaarlijke crimineel toegelaten... 'Ik hoef hem niet te hebben,' zei hij droog.

De luitenant-kolonel liet zich niet uit het veld slaan. 'Goed, *compañero* generaal. We brengen hem over naar een cel, waar hij zijn berechting zal afwachten. Met een goede advocaat komt hij er met twintig jaar vanaf, maar de officier zal beslist om de doodstraf vragen.'

'Die verdient hij ook,' zei generaal Cienfuegos.

Hij liep naar de brits, maakte de holster van zijn dienstpistool open en haalde er een 9 millimeter Makarov uit. Hij laadde het wapen door, strekte zijn arm en schoot twee keer in het hoofd van Carlos Fernández, dat in een fontein van bloed openspatte.

Kalm borg hij zijn wapen op, terwijl het geluid van de schoten nog door de gangen nagalmde. 'Doe verslag van een vluchtpoging en geef het lichaam terug aan de familie, als hij die heeft.'

'Uitstekend, *compañero* generaal,' antwoordde de officier van de *policía especial*, die onder de indruk was van deze resolute oplossing.

Malko kwam de douche uit om de telefoon op te nemen.
'Walter!' zei een vriendelijke mannenstem, 'met George. Ik heb

86

je boodschap ontvangen. Leuk dat je in Cuba bent.'

'Ik wil je snel weer zien,' zei Malko.

Dit was zijn eerste 'bruikbare' contact, George Wimont, de oliehandelaar die hem eventueel het land uit zou moeten brengen.

'Zullen we morgenochtend een eindje gaan varen?' stelde George Wimont voor. 'Dan kunnen we wat gaan vissen. Neem je paspoort en zwembroek mee. We zien elkaar in de Hemingway jachthaven. Mijn boot heet de *Blue Marlin*. Geef je naam bij de ingang op, dan kun je zo naar binnen. Om negen uur?'

'Om negen uur,' stemde Malko in.

7

Isabel Jovellar parkeerde haar auto voor de entree van Calle de las Oficias 12, in Vieja Havana, en liep de brede trap op. De verf op de zwartige muren bladderde overal af, elektriciteitsdraden hingen los, de vloer was zwart van het vuil en de treden lagen schots en scheef. Niets werd onderhouden. 's Avonds zag je er geen hand voor ogen: lampen, die nergens te koop waren, werden regelmatig gestolen. Haar man wachtte in haar flat op de eerste verdieping op haar. Hij zat achter een enorm bord *frijoles*, zwarte bonen, en varkensvlees, gekleed in zijn ondergoed, dat een brede borst omspande. Hij was het hoofd van CDR nummer 7 van zone 12 en in die functie genoot hij enkele voordelen, bovendien was hij altijd als eerste van alle nieuwtjes op de hoogte. Zo beschikte hij over een Oural motor met zijspan, die Fidel Castro aan zijn trouwste volgelingen had geschonken. Hij keek zijn vrouw met een begerige blik aan en gaf haar een tikje op haar billen toen ze langsliep.

Alleen al als hij haar zag, kreeg hij een erectie. Snel schonk hij een glas rum in.

'Wat zeggen ze op Radio Bamba?' vroeg Isabel.

'Kennelijk krijgen we citroenen.'

Om de een of andere duistere reden waren er al twee weken lang geen citroenen meer te koop in Havana.

'Kijk, dat is vanmorgen voor je gekomen.' Hij wees naar een vel papier dat naast hem lag.

'De oproep voor de spontane demonstratie morgen voor het huis van die smeerlap Oswaldo Paya. En dan te bedenken dat zijn vader de Cubaanse communistische partij heeft opgericht. Vreselijk!'

Oswaldo Paya was van het ergste soort. Hij had de Sacharovprijs gekregen vanwege zijn pacifistische verzet. Om zijn opvattingen was hij verscheidene keren opgesloten en hij had het in zijn hoofd gehaald officiéél om een herziening van de Cubaanse grondwet te vragen om vrije verkiezingen mogelijk te maken. De regering zette alles in het werk om hem zwart te maken, tot ze hem weer de gevangenis in konden sturen.

'Je weet dat ik daar niet naartoe kan gaan,' zei Isabel.

Haar man ging er niet tegenin. Hij wist dat haar werk als boekbindster slechts een dekmantel was. Hij pakte haar bij haar middel en begon haar borsten te masseren.

'Wacht,' protesteerde ze. 'Het is te warm.'

Nadat ze zo fijn was klaargekomen bij generaal Cienfuegos, wilde ze zich niet ruw laten nemen door haar echtgenoot. Ze ging tegenover hem zitten en pakte de lijst met namen die ze van haar chef had gekregen. Tweeëndertig namen van reizigers die de afgelopen vier dagen waren aangekomen, voornamelijk uit Canada. De ervaring had haar geleerd dat de vijanden zelden uit Europa kwamen.

Het was saai werk, maar de gedachte een imperialistische spion te ontmaskeren wond Isabel Jovellar op. Misschien zou ze er wel een premie mee verdienen, zoals een Lada. Ze begon de namen een voor een aan te strepen en bekeek de visa, waarop de gegevens van de paspoorten stonden. Degenen die te jong of te oud waren, vielen af.

Toen haar man om de tafel heen naar haar toe kwam en nu haar borsten met volle handen beetpakte, had ze een vijftiental 'mogelijke' namen aangestreept. Allemaal mannen. De Amerikanen stuurden nooit vrouwen. Ze zou hen een voor een onderzoeken en degenen wegstrepen die rechtstreeks naar Varadero waren vertrokken.

Ze keek op en zag een enorme, zwarte paal voor haar gezicht. De penis van haar man, die haar met een glas rum in zijn hand stond uit te dagen. Ze pakte hem beet. Dit was tenminste beter dan de staatstelevisie.

Terwijl ze haar man naar de slaapkamer volgde, vroeg ze zich af waarnaar generaal Cienfuegos echt op zoek was. Hij was opvallend zwijgzaam geweest. Dat betekende dat deze kwestie een staatsaangelegenheid was. Die gedachte wond haar minstens zo erg op als het grote geslachtsdeel dat zich in haar buik een weg naar binnen baande.

De tuin van de paladar La Cocina de Lilian was goddelijk, met tafeltjes die ruim verspreid stonden, begroeiing, kaarsen en een heerlijk lauwe lucht. Helaas was het eten abominabel... Malko bekeek Beatriz, die was aangevallen op iets wat als lamsvlees was opgediend, maar meer weg had van een kat met te veel loopuren. Ze genoot ervan. De jonge Cubaanse zag er prachtig uit in het kaarslicht, in een jurk van witte stretch, die haar gewelfde billen goed deed uitkomen, en felle make-up. Op het afgesproken uur had ze braaf in de lobby op Malko staan wachten. Toen ze naar buiten waren gelopen, had ze hem enkele besnorde mannen aangewezen die in de fauteuils hingen. '*Segurosos*. Die moeten voorkomen dat Cubanen naar boven gaan.'
Ze hadden Miramar bereikt, dat door de rivier Alcondares werd gescheiden van Vedado, waar de meeste paladars lagen: privé-restaurants in privéhuizen of -appartementen waarmee de Cubaanse regering dollars binnenhaalde. Het kostte Malko moeite de vragenvloed van Beatriz te beantwoorden. Omdat ze Engels sprak, werkte ze in een kantoor van Cubanatour. Ze dronk alleen *mojitos* en ze begon steeds sneller te praten. Malko was er niet met zijn gedachten bij en luisterde nauwelijks naar haar gekwebbel.
'Zullen we gaan?' vroeg ze ten slotte.
Zelfs de koffie was niet te drinken. Op de Quinta stonden bijna overal meisjes te liften. Beatriz barstte uit: 'Al die *jineterías* zijn travestieten.'
Ze werden ingehaald door twee motoragenten. Even verderop stond een witte auto in een zijweg geparkeerd. Op bijna elke

kruising stonden agenten op de uitkijk. Dat alles gaf een gevoel van beklemming. Beatriz legde opdringerig een hand op Malko's dij. 'Zullen we gaan zwemmen?'

'Zwemmen?' herhaalde Malko verrast.

Het was elf uur 's avonds.

'In Tarara,' legde Beatriz uit, 'dat is even verderop, maar daar is het rustig. Of anders kopen we een fles rum en gaan we naar mijn huis...'

Ze wilde hun opbloeiende vriendschap duidelijk op een concrete manier bezegelen. Malko zei bij zichzelf dat Beatriz een *puta militante* was en dat dit een uitstekend moment was om zijn rol als ongetrouwde toerist waar te maken. Ze stopten aan het einde van de Rampa en hij gaf Beatriz een biljet van tien inwisselbare peso, waarna ze in een winkeltje verdween en terugkwam met een fles rum. 'Naar de Calle San Lázaro,' zei ze, 'evenwijdig aan de Malecón.'

Het zwartige gebouw leek op het punt van instorten te staan. Malko volgde Beatriz naar een lift die met een verontrustend gekraak in beweging kwam en in een pikdonker gat omhoog bewoog.

Daarna moest hij nog een smalle trap op tot hij op de bovenste verdieping een donker, somber appartement bereikte met een terras dat een fantastisch uitzicht over de Malecón en de Atlantische Oceaan bood. Beatriz schonk twee glazen met rum in, deed er ijs bij en tikte met haar glas tegen dat van Malko. '*Bienvenido a Cuba.*'

Dertig seconden later drong er een met rum doordrenkte tong diep in zijn mond, terwijl de heupen van Beatriz een duivelse salsa tegen de zijne dansten. Plotseling ging het licht uit. Beatriz slaakte een wanhopige kreet. 'Het is weer zover!'

In Cuba kwamen elektriciteitsstoringen zo veel voor, dat ze vaak vooraf op de radio werden aangekondigd.

Beatriz bleef zich in het donker tegen Malko aan wrijven. Plotseling zag hij in de iets lichtere schemering op het terras twee gedaantes. Beatriz had ze ook gezien.

'Kijk,' fluisterde ze. 'Dat is Pedro Juan, mijn buurman. Hij is met zijn nieuwe vriendin aan het vrijen.'

Malko zag inderdaad een man bij een muurtje staan waarop een meisje zat. Haar benen staken omhoog en hingen over zijn schouders. De man stootte zo hard in haar, dat ze elke keer bijna achterover in de leegte viel.

Deze aanblik liet Beatriz duidelijk niet koud. Binnen een oogwenk had ze Malko uitgekleed, wat hem goed uitkwam, gezien de klamme hitte die er hing. Hij voelde haar naakte huid tegen de zijne, toen een mond die over zijn borst omlaag gleed naar zijn buik. Ze stak hem net ruw in haar mond, toen het stel op het terras zich verplaatste. Het meisje trok haar partner aan zijn stijve geslachtsdeel naar het andere appartement. Beatriz duwde Malko op een bed. Zodra hij lag, ging ze schrijlings op hem zitten en liet zich over hem heen zakken, waarna ze in het pikdonker verderging met de salsa waar ze al eerder aan was begonnen.

Als ze een *puta militante* was, was ze er een die zich met hart en ziel van haar taak kweet. Malko liet haar begaan. Plotseling klonk er een schelle vrouwenkreet door de muur. Tussen twee zuchten door zei Beatriz: 'Dat doet Pedro Juan... Die bok heeft een enorme penis en hij geniet ervan die in haar kont te steken. Dat is het enige waaraan hij kan denken. Hij heeft alle meisjes uit het gebouw gehad. Hij is echt een seksmaniak.'

Al pratende bereed ze hem steeds sneller, tot ze plotseling met een opgetogen kreet op Malko in elkaar zakte.

Door de muur klonk nu alleen nog een opgewonden gekreun. Kennelijk had de 'bok' zijn doel bereikt. Geamuseerd vroeg Malko: 'Heeft hij jou ook...'

'Bijna!' zei Beatriz. 'We stonden in de lift toen de elektriciteit uitviel. We hebben meer dan een uur vastgezeten. Ik moest hem onophoudelijk bevredigen. Die schoft heeft continu een stijve.'

'Wat doet hij verder nog?' vroeg Malko.

'O, hij schrijft gedichten en hij smokkelt een beetje. Hij is een asociaal element, net als ik,' voegde ze er giechelend aan toe.

Ze stond op en schonk in het donker nog een glas rum in, waarna ze terugkwam en naast Malko ging liggen. Rum en seks waren duidelijk de twee pijlers van het Castroregime. Hij keek naar het lege terras en stelde voor: 'Zullen we naar buiten gaan?' De klamme hitte was verstikkend in deze kleine kamer.

'Natuurlijk,' zei Beatriz.

Ze liepen het terras op, waar een zachte zeewind de temperatuur wat aangenamer maakte. De oceaan strekte zich als een grote vlakte van zwart fluweel voor hen uit.

'Vreemd, die lege zee,' zei Malko. 'Er is geen schip te zien.'

'Die zee, dat zijn de muren van onze gevangenis,' zei Beatriz met een stem die plotseling bedroefd klonk. 'Alle Cubanen dromen ervan weg te gaan. Sommigen doen dat ook. Dat zijn de *balseros*, in hun bootjes.'

Malko was zo wijs daar niet op te reageren. Misschien probeerde ze hem uit zijn tent te lokken. Plotseling zei Beatriz: 'In je kamer, in het Nacional, liggen shampoo-, zeep- en crèmemonsters. Zou je die voor me mee kunnen nemen? Zulke dingen kun je nergens met peso's kopen. De regering is een jaar geleden begonnen met tandpasta *hecho en Cuba*, maar die werd na twee weken keihard. Je kreeg hem niet eens meer uit de tube. Maar goed, we hebben wel nog rum.'

'Ik ga,' zei Malko. 'Ik moet morgen vroeg op.'

In het licht van een kaars kleedde hij zich aan. Terwijl ze de deur opendeed, stelde Beatriz voor: 'Als je wilt, kunnen we overmorgen naar het Tararastrand gaan. Dan vrijen we in het water en kunnen we daarna met die dollars van jou kreeft gaan eten.'

Alles was verboden in Cuba, maar de Cubanen improviseerden en wisten zo hun lot te verbeteren. Vooral als ze dollars hadden.

Omdat er geen stroom was, moest Malko te voet naar beneden. Zo nu en dan was er geen reling en ontbraken er treden. Andere waren spekglad, maar het ergste was, dat je geen hand voor ogen zag. Elke keer wanneer hij een klamme muur voelde, gingen de rillingen over zijn rug. Beneden in de hal stonden twee mannen in een hoek te fluisteren. Het leek of ze elkaar stonden te bevredigen, maar misschien kwam dat door de rum...

Isabel Jovellar was om zes uur opgestaan en was op haar Suzuki naar het Havana Libre gereden om aan haar onderzoek naar de nog onbekende spion te beginnen. Een uur lang had ze kamer-meisjes, personeel van de receptie en *segurosos* ondervraagd over de verdachten op de lijst van generaal Cienfuegos. Haar eerste onderzoek had drie namen opgeleverd, die nader onder-zoek vergden. Twee Canadezen en een Italiaan.
Ze ging nu naar het Capri en daarvandaan naar het Nacional. Haar telefoon ging.
'Heb je al iets gevonden?' vroeg generaal Cienfuegos.
'Het schiet al op,' verzekerde Isabel Jovellar hem. 'Vanavond doe ik verslag.'
'Graag,' antwoordde de generaal. Hij hield ervan het aangena-me met het nuttige te combineren.
Isabel Jovellar borg haar telefoon op en reed naar hotel Capri, op zoek naar de spion *sin rostro*, zonder gezicht.

Aan het einde van de Miramar, helemaal in het westen van Havana, lag de jachthaven Hemingway er somber bij. Aan een verder lege kade, tegenover verlaten huisjes en flats, lag één enorm jacht dat op de Kaaimaneilanden was geregistreerd. Cuba had zoveel beperkingen opgelegd aan de schepen die langskwamen, dat buitenlanders er wegbleven.
George Wimont, een grote man met kortgeknipt, zilvergrijs haar en een energiek gezicht stond bij de ingang op Malko te wachten. Deze gaf hem twee flessen Taittinger, die hij onder-

weg in een kleine supermarkt had gekocht. De twee mannen schudden elkaar hartelijk de hand. Ze moesten doen of ze elkaar al lange tijd kenden. Ze liepen de kade af naar een 48-voets Bertram motorkruiser, die vlak bij de douanepost lag.

Malko gaf zijn paspoort aan de schipper, een oude Cubaan met een snor en een gegroefd gelaat, die het bij de douane zou laten afstempelen. Toen hij terugkwam, gooiden ze meteen de trossen los en voer de Bertram door de jachthaven naar de zee.

'Moet u zien wat er van het casino over is,' zei George Wimont. Het gebouw lag er al zesenveertig jaar verlaten bij en was een ruïne. De kruiser meerderde vaart. Voor hen lag de baai van Havana er leeg bij, op een containerschip na, dat in de richting van de haven voer. George Wimont en Malko klommen de kampanje op.

'Ik weet niet wie u bent en wat u in Cuba komt doen, en ik wil het niet weten ook,' zei de oliehandelaar. 'Ze hebben me gewoon gevraagd u, zo nodig, het land uit te brengen.'

'Is dat te doen?'

'Ja, onder bepaalde voorwaarden. Mijn schip ligt altijd klaar om te vertrekken. Ze zijn eraan gewend dat ik ga vissen. Ik hoef alleen de paspoorten maar te laten afstempelen. Ze zouden me daarna achterna kunnen komen, maar hun enige patrouilleboot vaart tien knopen langzamer dan ik.'

'En als ze schieten?'

'Dat durven ze niet.'

'En vliegtuigen?'

'Tegen de tijd dat die zijn opgestegen, hebben we de Cubaanse nationale wateren al verlaten. Sinds het incident waarbij een Cubaanse Mig een Cessna met dissidenten in het internationale luchtruim heeft neergeschoten, zijn de Cubanen voorzichtig geworden. Dat heeft hun een heleboel politieke goodwill gekost. Bovendien zullen ze ons in uw geval snel te hulp komen.'

'En u?' opperde Malko.

'Ik heb mijn beste tijd hier toch al gehad. In het ergste geval zetten ze me het land uit. U hebt mijn telefoonnummer. U hoeft mc maar te bellen. Dan zegt u dat u zin hebt om op grote vissen te vissen. Maar kijk uit, ze zijn goed georganiseerd. Binnen enkele minuten kunnen ze de jachthaven Hemingway afsluiten en alle schepen die erin liggen, blokkeren. Als dat gebeurt...'

Nadat ze vier lijnen hadden uitgezet, voeren ze evenwijdig aan de kust verder. Het was prachtig weer. Geen schip te zien, op twee notendoppen vlak aan de kust na.

Ze hadden beet en haalden een *boniet* boven, een soort makreel. 'En dan te bedenken dat er niet één viswinkel in Havana is. De vissersschepen zijn kapot of mogen niet uitvaren. En de kreeften die ze vangen, worden meteen aan Jamaica verkocht. Ik betaal mijn kapitein in dollars. Die begraaft hij in een ijzeren kistje in zijn tuin. Regelmatig graaft hij ze op om ze te wassen. Zo liggen er miljoenen dollars in Cuba begraven. De Cubanen hebben geen enkel vertrouwen in de peso, zelfs niet in de inwisselbare, die buiten Cuba niets waard zijn. Ze blijven dus op hun dollars zitten en wachten af.'

'Waarop?'

George Wimont haalde zijn schouders op. 'Tot het einde van dit waanzinnige regime. De vrijheid. De mensen gaan elkaar met machetes te lijf om een gloeilamp. Er is niets te koop.'

Ze hadden opnieuw beet. Plotseling had Malko geen enkele spijt meer dat hij naar Cuba was gegaan. Wanneer hij kon helpen een einde te maken aan de beproeving van elf miljoen Cubanen, was dat een goede zaak...

Deze wanhopig lege zee was een schokkende aanblik. En dan te bedenken dat Key West honderd mijl naar het noorden lag!

Dat was een andere wereld.

8

Miguel Barreiro lag aan de rand van zijn zwembad en verstrakte. Zijn hartslag schoot naar de 200. Er was aan het hek gebeld. Zonder op te staan, riep hij naar zijn kok: 'Ignacio, doe even open.'

Elk moment verwachtte hij politieagenten binnen te zien stormen die hem god-mocht-weten-waarheen mee zouden nemen. Hij had een trauma overgehouden aan zijn gesprek met Caridad Valdés, de vrouw die hem bij de *policía especial* had ondervraagd. Hij wilde dolgraag weg uit Cuba, maar hij durfde het niet. En als hij op het vliegveld zou worden aangehouden? Na de ondervraging had hij de eerste raadsman van de Spaanse ambassade opgezocht, een vriend van hem, en hem over zijn problemen verteld. Ze hadden afgesproken dagelijks telefonisch contact te onderhouden. Wanneer Miguel Barreiro verdween, zou de diplomaat onmiddellijk in actie komen.

Maar dat was nog geen garantie. Hij zou maanden in de kelders van Villa Marista opgesloten kunnen blijven zitten, zonder dat de Cubanen het zouden toegeven. Het systeem was volkomen ondoordringbaar.

Ignacio kwam terug met een envelop, die hij aangaf. 'Van señor Steiner.'

Miguel Barreiro maakte hem open. Er zat een uitnodiging in voor een diner die avond bij de directeur van Nestlé, die hem regelmatig uitnodigde. Zijn eerste gevoel van tevredenheid maakte snel plaats voor een veel gematigder gevoel. Lee Dickson werd ook vrijwel altijd bij de Steiners uitgenodigd...

De Amerikaan had sinds zijn laatste 'levering' in de dode brievenbus in de paladar Le Chansonnier niets meer van hem gehoord en begon zeker ongerust te worden. Het diner was een uitstekende gelegenheid om hem te zeggen dat hij hem geen nieuws meer over de gezondheidstoestand van Fidel Castro kon geven. Hij was te bang.

Miguel Barreiro kleedde zich om om naar een van zijn bouwplaatsen te gaan en stapte vervolgens achter het stuur van zijn Mercedes. Hij schrok: aan de overkant stond een grijze Lada geparkeerd. Die bleef staan toen hij langsreed, maar toen hij honderd meter verderop was, keek hij in zijn achteruitkijkspiegel: de auto was achter hem aan gekomen. Ze volgden hem, zonder ook maar enige moeite te doen zich te verbergen. Miguel Barreiro miste bijna de Quinta. Er schoot hem een vreselijke gedachte te binnen. Als hij werd gevolgd, zouden ze erachter komen dat hij naar het diner van de Steiners ging en Lee Dickson zou vast en zeker ook worden gevolgd. Wat voor conclusie zouden de mannen van de Seguridad daaruit trekken? Hij dacht aan de toespeling die de ondervraagster van de *policía especial* had gemaakt op zijn reizen naar de Kaaiman-eilanden. Als ze hem ervan zouden verdenken dat hij in Cuba contact had met Lee Dickson, zou dat zijn zaak nog veel ernstiger maken.

Hij besloot niet naar het diner te gaan. Jammer dan, wanneer de Amerikanen over de radio van de dood van Fidel Castro moesten horen. Maar zijn opluchting was van korte duur. Er hing nog een zwaard van Damocles boven zijn hoofd. Wanneer Carlito was gearresteerd, bestond de kans dat hij over de geheimen zou vertellen die hij Miguel Barreiro had toevertrouwd. Dat, plus de verdenking dat hij contacten met Lee Dickson onderhield, zouden hem gegarandeerd een beschuldiging wegens spionage opleveren. Toen hij de tunnel naar Vedado in reed, bezwoer Miguel Barreiro dat hij geen contact meer met de Amerikanen zou opnemen.

Malko had nauwelijks de tijd om te douchen na zijn tochtje op zee. Marita Díaz, de galeriehoudster, stond al in de lobby van het hotel te wachten, een zonnebril in haar haar gestoken, gekleed in T-shirt en een strakke broek. 'Laten we mijn auto nemen,' stelde ze voor.

Ze reed in een grote, gloednieuwe 4x4 Chevrolet met donkere ramen en oranje nummerborden. Een zeldzaamheid in Cuba.

'Dit is de auto van mijn vriend,' legde ze uit. 'Een Spanjaard die hier van zijn pensioen geniet.'

'Waar gaan we heen?' vroeg Malko.

'Naar Miramar, naar de paladar in Calle 10. Maar eerst gaan we mijn vader ophalen.'

'Uw vader?'

'Ja, ik was vergeten dat ik vandaag met hem zou gaan eten. Hij zei dat hij u graag wilde ontmoeten.'

'Hebt u de brief van uw broer gelezen?'

'Ja, hij begrijpt niets van onze problemen. Zonder dat wrede, onterechte embargo zou ons leven veel beter zijn...'

Het klassieke liedje van het regime: het door de Verenigde Staten aan Cuba opgelegde embargo was allang zo lek als een zeef. De Amerikanen verkochten zelfs suiker aan Cuba. Maar Marita Díaz maakte in elk geval geen geheim van haar overtuigingen. Meteen na de tunnel van Miramar sloeg ze rechts af de Eerste Laan op.

'Wat doet uw vader?' vroeg Malko.

'Hij is sinds kort met pensioen, maar hij heeft veel gereisd, vooral naar Angola.'

'Was hij militair?'

Marita Díaz glimlachte trots. 'Ja, hij was kolonel bij de G5. Weet u wat dat is?'

Malko sprong bijna het raam uit. 'Nee,' beweerde hij. Plotseling kreeg hij een beklemmend gevoel in zijn maag.

De G5 was de Cubaanse inlichtingendienst voor het buitenland. Die had geprobeerd de Castro-revolutie in heel Latijns-Amerika en Afrika te verspreiden. Malko kreeg geen tijd er lang over na te denken. De 4x4 stopte. Hij zag een neger staan met een kaal hoofd en gekleed in een jasje en een stropdas, wat in Cuba ongebruikelijke kleding was. Marita slaakte een kreet. 'O, hij heeft zich weer als spion gekleed! Ik schaam me zo!'

De kleine paladar op Calle 10 zag eruit als een strohut, met een rieten dak en uitzicht op het strand. De vader van Marita Díaz vertelde Malko hoe hij in 1973 Salvador Allende had geholpen bij de Chileense revolutie. En hoe hij daarna talloze keren naar Angola, Nicaragua en Ethiopië was geweest. Hij had een levendige blik, glimlachte altijd ontspannen en zag er sympathiek uit, maar Malko bleef op zijn hoede. Hoe was het mogelijk dat de CIA niets afwist van het beroep van de vader van Marita? Die had vast en zeker nog contacten bij de geheime dienst. In het gunstigste geval zou hij proberen inlichtingen in te winnen over Malko. Gewoon uit voorzorg.

In zijn vak stopte je nooit met werken.

'En u?' vroeg hij aan Malko. 'Wat doet u voor werk?'

Malko vertelde over zijn financiële transacties en legde uit wat hedgefondsen waren. De maaltijd verliep vlot en in een klamme hitte. Echt slecht was het eten niet. Gebakken vis met rijst en *flan* toe.

'Wat vindt u van Cuba?' vroeg de vader van Marita na het eten.

'Het Cubaanse volk is erg moedig,' zei Malko, en hij hield zich op de vlakte.

De oude spion glimlachte. 'Veel mensen zouden nog graag zien dat onze revolutie zou mislukken. Ik heb mijn internationale taak vervuld, maar ik blijf op mijn hoede. We hebben in het Noorden veel vijanden. En zelfs onze Russische vrienden hebben ons in de steek gelaten. Voor mij is dat des te erger, want ik ben in Moskou opgeleid.' Hij keek op zijn horloge. 'Ik moet u nu alleen laten. Ik word hier straks opgehaald.'

Marita Díaz betaalde en samen vertrokken ze uit het restaurant. Een Lada met groene nummerborden van het leger stond te wachten. Achter het stuur zat een chauffeur in uniform.

'Ik hoop u nog eens te mogen ontmoeten,' zei hij tegen Malko. 'Wanneer u in Afrika bent geïnteresseerd, zal ik u voorstellen aan de man die mij alles heeft geleerd. De man die bij ons de afdeling MC heeft opgericht.'

'Wat is dat?'

De Cubaan glimlachte. 'Dat noemen de Amerikanen "speciale operaties". Tot ziens.'

Malko keek de Lada met een ongemakkelijk gevoel na. Het was een val of een groot toeval. Marita Díaz reageerde opgetogen. 'Ik heb grote bewondering voor mijn vader,' zei ze. 'Door zijn contacten heb ik een mooi huis. U moet eens langskomen. Ik schaamde me zo, toen mijn broer was weggegaan. Mijn vrienden heb ik wekenlang niet gesproken. Ik had nog liever gezien dat hij was verdronken, dan dat hij in Florida was aangekomen.'

Ze reden naar het Nacional. Malko voelde zich verplicht haar voor te stellen: 'Laten we nog iets drinken op het terras.'

'Graag. Ik zal de auto even parkeren.'

Isabel Jovellar kwam net bij het Nacional aan toen er een 4x4 met oranje nummerborden voor het bordes stopte. Ongewoon. Automatisch noteerde ze het nummer. Vanuit haar ooghoek hield ze degenen die uitstapten in de gaten: een negerin, waarschijnlijk Cubaanse, en een grote, blonde man. Beslist een buitenlander. De twee gingen het hotel binnen en Isabel Jovellar liep naar de liften. Ze ging naar de achtste verdieping – de bovenste – en duwde de deur naar de brandtrap open. Vervolgens ging ze nog een trap omhoog, tot ze bij een uitbouw op het dak kwam. Boven aan de trap was een ijzeren, grijze deur zonder opschriften. Dit deel van het hotel was verboden voor de gasten.

Ze belde aan en keek recht naar het spionnetje in de deur. Erachter lag de geheime kamer waarin de afluisterapparatuur van het hotel stond opgesteld. In sommige kamers van het Nacional waren camera's in het houtwerk aangebracht en veel meer kamers zaten vol met microfoons. Deze kamers werden toegewezen aan degenen die door de DGI werden geschaduwd.

De deur ging open en Isabel toonde haar rode pas van de DGSE. 'Goedendag, *compañera*,' zei de agent, en hij deed de deur wijd open.

De muren van de raamloze ruimte hingen vol met kleine televisieschermen, die vanuit een centraal paneel werden bediend. Een vijftigtal bandrecorders stonden op te nemen. De banden zouden naar het hoofdkwartier in de Villa Marista worden gestuurd, waar de opnames zouden worden geanalyseerd. Isabel Jovellar haalde een korte lijst uit haar tas. Vier van haar potentiële 'cliënten' logeerden in het Nacional. Ze gaf de namen aan de agent, die de lijst doornam. Geen van de personen had een 'aangepaste' kamer. 'Wilt u dat ik hun een andere kamer geef?' vroeg hij overijverig.

'Niet meteen. Ik ga eerst zelf op onderzoek uit.'

Ze had nog wat informatie nodig. Ze ging naar beneden en begon de kamermeisjes op de verschillende verdiepingen te ondervragen, zonder iets interessants te vinden. Haar vier 'doelwitten' leidden een normaal leven als toerist. Ze hadden geen verdachte contacten. Isabel Jovellar zou haar gegevens voegen bij die van de collega's die de dissidenten en Amerikanen in Cuba schaduwden. Soms maakten zelfs beroepsagenten fouten.

Enigszins teleurgesteld besloot ze een *limonada* op het terras van het Nacional te nemen. Dat was een van de mooiste plekken van Cuba, met een fantastisch uitzicht over de Malecón en de Atlantische Oceaan. Het hotel was op een rotspunt gebouwd en torende boven de omgeving uit. Bijna alle theetafeltjes buiten waren bezet. Bij de bar probeerde een orkest van mariachi's een beetje sfeer te brengen. De hele rotspunt werd bedekt door een groot grasveld, met op het uiteinde twee oude kanonnen en rechts een klein restaurant.

Isabel Jovellar nam plaats aan een tafeltje dat nog vrij was en zag dat ze de enige negerin was. Dorstig keek ze om zich heen en zag het stel dat ze uit de 4x4 had zien stappen. Dat herinnerde haar eraan dat ze die auto zou moeten nagaan. In elk geval maakte ze haar chef en minnaar daarmee duidelijk dat ze niets aan het toeval overliet. Je kon nooit genoeg verslagen maken.

Lee Dickson stond voor het raam van zijn kantoor en keek naar de enorme golven die kapotsloegen op de reling van de Malecón. Vol ongeduld wachtte hij de avond af. Hopelijk zou Miguel Barreiro naar het diner van de Steiners komen. Hij had de directeur van Nestlé zelf gevraagd hem uit te nodigen. Sinds het vorige verslag, waarin melding werd gemaakt van een verslechtering van de gezondheidstoestand van Fidel Castro, had Lee Dickson niets meer van zijn bron gehoord. Elke avond stuurde hij iemand naar de dode postbus in het Chansonnier. Tevergeefs. Maar het aftellen was al begonnen. Er moest dringend contact worden gelegd met generaal Anibal Guevara, die beslist zou afwachten tot er betrouwbare informatie was voordat hij een greep naar de macht zou doen.

Hij deed opnieuw een schietgebedje dat de Spaanse architect zou komen. Er kleefde natuurlijk enig risico aan, maar de Cubanen waren gewend Lee Dickson op de feesten van de buitenlanders te zien. Hopelijk waren er niet te veel microfoons bij de Steiners geplaatst en bestond zijn personeel niet alleen uit agenten van de DGSE. Om zijn onrust te verjagen, haalde Lee Dickson een fles whisky uit zijn bar en schonk een glas Defender Success in. Zes verdiepingen lager zette de politie wegversperringen op de Malecón om het verkeer tegen te houden. De golven waren te hoog.

Ze was er!
Malko had net afscheid genomen van Marita Díaz toen hij een blonde vrouw met een knot naar het terras zag lopen.

Hij kocht een oude, Italiaanse krant bij de portier en ging eveneens naar het terras. Fedora Kulak had bij de bar plaatsgenomen. Ze draaide haar hoofd om en hun blikken kruisten elkaar. Als een goede beroeps reageerde ze niet. Het mariachi-orkest wandelde al spelend de tafeltjes langs. De leider kwam naar Malko toe. 'Wat wilt u horen, señor?'

Malko had geluk. Hij drukte een biljet van tien peso in de hand van de muzikant en wees naar de tafel van Fedora Kulak. 'Kunt u iets romantisch voor die *rubia* spelen?'

De muzikant fluisterde iets in het oor van Fedora en drie minuten later speelden de mariachi's, die zich in een halve cirkel om de tafel hadden opgesteld, *Que linda es Vera Cruz*. Toen het nummer was afgelopen, liepen ze naar de volgende tafel. Fedora keek Malko's kant op en maakte een kort gebaar met haar hand. Meteen stond hij op en maakte een korte buiging voor haar. 'Dank u wel,' zei ze. 'Wilt u iets met me drinken?'

Toen hij zat, zei ze zacht: 'Goed gespeeld. Is alles in orde?'

'Tot nu toe wel, maar ik heb nog weinig gedaan.'

'Dit doet me aan de Sovjet-Unie denken,' zei Fedora Kulak. 'We moeten heel voorzichtig zijn.'

'Zeker,' beaamde Malko. 'We kunnen misschien samen gaan eten. Als ze ons schaduwen, zal dat niemand verbazen.'

'*Dobre*. Kom me om acht uur in het Havana Libre halen. Ik wacht in de lobby.'

Malko bleef nog enkele minuten aan tafel zitten en stond toen op. Langzaam maar zeker begon er schot in de zaak te komen.

Fedora Kulak zag er fantastisch uit in een japon van bedrukte zijde, die om haar heen fladderde. Met haar knot zag ze er bijna trots uit.

'Laten we naar het Guarida gaan, in Vieja Havana,' stelde Malko voor. 'Daar hebben ze de film *Fresa y Chocolate* opgenomen.'

Hij reed de Malecón af en sloeg toen de smalle Calle Concordia in, tussen oude, vervallen gebouwen door.

De paladar lag op de tweede verdieping van een oud gebouw dat ooit erg mooi moest zijn geweest, met een marmeren trap met versleten treden, standbeelden en beschilderde plafonds waarvan de verf afbladderde. De drie gezellig uitziende eetzalen zaten vol met toeristen. Op straat speelde een band een duivelse salsa. De kobaltblauwe ogen van Fedora Kulak fonkelden. 'Het lijkt wel vakantie,' zuchtte ze. 'Het zou fijn zijn als we hiervan zouden kunnen genieten zoals alle anderen.'

Ze aten snel, opgejaagd door een groep luidruchtige Canadezen. Op de Calle Concordia wisselden ze hun eerste Cubaanse kus. 'Ik verlang naar je,' fluisterde Fedora. 'Net als in Washington.'

Toch bracht Malko haar keurig naar het Havana Libre. Hun idylle moest echt overkomen, voor het geval ze werden geschaduwd.

9

Boven het immense kerkhof Colón stond een fel brandende zon. Het kerkhof besloeg enkele hectares en lag ten noorden van de wijk Vedado. Net op het moment dat Malko de monumentale toegangspoort door liep, die uit drie stenen bogen bestond en de Heilige Drie-eenheid moest voorstellen, stopte er een bus vol met Spaanse toeristen. Het kerkhof maakte deel uit van de toeristische attracties en een van de hoogtepunten was de achthoekige kapel in het midden, waarin een reusachtig fresco was aangebracht dat het Laatste Oordeel voorstelde.

Malko had een flink stuk door de stad gereden en was verscheidene keren omgereden, om voorzichtig eventuele achtervolgers af te schudden, voordat hij hier was aangekomen en zijn auto in een van de zijstraten bij de hoofdingang aan de noordkant had geparkeerd.

Een prachtige, glanzend opgepoetste lijkwagen, een Cadillac uit 1958, stond voor de winkel geparkeerd waar men een plattegrond van het kerkhof, bloemen en souvenirs kon kopen. Voor tien peso kocht hij van een oude, gerimpelde Cubaanse vrouw die hem nauwelijks aankeek, twee boeketten met orchideeën. Toen liep hij het hoofdpad van het kerkhof op.

In de schaduw van een grafmonument vouwde hij de kaart open en probeerde zich te oriënteren. Pad B lag links van het hoofdpad dat naar de kapel liep. De meeste richtingbordjes waren omgevallen of onleesbaar. Pad B liep naar het oosten, tussen aan de ene kant zeer eenvoudige graven, vaak zonder enige inscriptie, en aan de andere kant majestueuze monumenten. De meeste ervan bevonden zich in een erbarmelijke staat.

Hij had het nummer van het graf van generaal Ochoa onthouden, maar nadat hij het pad twee keer af was gelopen, bleef hij staan, zwetend in de gloeiend hete zon. Sommige graven waren genummerd, andere niet... En dat gold ook voor het graf van generaal Ochoa. Zijn missie begon slecht en hij voelde zich idioot met zijn twee boeketten. Hij keek om zich heen en zag een neger met ontbloot bovenlichaam een monument twee paden verderop repareren. Hij liep naar hem toe.

Toen de man Malko zag, kwam hij van zijn trapje omlaag en keek hem glimlachend aan. 'Wat is er, *amigo*?'

'Ik zoek het graf van *El grande general*,' zei Malko.

De man verstrakte en schudde zijn hoofd. 'Dat ken ik niet.'

Hij liep zijn trapje al op. Malko gaf hem een biljet van tien inwisselbare peso aan. 'Het schijnt aan pad B te liggen. Ik wil er alleen wat bloemen neerleggen.'

De man aarzelde even en kwam toen weer omlaag. Zonder een woord te zeggen pakte hij het biljet en liep naar pad B. Voor een door onkruid overwoekerd gaf, zonder inscriptie, bleef hij staan. Het lag naast een groot mausoleum van zwart marmer, waarin de graven van de familie Gabriel lagen.

'Hier is het,' zei hij, voordat hij wegliep en weer aan het werk ging.

Malko legde het boeketje bloemen, dat het in de felle zon niet lang zou uithouden, op het graf neer en liep weg. Toen hij bij de kapel was, mengde hij zich onder de toeristen, voordat hij vertrok.

Hij stapte in zijn Skoda, die een oven was. Volgens het protocol moest hij de volgende dag terugkomen om Joachim te ontmoeten, zijn eerste echt gevaarlijke contact.

Terug in het Nacional kleedde hij zich meteen om en ging naar het zwembad, waar hem een aangename verrassing wachtte: Fedora Kulak lag in een roze bikini op een ligstoel. Zoals ze de vorige dag hadden afgesproken. Malko nam naast haar plaats en de glimlach van de Russin deed hem goed. 'Zullen we gaan zwemmen?' stelde ze voor.

Ze gingen het bijna verlaten zwembad in en staande in het water drukte Fedora zich tegen hem aan. 'Ik hoop dat we elkaar vanavond kunnen zien,' zei ze. 'Die zon zet me in vuur en vlam.'

'Geen probleem,' beloofde Malko haar. 'Maar we moeten uitkijken met wat we op de kamer zeggen. Vanwege de microfoons.'

'Die zitten er vast en zeker,' zei ze. 'We werken allemaal zo. De Cubanen doen ons gewoon na.'

In zwembroek ging Malko naar de toiletten en hij liet zijn hand boven langs de deurstijl gaan. Hij voelde weer een stukje plastic, dat hij losmaakte. Er zat net zo'n soort bericht in als de vorige dag: 888 4328 10 PM.

Zijn volgende contact met Lee Dickson, het districtshoofd van de CIA. Vanavond om tien uur.

Lee Dickson dineerde bij de Steiners in Miramar. Vlak bij wat de Cubanen de 'verkeerstoren' noemden: de afschuwelijk lelijke ambassade van de voormalige Sovjet-Unie, die zich als een onafgemaakt, betonnen monument aan de Quinta verhief. Wat de voorbijgangers voor antennes op het dak aanzagen, waren eigenlijk niets anders dan stukken verroest betonijzer: de top van de vierkante toren was vanwege geldgebrek nooit afgemaakt.

Tot aan het moment waarop ze aan tafel waren gegaan, had Lee Dickson naar Miguel Barreiro uitgekeken. De gastheer had hem op zijn mobieltje gebeld, maar hij had niet opgenomen.

Dat was vervelend voor het districtshoofd van de CIA. Want het andere deel van operatie Iglesia was al van start gegaan.

Toen het diner voorbij was, opende de gastheer een fles Taittinger Comtes de Champagne Blanc de Blancs en schonk zijn gasten in. Lee Dickson vertrok onopvallend. Eerst liep hij de tuin in en toen ging hij de Avenida Primera op. Tegenover het huis van de Steiners stond een telefooncel. Hij keek om zich heen: de omgeving was verlaten, geen voetgangers en geen auto's te zien.

Tegen een muur geleund, wachtte hij. Het was twee minuten voor tien. Het rinkelen van de telefooncel deed hem opschrikken en hij nam snel op.

'Met mij,' zei Malko.

'Waar ben je?'

'In het Nacional. Ik heb vanmorgen de bloemen neergelegd. Morgen ga ik terug. Laten we hopen dat het iets oplevert.'

'Geen tegenslagen?'

'Tot nu toe is alles in orde. Ik heb contact gelegd met F. En u?'

'Iglesia laat niets van zich horen,' moest het districtshoofd bekennen. 'Ik had hem vanavond moeten zien, maar hij is niet komen opdagen.'

'Vervelend,' zei Malko.

'Ik ga over op plan B,' beloofde de Amerikaan. 'We hebben in elk geval nog even de tijd.'

'Ik hoop het,' besloot Malko. 'Ik wacht op uw volgende oproep.'

Lee Dickson hing op. Gelukkig had hij dit communicatiesysteem kunnen opzetten. Voor niet al te veel geld had hij van een beambte van de ETCSA, de Cubaanse telefoonmaatschappij, de nummers van een tiental telefooncellen in Havana gekocht. Op deze manier kon hij communiceren zonder bang te zijn dat hij zou worden afgeluisterd. De Cubanen hadden de technische middelen niet om alle telefooncellen in Havana af te luisteren. Hij liep terug naar de tuin van de Steiners, maar erg blij was hij niet. In tegenstelling tot wat hij tegen Malko had gezegd, had hij helemaal geen plan B om contact met Miguel Barreiro op te nemen.

Het was een kleine bijeenkomst in het kantoor van generaal Cienfuegos, met Isabel Jovellar en kolonel Montero, hoofd van het afluistercentrum in Lourdés, een buitenwijk van Havana. Dat was ooit opgezet door Oost-Duitsers, maar het centrum werd sindsdien door Cubanen geleid. Kolonel Montero had dringend om een onderhoud gevraagd, want hij beschikte over zeer belangrijke informatie.

'Mijn mannen van de afdeling Imperialisten is ongewoon gedrag opgevallen bij de belangrijkste man van de CIA op Cuba, Lee Dickson,' zei de Cubaanse officier. 'De afgelopen dagen heeft hij twee keer in openbare telefooncellen gebeld.'

'En wie heeft hij gebeld?' vroeg generaal Cienfuegos meteen.

In opdracht van de DGI had de ETCSA ervoor gezorgd dat je vanuit een telefooncel geen buitenlandse ambassades kon bellen. Maar de pogingen tot dergelijke mislukte gesprekken werden wel bijgehouden. De dienst van kolonel Montero kreeg dus dagelijks een verslag van alle telefoonnummers die vanuit openbare cellen waren gebeld.

'Dat is het vreemde,' antwoordde kolonel Montero, 'hij is steeds vanuit andere cellen gebeld.'

Er viel een stilte.

Er klopte iets niet. De nummers van de telefooncellen waren niet bekend. Ze waren bedoeld om te bellen, niet om in gebeld te worden. Generaal Cienfuegos besefte dat er een addertje onder het gras school. De Amerikanen hadden de nummers van de cellen in handen gekregen en konden zo praten met wie ze wilden, veilig voor de Cubaanse geheime dienst.

'Telkens weer die schofterige dissidenten,' vervolgde generaal Montero. 'We moeten hen strenger in de gaten houden. Er broeit iets.'

Isabel Jovellar kwam tussenbeide: '*Compañero* kolonel,' zei ze, 'ik denk niet dat het dissidenten zijn. Die hebben altijd openlijk contact gezocht met de imperialisten.' Ze wisselde een korte blik met generaal Cienfuegos, voordat ze vervolgde: 'De generaal denkt dat de imperialisten één of meerdere agenten naar ons land hebben gestuurd die we nog niet hebben kunnen identificeren. Ik denk dat ze door middel van de telefooncellen hun opdrachten krijgen.'

Generaal Cienfuegos keek Isabel Jovellar met een mengeling

van verlangen en trots aan. Ze kon niet alleen fantastisch seks bedrijven, ze kon ook haar hersens gebruiken. 'Kunnen we de cellen in Havana afluisteren?' vroeg hij.

'Een paar,' antwoordde kolonel Montero. 'Maar niet allemaal. We hebben niet voldoende materiaal en personeel.'

'U weet vanuit welke cabines is gebeld?' vroeg Isabel.

'Natuurlijk. Calle O, Hotel Nacional, in Vedado. Gisteravond om tien uur is het hoofd van de CIA van daaruit in de Avenida Primera gebeld, in Miramar, tegenover het huis van de Steiners, waar hij dineerde. Hij is door infraroodcamera's gefotografeerd toen hij belde.'

Isabel Jovellar prentte zich alles goed in. Ze keek op. 'Ik moet weten hoe laat hij precies beide keren is gebeld,' zei ze.

Kolonel Montero vertelde het haar. Nadat ze alles had opgeschreven, keek Isabel Jovellar de generaal aan. '*Compañero* generaal, ik heb hulp nodig. Ik heb zeven mannen geselecteerd die de Amerikaanse agent zouden kunnen zijn. Ogenschijnlijk gedragen ze zich normaal en ze doen niets laakbaars. Ze moeten van nu af aan dag en nacht worden geschaduwd, om te controleren of ze vanuit telefooncellen bellen.'

'Zeker,' beaamde het hoofd van de DGI. 'Je krijgt alles wat je nodig hebt.' Toen voegde hij er voor kolonel Montero droog aan toe: 'Ik wil heel gauw weten hoe de Amerikanen aan die nummers zijn gekomen. Iemand bij de ETCSA moet voor hen werken. Die man moeten we ontmaskeren.'

Hij verheugde zich er al op de Amerikanen bij hun eigen spel te kunnen pakken. Nu moest hij alleen nog de Spaanse architect zover krijgen dat die voor hem zou gaan werken. Hij zou hem nodig hebben.

Malko werd met een vreselijke hoofdpijn wakker: hij had de vorige avond, voordat hij Fedora Kulak naar haar kamer in het Havana Libre had gebracht, waar ze de liefde hadden bedreven, te veel mojito's gedronken. Zelfs als ze zouden worden geschaduwd, leek het gewoon een flirt tussen twee alleenstaande toeristen. Midden in de nacht was hij teruggegaan naar het Nacional om te zien of hij werd geschaduwd. Hij had niets verdachts gezien.

Toch voelde hij zich niet gerust; het ging allemaal te gemakkelijk. Gezien de strenge bewaking zou het een wonder zijn wanneer hij, zonder op te vallen, in contact zou kunnen komen met iemand als generaal Anibal Guevara. Hij had besloten tijdens zijn tweede bezoek aan het kerkhof Colón Fedora mee te nemen.

De wind uit het zuiden was gaan liggen en er dreven nu witte wolken langs de hemel. Er vielen enkele regendruppels. Hij kocht bij de receptie de *Granma* en las hem door. Gewoon de gebruikelijke onzin. Kennelijk maakte niemand zich druk over de afwezigheid van Fidel Castro. Hij haalde zijn auto op en reed naar het Havana Libre om de Russin op te halen. Die stond voor de ingang te wachten, gekleed in T-shirt en minirok, met de eeuwige knot in haar haar.

Ze stapte in de Skoda en gaf Malko een innige kus. De *segurosos* die er rondhingen, konden tevreden zijn. Gewoon een onschuldig stelletje dat gek op elkaar was. Bij het kerkhof parkeerde Malko de auto op het driehoekige parkeerterreintje tegenover de ingang en ze liepen in de richting van de kapel. Vervolgens wandelden ze kalm verder en kwamen terug over pad B.

De bos bloemen die Malko op het graf van generaal Ochoa had gelegd, was verdwenen.

Nu moesten ze 'Joachim' zien te vinden. Toen zag hij de neger weer die hem de vorige dag had geholpen. Hij was bezig een tegel op een graf vast te metselen. Malko liep naar hem toe en vroeg: 'Señor, ik zoek Joachim. Hij werkt hier. Kent u hem?'

De man kwam overeind, legde zijn troffel neer, nam Fedora Kulak met een gretige blik op en zei: 'Dat ben ik.'

De tussenpersoon tussen de Cubaanse militaire coupplegers en de CIA was dus een grafdelver. Malko kreeg geen tijd om nog meer te vragen. Zachtjes zei de man: 'Ga vanmiddag om één uur naar Cafe del Oriente, het San Fransisco de Assisi-plein. Alleen.'

Hij ging al weer verder met zijn werk. Malko trok Fedora mee. Zijn opdracht was nu pas echt begonnen.

Lee Dickson zat zich in zijn kantoor te verbijten en probeerde een manier te bedenken om met Iglesia in contact te komen. Zijn stilzwijgen was niet alleen vervelend, maar ronduit rampzalig. Fidel Castro had al twee weken geen teken van leven gegeven, zonder dat daar een officiële verklaring voor was gegeven. Er waren ook geen redevoeringen van hem gepland. De enige verklaring kon zijn, dat zijn gezondheidstoestand niet was verbeterd en elk moment zijn overlijden kon worden bekendgemaakt.

De Spaanse neurochirurg was nog steeds in Cuba. De CIA nam nauwkeurig alle passagierslijsten door. Er was geen enkele officiële gast binnengekomen of vertrokken. Lee Dickson maakte zich geen illusies: wanneer Castro echt op sterven lag, zouden de geheime diensten de Amerikanen scherper dan ooit in de gaten houden.

Miguel Barreiro wilde vertrekken van de bouwplaats op de Avenida 47 toen hij de grijze Lada zag staan die hem al eerder was gevolgd. Er zaten nu drie mannen in. Ze bleven zitten toen hij achter het stuur stapte, maar hij kreeg geen tijd om weg te rijden. Een van de drie mannen was uitgestapt, opende zijn portier en stapte naast hem in. 'Goedendag,' zei hij beleefd.

'Goedendag,' antwoordde de architect doodsbang.

'Mijn chef wil u spreken. Kunt u meekomen?'

'Waarheen?'

'Kent u de Calle San Miguel?'

De architect voelde zijn knieën knikken. Calle San Miguel, daar lag de Villa Marista. Waarom werd hij niet door de *policía especial* opgeroepen? Als de agent niet naast hem had gezeten, zou hij vol gas hebben gegeven en geprobeerd het gebouw van het Amerikaanse consulaat te bereiken...

'Ja, ja,' zei hij schor. 'Die ken ik.'

'Goed, tot straks.'

De Cubaanse agent stapte uit en liep terug naar de Lada. Miguel Barreiro reed als een automaat weg, volgde de bochtige Avenida 47 tot aan de loopbrug over de rivier die van Miramar naar Vedado liep en sloeg de Calle 23 in. Plotseling raakte hij in paniek. Op de kruising met de Paseo sloeg hij niet rechts af, naar het zuiden, maar links af, naar de Malecón. Hij zou proberen naar het gebouw van het Amerikaanse consulaat te vluchten. Het interesseerde hem niet dat hij er misschien wel weken of maanden zou moeten blijven. Alles was beter dan de kelders van de Villa Marista.

De chauffeur van de Lada liet zich verrassen en raakte achter. Miguel Barreiro reed met een voorsprong van ruim honderd meter de Malecón op. Het was nog een kilometer rijden. Omdat hij buitenlander was, zouden de soldaten hem binnenlaten. En Lee Dickson móést hem toelaten. Hij keek in zijn achteruitkijkspiegel: de Lada was nog ver weg.

Plotseling kwamen er twee motorrijders in het blauw uit een zijstraat en sloten hem in. Een van hen gebaarde hem te stoppen en de ander ging pal voor hem rijden, zodat hij verplicht was vaart te minderen en uiteindelijk te stoppen. Ze waren zeker door de agenten in de Lada gewaarschuwd. Gelaten stopte Miguel Barreiro met trillende handen, badend in het zweet.

De grijze Lada stopte achter hem en de man die hem had aangesproken, stapte uit en kwam met een brede grijns naar hem toe. 'Señor, u zei dat u de weg kende. U had rechts af moeten slaan, de Paseo op, niet links af. Ik rijd met u mee.'

Miguel Barreiro stamelde een onduidelijk antwoord en de agent stapte naast hem in. De Spanjaard was lijkbleek en hij dwong zich zo langzaam mogelijk te rijden. 'Nog een minuutje, meneer de beul...' Zijn begeleider had de radio aan gezet en wiegde mee op de muziek van een salsa. De Mercedes reed het hoofdkwartier van de DGSE via een zijdeur aan de Calle Anita binnen en zijn 'gids' droeg hem op tussen de auto's met blauwe nummerborden te parkeren. Daarna bracht hij hem naar het achterste gebouw. 'Het duurt niet lang,' verzekerde de agent hem geruststellend.

Miguel Barreiro kreeg weer hoop. Het was onzin dat hij zich er zo druk om had gemaakt. Gelukkig hadden ze hem aangehouden voordat hij het gebouw van de Amerikanen had bereikt. Ze leken hem zijn vergissing trouwens niet kwalijk te nemen.

Ze liepen door een gang met groene muren en de agent deed een deur open, waarna hij opzijging om Miguel Barreiro binnen te laten.

Hij kwam uit in een kleine, vierkante kamer met achterin een ijzeren tafel. Twee gespierde negers in een onderhemd en groene broeken stonden ertegenaan geleund. De architect kreeg geen tijd zich te verbazen. Met een harde duw in zijn rug werd hij de kamer in gesmeten. Hij viel bijna letterlijk in de armen van een van de negers, die minstens vijfentwintig centimeter langer was dan hij.

Met zijn linkerhand pakte de man hem bij zijn keel en zijn andere klemde hij om de geslachtsdelen van Miguel Barreiro. Hij kneep erin zoals hij een sinaasappel zou uitpersen... De architect slaakte een kreet en vouwde dubbel van de pijn, waarna hij het bewustzijn verloor.

10

Dalia Sánchez beëindigde met een gehaaste pas het bezoek aan de drie verdiepingen van de Fábrica de Tabacos Partagas, die midden in Vieja Havana lag, in een barok gebouw uit 1845. Vol verbazing hadden de toeristen toegekeken hoe de arbeiders, mannen en vrouwen, voor een loon van ongeveer acht dollar per maand honderdtwintig sigaren per dag rolden. Om hen aan te moedigen, stond de muziek aan en las in elke werkplaats een opzichter elke ochtend de militantste artikelen uit de *Granma* voor. Dalia wierp in het voorbijgaan een blik op het menu dat in de kantine hing en vertrok haar gezicht: een hotdog voor een halve 'normale' peso. Dat was niet duur, maar het leek of de worstjes met afval waren gevuld.

Beneden, bij de *tienda* waar alle hier gefabriceerde sigaren werden verkocht, stond de volgende groep al te wachten. Glimlachend leidde ze de vertrekkende groep verder en nam enkele inwisselbare peso's als fooi in ontvangst. Hierdoor was het een goede baan. Langzaam maar zeker had ze een kleine spaarpot van ongeveer tweeduizend dollar verzameld, die in de tuin van haar tante, in Nuevo Wajay, lag begraven. Voordat ze aan haar volgende groep begon, keek ze om zich heen, voor het geval Carlito zich eindelijk weer eens zou vertonen. Ze had al een paar dagen niets meer van hem gehoord. Na de *fiesta* had hij in haar piepkleine flatje aan de Calle Manrique geslapen, waarna hij zondagochtend was vertrokken.

Sindsdien had ze niets meer van hem gehoord. En ze miste de onvermoeibare penis van de jonge lijfwacht van Fidel Castro erg. Ze wist dat hij in een vervelende zaak verwikkeld was, maar door zijn positie zou hij zich er vast wel uit redden. Maar ze kon hem zelf niet bereiken.

Plotseling zag ze drie mannen met gesloten gezichten haar kant op komen. Ze waren slecht gekleed en keken erg nors. Ze kwamen om haar heen staan en een van hen, een man met een klein baardje, vroeg: '*Compañera* Sánchez?'

Het waren *segurosos*. Met een loden gevoel in haar maag antwoordde Dalia: 'Ja, *compañero*.'

'Kom met ons mee.'

Dalia wilde protesteren en wees naar de toeristen die op haar wachtten, maar toen zag ze dat een collega van haar hen al meenam. De *seguroso* trok haar mee naar een kleine ruimte achter de winkel, die van het hoofd verkoop was.

Hij nam plaats achter het bureau en gebaarde Dalia eveneens te gaan zitten, terwijl de twee anderen bij de deur bleven staan. De *seguroso* haalde een dik dossier uit een plastic map en sloeg het voor zich open. '*Compañera*, ken je *compañero* Carlos Fernández goed?'

'Ja,' gaf Dalia Sánchez toe.

'Weet je wat hij doet?'

'Ja, hij is lid van de beveiliging van *El Comandante*.'

De *seguroso* sloeg met zijn vlakke hand op het dossier. 'Ik bedoel zijn criminele bezigheden.'

In paniek liet Dalia haar hoofd zakken en stamelde: 'Daar weet ik niets van, *compañero*.'

'Heeft hij je nooit verteld dat hij grote hoeveelheden rundvlees smokkelde?'

'Nee,' zei Dalia.

Ze had het pas later gehoord, die zaterdagavond, toen hij te laat op het feest kwam.

De *seguroso* sloeg een bladzijde van het dossier om en keek op. 'Klopt het dat *compañero* Fernández de nacht van 19 op 20 maart bij jou heeft doorgebracht?'

'Ja,' bekende Dalia geschrokken.

'Dus je hebt onderdak geboden aan een crimineel die op de vlucht was,' concludeerde de *seguroso* streng. 'Dat is een delict waar drie jaar gevangenisstraf op staat.'

Hij liet even een dreigende stilte vallen en vervolgde toen op neutralere toon: 'Je hebt een goed dossier, *compañera*. De CDR van je wijk heeft ons alleen maar positieve dingen over je verteld. Je bent een goed mens. Daarom heeft hij besloten je niet aan te klagen. Maar je wordt wel gestraft. Je hebt werk dat voorbehouden is aan revolutionairen uit de elite. Je bent dus bevoorrecht. Nu zul je met onmiddellijke ingang met je werk moeten stoppen. Dit is het proces-verbaal van je ontslag. Teken het.'

Als in een nachtmerrie stond Dalia Sánchez op en tekende. Wat had het voor zin ertegenin te gaan? Ze waren toch sterker dan zij.

De *seguroso* borg het dossier in zijn tas op. Zijn assistenten openden de deur en Dalia liep met onzekere pas naar buiten, de straat op. Ze werd nog nageroepen door de droge stem van de *seguroso*: 'Je zult je crimineel niet meer terugzien, als je dat zou willen. Hij is berecht, ter dood veroordeeld en geëxecuteerd.'

'Geëxecuteerd!' stamelde Dalia geschokt.

Voor een zwarte-marktdelict werd je niet geëxecuteerd. Meteen voegde de *seguroso* eraan toe: 'Ja, met zijn medeplichtige heeft hij twee collega's van de *policía especial* vermoord. Hij was een gevaarlijke vijand van de revolutie.'

Zonder dat ze wist hoe ze er was gekomen, stond ze buiten op de Calle Industria. Ze kon wel huilen. Eerst omdat ze Carlito nooit meer zou zien. Maar vooral om haar eigen lot. Na zo'n aantekening als ze nu had gekregen, kon ze alleen nog werk krijgen dat acht of tien dollar betaalde. Binnen enkele minuten was ze een asociaal element geworden, ertoe veroordeeld te overleven van kleine klusjes. Als een automaat liep ze naar de hoek van Calle Dragones en bleef staan.

Ze moest zien te overleven. Daarvoor zag ze maar één mogelijkheid: de florerende zwarte markt voor sigaren. Ze kende een heleboel mensen die in de fabriek werkten, dus ze kon er probleemloos aan komen. Ze stalen allemaal als raven om hun magere salaris op te krikken. Daarna hoefde ze ze alleen maar aan de toeristen te verkopen. Natuurlijk kleefden er risico's aan, maar ze kon de *segurosos* omkopen om met rust gelaten te worden. Ze kon ook altijd nog haar lichaam inzetten. Enigszins opgemonterd stelde ze zich met een *limonada* op en wachtte tot de eerste werkers naar buiten zouden komen.

Het kleine San Francisco de Assisi-plein lag vlak tegenover de aanlegsteiger Sierra Maestra, aan de rand van Vieja Havana. Op het hobbelige wegdek wachtten enkele koetsjes op de toeristen. Het kostte Malko geen moeite het Cafe del Oriente te vinden. Het lag aan de achterkant van het plein. Een gerant in smoking, die geheel misplaatst was in de brandende zon, bij een hitte van 35 graden, stond voor de deur zijn tijd te verdoen.

Hij ging beleefd opzij om Malko binnen te laten. Die werd meteen overspoeld door de oorverdovende klanken van een piano. Op een podium rechts achterin zat een dikke, zwarte pianiste als een razende op haar toetsen te hameren. Ze werd zeker per decibel betaald.

In de ruimte bevonden zich slechts enkele toeristen, die er iets kwamen eten of drinken. Malko nam aan een tafeltje tegenover de bar plaats en vroeg zich af wie hij hier zou ontmoeten. Zijn Skoda stond iets verderop geparkeerd en Fedora lag nu zeker in het zwembad van het Nacional. De gerant kwam naar hem toe.

'Een broodje en een bier,' zei Malko.

Hij zat al vijfentwintig minuten te wachten, toen de pianiste stopte met spelen en de tafeltjes af begon te gaan om de klanten te vragen wat ze wilden horen. Ze bleef voor Malko staan en vroeg in het Spaans: 'Spreekt u Spaans?'

'Ja.'

De pianiste keek hem strak aan en zei snel, bijna zonder haar lippen te bewegen: 'De Quinta, hoek van de veertiende. Tien uur vanavond.'

Ze was alweer naar de volgende tafel gelopen. Malko's broodje werd gebracht. Het zag er niet erg aantrekkelijk uit. Hij nam een slok van zijn Bucanero. De pianiste was weer gaan spelen. Hij wachtte nog tien minuten en liep toen weer de brandende zon in. Hij had dus een afspraak. Maar met wie? In elk geval functioneerde het clandestiene netwerk van generaal Anibal Guevara goed.

Miguel Barreiro voelde zich of alle botten in zijn lichaam waren gebroken. Een uur lang hadden de twee negers hem uit alle macht geslagen, maar ze hadden goed uitgekeken waar ze hem troffen en zijn gezicht vermeden. Toen waren ze, zonder een woord te zeggen, weggegaan. Zijn onderbuik brandde en het was of zijn testikels twee keer zo groot waren geworden. Alleen al als hij ze aanraakte, gilde hij het uit van de pijn. Hij zat met gesloten ogen op de grond, met zijn rug tegen de muur, en probeerde op adem te komen, toen hij de deur hoorde opengaan.

Er kwam een man de kamer binnen: groot, grijs haar, gekleed in een nette, geborduurde guayabera en een blauwe broek. Hij ging pal voor Miguel Barreiro staan en beet hem toe: 'Opstaan.' De architect gehoorzaamde. Trillend en zwetend onderging hij de blik van de man. Die zei: 'Ik ben generaal Francisco Cienfuegos.'

Zoals iedereen op het eiland, kende Miguel Barreiro die naam. Hij was het die duizenden politieke gevangenen had opgesloten. De architect was doodsbang en durfde geen woord uit te brengen. De generaal zei kort: 'Volg me.'

Miguel Barreiro gehoorzaamde. Ze gingen het gebouw uit en liepen naar het elegante koloniale gebouw waarin het hoofdkwartier was gevestigd. Op de eerste verdieping, in een prachtig kantoor met houten lambrisering, dat naar sigaren rook, legde de generaal enkele foto's op zijn bureau en liet ze aan Miguel Barreiro zien. 'Kijk.'

Toen de architect de foto's zag, voelde hij zich meteen beroerd. Het waren zwart-witfoto's van tamelijk slechte kwaliteit, maar hij herkende onmiddellijk het Hyatt hotel op de Kaaimaneilanden. De eetzaal waarin hij met Lee Dickson had gegeten, de avond waarop hij de opname van Carlito aan hem had gegeven. Op de andere afbeeldingen was de Amerikaan te zien toen hij op een vlucht van American Airlines naar Miami stapte, op een andere stapte hij in Havana voor het kantoor van Amerikaanse belangen uit zijn auto.

'Señor Barreiro,' zei generaal Cienfuegos met een kille stem, 'wanneer u Cubaans staatsburger zou zijn geweest, zouden die foto's voldoende zijn om u te laten fusilleren. In uw geval kunt u een gevangenisstraf van twintig jaar verwachten, zonder kans op voorwaardelijke invrijheidstelling. In een gevangenis in het oosten, waar we de meest asociale elementen opsluiten. Weet u wie die man is?'

Miguel Barreiro probeerde zich goed te houden. 'Natuurlijk. Hij is een Amerikaanse diplomaat die ik verscheidene keren tijdens diners in Havana heb ontmoet. We zijn elkaar toevallig in George Town tegengekomen, waar hij me mee uit eten heeft genomen. Maar ik...'

Plotseling pakte de generaal hem bij zijn haar, schudde hem wild heen en weer en brulde: 'Smeerlap! Schoft! Je verraadt het land dat je heeft opgenomen. Weet je niet wie die man is?'

Hij duwde de architect ruw in een stoel. Miguel Barreiro durfde zijn mond niet meer open te doen. Generaal Cienfuegos boog zich over hem heen. 'Je weet heel goed wie hij is: het hoofd van de imperialistische spionnen in Cuba!'

'Ik dacht dat hij gewoon een diplomaat was,' hield Miguel Barreiro vol.

'Leugenaar!' brulde de Cubaanse generaal. 'We hebben je elke keer geschaduwd, wanneer je naar Groot Kaaiman ging. Lee Dickson kwam telkens ook meteen.'

Miguel Barreiro kon wel door de grond zakken. Plotseling

bedaarde generaal Cienfuegos. Hij draaide zich om en zette een kleine cassetterecorder op zijn bureau aan. 'Luister goed,' zei hij tegen Miguel Barreiro.

Er klonk een onzekere stem in het kantoor. Het kostte de architect weinig moeite die van Carlito te herkennen. Wat de jonge lijfwacht van Fidel zei, deed hem verstijven. Carlos Fernández vertelde aan een ondervrager, die slechts korte vragen stelde, hoe Miguel Barreiro hem over de gezondheid en de beroerte van Fidel Castro had ondervraagd. Generaal Cienfuegos zette de recorder uit en liep om het bureau heen. Hij stak een Cohiba 'robusto' aan, blies de rook in Miguel Barreiro's gezicht en vervolgde: 'Spanje is een bevriende natie van Cuba. Wanneer je een complete bekentenis tekent en toegeeft dat je hem voor de Amerikanen hebt ondervraagd, zul je niet lang in de gevangenis zitten. Je zult worden uitgewezen. Anders verdwijn je nu meteen achter de tralies en zul je binnen zeer korte tijd maar wat graag willen tekenen.'

'Ik wil niet naar de gevangenis,' kermde Miguel Barreiro.

In de donkere ogen van de Cubaanse generaal verscheen een triomfantelijke gloed. De architect was gebroken. Nu was het tijd voor de laatste nagel aan zijn doodskist. 'Luister,' ging de generaal verder, 'je hebt die Carlito nog gezien nadat je van Groot Kaaiman was teruggekeerd. Dat heeft hij ons verteld. En je hebt hem gevraagd hoe het met *El Comandante* ging. Hoe heb je die informatie aan Lee Dickson doorgegeven? We weten dat je Lee Dickson niet hebt ontmoet, we hebben je geen seconde uit het oog verloren.'

'Jawel, ik heb hem bij vrienden gezien,' hield Miguel Barreiro vol, in een poging de dode postbus in de paladar Le Chansonnier te redden.

'Leugenaar,' beet de Cubaanse officier hem toe. 'Ik stuur je terug naar de twee *compañeros* die je al hebt ontmoet. Je weet dat ze niet van verraders houden...'

Bij de gedachte weer in handen van die twee negers te vallen, sloeg Miguel Barreiro definitief door. Hakkelend vertelde hij over de dode postbus.

Generaal Cienfuegos kon inwendig wel juichen. Hij was de situatie nu geheel meester. 'Goed,' zei hij. 'Wil je vannacht thuis slapen?'

'Ja, natuurlijk,' stamelde Miguel Barreiro.

'Mooi. Dan schrijf je op wat ik je nu ga dicteren en breng je dat naar de paladar. Ga achter het bureau zitten.'

Miguel Barreiro gehoorzaamde en schreef de regels op die de generaal hem dicteerde.

Malko had het bericht van Lee Dickson gevonden toen hij na zijn contact in het Cafe del Oriente terug in het Nacional was gekomen.

Nadat hij naar Fedora Kulak was gegaan, die bij het zwembad van het hotel zat, vertelde hij haar over zijn ontmoeting die avond op de Quinta. Hij zou er alleen naartoe gaan. Om geloofwaardig over te komen, raadde hij de vrouw aan zich op te geven voor een toeristisch bezoek aan Havana, dat om vier uur begon.

Hij ging ervan uit dat ze allebei permanent werden gevolgd. Terwijl hij Fedora Kulak naar het kantoor van Cubanatour stuurde, haalde hij de Skoda en ging naar de club Havana, waar hij plaatsnam aan de rand van het zwembad.

Om zes uur belde hij vanuit de telefooncel in het clubhuis. Lee Dickson leek blij te zijn dat Malko contact had gelegd. Zelf had hij geen nieuws.

Na zonsondergang ging hij iets drinken in de bar, waarna hij in het restaurant vis bestelde die voor geroosterd moest doorgaan, overgoten met de eeuwige Bucanero. Daarna bleef hij in de club rondhangen, genietend van de sterren aan de hemel. Het was krankzinnig dat ze een geheime ontmoeting hadden geregeld op de drukste verkeersader van Havana.

Om kwart voor tien verliet hij de club Havana en ging naar de Quinta.

Aan het begin zag hij twee witte patrouilleauto's staan en in de schaduw stonden motorrijders verborgen opgesteld. Hij zou graag zeker willen weten dat die er niet voor hem stonden. Erg geruststellend was het niet... De huizenblokken gleden langs. Hij was er bijna. Calle 20, 18, 16, 14...

Op de hoek van Calle 14 was niemand te zien. Toch was het precies tien uur. Plotseling, toen hij bijna de kruising voorbij was, zag hij een gedaante in de middenberm staan. Een vrouw, waarschijnlijk een *jineteria* die stond te liften. Tenminste...

Hij keerde in de Calle 12 en reed terug door de Zevende Laan. Ter hoogte van Calle 42 reed hij opnieuw de Quinta op. Hij volgde dezelfde route. Maar nu bleef hij links rijden, in plaats van rechts. Zijn koplampen beschenen de gedaante die op de hoek van Calle 14 in de middenberm stond en hij zag dat ze niet probeerde een lift van de auto voor de zijne te krijgen. Hij minderde vaart. Meteen stak het meisje haar hand op.

Zodra hij was gestopt, liep ze om de Skoda heen en stapte in. Het was een jonge vrouw van ongeveer dertig jaar oud, vrij knap, gekleed in een wit topje en een zwarte broek. Ze nam Malko met een snelle blik op en zei meteen: 'Rijden. Calle San Lázaro.'

Hij keek om: er reed niemand achter hem. De vrouw was nerveus. Hij kon niet zien of ze echt een *jineteria* was. Ze reden de Malecón af, tot hij uiteindelijk de Calle San Lázaro in reed, die evenwijdig aan de Malecón liep. Ze waren in de oude wijken van Havana, waar hij met Beatriz was geweest.

'Hier,' zei zijn passagier.

Hij parkeerde de auto en ze gingen een oud, vervallen gebouw in, waar ze een lift namen die meer op een goederenlift leek. Geen van beiden zei een woord. Op de zesde verdieping stapten ze uit en ze gingen lopend nog een verdieping verder naar een klein appartement. Ze deed de deur zorgvuldig achter zich op slot, voordat ze verderging naar een terras met een prachtig uitzicht op zee en de daken van de huizen in de wijk. Malko keek naar het lege terras. 'Ben ik hier voor u?' vroeg hij.

'Nee. Wacht.'

Ze bleven onbeweeglijk in de duisternis staan. Toen hoorde Malko een zacht fluiten van de andere kant van het terras, dat doorliep tot aan de Malecón en door lage muurtjes in afzonderlijke delen was verdeeld. De jonge vrouw keek Malko aan. 'Kom mee.'

Ze sprong over het eerste muurtje. Malko volgde haar. Na het derde, ongeveer in het midden van het gebouw, zag hij een gedaante die hun kant op kwam. Een man wisselde met een zachte stem enkele woorden met de vrouw. Ze ging terug naar haar appartement. Malko kon het gezicht van de man nauwelijks zien, tot hij naar opzij liep en in het licht kwam te staan van een gelige gloeilamp die iets verderop hing. 'Hebt u Joachim gesproken?' vroeg hij.

'Ja,' zei Malko. 'Bent u generaal...'

'Nee.'

'Wie bent u?'

'Een vriend van hem. En u?'

'Dat weet u. Ik werk voor Lee Dickson.'

'Wie wilt u ontmoeten?'

'Generaal Anibal Guevara, die in 2000 in Moskou, toen hij defensieattaché was, contact heeft gehad met de Amerikanen.'

'Waarom?'

'Om te beginnen heb ik een boodschap voor hem. Een handgeschreven brief van de president van de Verenigde Staten, George W. Bush. En ik heb ook uiterst belangrijke informatie voor hem.'

'Dat kunt u allemaal aan mij geven.'

'Nee,' zei Malko afwijzend. 'Ik mag het alleen aan de generaal vertellen.'

'Het is te gevaarlijk voor de generaal om u te ontmoeten.'

'U bent hier toch ook?'

'Ik ben met pensioen. Ik ben minder belangrijk. Maar als ze me met u samen zouden zien, zou ik voor vele jaren achter de tralies verdwijnen.'

Malko begreep dat het gebouw twee ingangen had, waaronder een op de Malecón. Dus zelfs als hij was gevolgd, verkeerde de ander niet in gevaar. 'Ik heb niet veel tijd,' legde die uit. 'We zullen tot een overeenkomst moeten komen.'

'Ik wil generaal Guevara ontmoeten, en snel,' herhaalde Malko.

'Daarom ben ik op Cuba. Ik loop ook grote risico's. Ik ben hier onder een valse naam en dat zullen de Cubanen me niet in dank afnemen.'

'Komt u uit de Verenigde Staten?'

'Nee, uit Canada.'

De man leek te aarzelen. Plotseling klonk er een geluid in de duisternis aan de kant van de Calle San Lázaro. De onbekende man stak snel zijn hand in een leren holster en Malko zag een groot, zwart pistool. Hij besloot in de tegenaanval te gaan. 'Hoe kan ik weten of u echt door de generaal wordt gestuurd?' vroeg hij. 'Ik ken uw naam zelfs niet.'

Die opmerking leek de ander te prikkelen. 'Ik ben kolonel José Cardenas. Helikopterpiloot. Ik was de privépiloot van generaal Ochoa. Ik ben drie jaar in Angola geweest, één jaar in Ethiopië en één jaar in Nicaragua. Ik ben nu tien jaar met pensioen.'

Hij had zijn pistool opgeborgen. Hun gefluister in de duisternis gaf deze bizarre ontmoeting een bijna komisch tintje.

'U hebt veel voor Fidel Castro gevochten,' merkte Malko op. 'Waarom vecht u nu voor de andere kant?'

'Ik vecht niet voor de andere kant,' reageerde de Cubaanse officier meteen. 'Mijn vrouw is enkele jaren geleden overleden. Toen wilde ik in Miami een jeugdliefde opzoeken. Dat mocht ik niet, en dat is onrechtvaardig. Dat is nu vijf jaar geleden. Ik heb al zoveel van mijn leven gegeven, dat ik het recht heb rechtvaardig te worden behandeld.'

Weer een teleurstellende ervaring met het regime.

'Ik begrijp het,' zei Malko. 'Het is trouwens geen verraad jegens uw land. Integendeel. Help gewoon de Cubanen een beter leven te leiden.'

'Dat is onmogelijk,' zei de kolonel. 'Het systeem is onwrikbaar. Ik heb vaak genoeg meegedaan aan pogingen het te veranderen, maar dat is nooit gelukt. De Líder Máximo heeft alles in handen. Ik denk dat u uw tijd verdoet. Trouwens, de Amerikanen hebben het al langgeleden opgegeven...'

'Gelooft u de dissidenten niet?'

'De dissidenten...' De kolonel lachte in de duisternis. 'Dat zijn intellectuelen en zij hebben geen wapens. En degenen die achter hen staan ook niet. Bovendien houdt de *Seguridad* hen dag en nacht in de gaten.'

'Denkt u dat u niet bent gevolgd?' vroeg Malko.

'Daar ben ik zeker van. Ik heb geen auto. Ik ben met een collectieve taxi gekomen. Ik moet rondkomen van een pensioen van slechts vijftien dollar per maand.'

'Goed,' besloot Malko, 'wanneer u uw land een dienst wilt bewijzen, breng me dan in contact met generaal Anibal Guevara. Het is van het grootste belang. Als dat onmogelijk is, vertrek ik uit Cuba.'

'Ik weet niet of hij dat wel zal willen,' bracht de Cubaanse kolonel daartegenin. 'Hij vertrouwt de Amerikanen niet erg. Ze zijn vaak onbeholpen en houden zich niet aan hun beloftes.'

Malko vond dat niet op hem slaan. Kolonel José Cardenas stak hem zijn hand toe. 'Tot ziens. Ik zal uw verzoek overbrengen.'

'Hoe neemt u contact met mij op?'

'Dat merkt u vanzelf. Wees op uw hoede. Nora kent u nu. *Adiós*.'

Ze schudden elkaar de hand en kolonel Cardenas verdween in de duisternis. Malko ging het kleine appartement binnen. Nora zat met over elkaar geslagen benen op het bed een sigaret te roken. 'Geef me honderd dollar,' zei ze.

Toen ze de verbaasde uitdrukking op Malko's gezicht zag, legde ze uit: 'Je weet maar nooit. Als een *seguroso* me vraagt wat ik met u heb gedaan, zal ik zeggen dat we seks hebben gehad.'

Malko legde het biljet van honderd inwisselbare peso op een tafel vol met papieren, waarna ze slechts zei: '*Adiós*. Tot ziens.' Ze schudden elkaar zelfs niet de hand. Maar toen hij naar beneden ging, was hij geruster. Dit was een echt clandestien netwerk, geen amateurs. Zijn blijheid verdween binnen een fractie van een seconde toen hij de Calle San Lázaro op liep. Vlak achter zijn auto stond een witte politieauto.

11

Met bonkend hart bleef Malko verborgen in de schaduw staan. Zijn bloed klopte in zijn slapen. Hiervoor was hij al bang geweest sinds zijn aankomst op Cuba. Alle voorzorgsmaatregelen hadden niets uitgehaald. De veiligste oplossing was te voet naar de Malecón te gaan, naar George Wimont te vluchten en zich de volgende ochtend met de Bertram het land uit te laten brengen. Maar als ze hem al in de gaten hadden, zou hij door de douane van de jachthaven Hemingway worden tegengehouden. Hij keek om zich heen. De Calle Lázaro was verlaten. Ten slotte besloot hij het er toch op te wagen en liep naar zijn auto. Toen hij de sleutel in het slot stak, ging het blauwe zwaailicht op het dak van de politieauto aan en stapte er een agent uit; een half-bloed met een donkere huid. Toen hij bij de Skoda was, stak hij zijn hand uit: 'Papieren, alstublieft.'

Malko gaf hem het huurcontract, zijn rijbewijs en zijn paspoort. De agent bestudeerde ze langdurig bij het licht van een zaklantaarn en gaf ze toen terug. 'Parkeren is aan deze kant van de straat verboden, señor.'

Malko kon hem wel zoenen. 'Dat wist ik niet,' zei hij.

De agent gaf hem zijn papieren terug en liep weg zonder een woord te zeggen. Zelfs zonder hem om geld te vragen. De Cubaanse agenten hadden de opdracht toeristen te ontzien. Zij waren de belangrijkste bron van inkomsten voor het land. Vijf minuten later reed Malko de Malecón op, in de richting van het Nacional.

Isabel Jovellar voelde zich vreselijk belangrijk geworden. Ze had nu een tiental *segurosos* onder zich staan, die haar elke ochtend om zeven uur verslag deden. Ze volgde twee sporen tegelijk. Om te beginnen de telefoongesprekken die tussen verschillende telefooncellen werden gevoerd en verder het uitzeven van verdachte personen, van wie één de spion zonder gelaat moest zijn, *sin rostro*, zoals ze hem noemde.

Ze boog zich over het verslag van kolonel Montero. De vorige dag was Lee Dickson om zes uur gebeld in de cel van een Cupet benzinestation, waar hij was gestopt om te tanken. De oproep kwam uit een cel in de club Havana. Helaas wist ze niet wat de inhoud van het gesprek was.

Na een slok koffie, pakte ze de dossiers van de verdachte personen. Na ze een aantal keren te hebben geschift, bleven er slechts twee over. Op het moment waarop de gesprekken waren gevoerd, hadden de anderen zich niet in de buurt van een telefooncel bevonden. De twee hadden Canadese paspoorten; de ene logeerde in het Havana Libre, de andere in het Nacional. Ze waren allebei alleen naar Cuba gekomen en hadden auto's gehuurd, maar ze leken zich volkomen normaal te gedragen.

Isabel Jovellar zat nog na te denken toen de telefoniste van de Villa Marista haar liet weten dat er een dringend telefoontje voor het secretariaat van generaal Cienfuegos was. Ze nam het aan.

'*Compañera* Jovellar,' zei een mannenstem. 'Ik ben luitenant-kolonel Lenin Díaz. Ik heb dertig jaar voor G5 gewerkt en ik ben nu met pensioen.'

Met een dergelijke voornaam móést de officier wel een goede communist zijn, zei Isabel Jovellar bij zichzelf. Vriendelijk antwoordde ze: 'Goedemorgen, *compañero* kolonel. Wat is er aan de hand?'

'Drie dagen geleden heb ik met mijn dochter toevallig een buitenlander ontmoet die met vakantie in Cuba is. Hij had een brief van haar broer voor haar meegenomen, die enkele jaren geleden naar de imperialisten is gevlucht. Ik heb met hem geluncht. Ik vond hem nogal interessant...'

'O?' antwoordde Isabel Jovellar afwezig, en ze zei bij zichzelf dat die oude strijders overal spionnen zagen. Een echte spion zou nooit met een kolonel van de G5 hebben geluncht, ook al was hij met pensioen. Toch vroeg ze uit beleefdheid: 'Weet u zijn naam?'

'Natuurlijk. Walter Zimmer. Hij heeft een Canadees paspoort en hij logeert...'

Isabel Jovellar luisterde nog maar half en keek strak naar het blaadje papier waarop ze de naam van de twee resterende verdachten had geschreven. Een van hen heette Walter Zimmer. Kamer 804 in het Nacional. '*Compañero*,' vroeg ze, 'wat heeft uw achterdocht gewekt?'

'Eigenlijk niets,' gaf de luitenant-kolonel Lenin Díaz toe. 'Maar in de loop van de jaren heb ik veel mensen van de geheime dienst ontmoet. Ze hebben allemaal iets gemeenschappelijks. En deze man heeft dat ook...'

'Onder welke omstandigheden heeft u hem ontmoet?'

Lenin Díaz vertelde het haar en noemde terloops de 4x4, wat bij Isabel Jovellar een lichtje deed opgaan. Ze herinnerde zich de blonde man die uit de 4x4 was gestapt.

'Dank u wel, *compañero* kolonel,' zei ze ten slotte. 'Ik zal deze informatie controleren.'

Dolblij hing ze op en ze bezwoer zichzelf dat ze niemand over dit telefoontje zou vertellen. Ze wilde haar overwinning niet met anderen delen. Ze beschikte hiermee over nog meer aanwijzingen. Ze hoefde het netwerk om de verdachten te schaduwen alleen maar strakker aan te trekken, maar daar zou ze uiterst voorzichtig mee moeten zijn.

Ze stapte op haar Suzuki en reed in de richting van het Nacional. Op de achtste verdieping hoorde ze uitvoerig degene uit die verantwoordelijk was voor de verdieping waarop kamer 804 lag. Zonder veel wijzer te worden. Hij was een doodgewone gast, zoals alle andere.

'Hij is zo-even naar het zwembad gegaan,' zei ze. 'Wil je zijn kamer inspecteren, *compañera*?'

Dat wilde Isabel Jovellar graag. Binnen enkele minuten had ze alles bekeken, behalve de kleine kluis in de hangkast. Maar ze vond niets. Daarna ging ze naar beneden, naar de receptie, en vroeg de manager te spreken om hem op te dragen enkele maatregelen te nemen.

Daarna besloot ze dat ze recht had op een kleine pauze en ze nam met een glas *limonada* plaats op het terras, waar ze de gegevens over Walter Zimmer, die de *segurosos* van het hotel hadden verzameld, nog eens doorlas. Er stond weinig in, behalve dat hij een avontuurtje leek te hebben met een toeriste in het Havana Libre. Ene Fedora Kulak, ook een Canadese. Een heel knappe, blonde vrouw.

Toen haar *limonada* op was, stapte ze weer op haar Suzuki en reed naar het Havana Libre. Ze hoorde eerst een van de *segurosos* in de lobby uit. Hij had die mooie buitenlandse vrouw gezien, maar ze was er nu niet. Isabel Jovellar liet zich naar haar kamer brengen, 505, en inspecteerde hem, maar ze vond niet meer dan heel veel zeer vrouwelijke lingerie. Ze ging omlaag naar de kelder. In het Havana Libre lag de 'controlekamer' naast de ondergrondse garage. Toen de beambte haar rode pas van de DGI zag, vouwde hij vol ontzag bijna dubbel voor haar. 'Wat kan ik voor u doen, *compañera*?' vroeg hij meteen.

'De technische dienst naar kamer 505 sturen.'

Hij keek op zijn plattegrond en zei: 'Dat is al gebeurd, *compañera*.'

Isabel Jovellar keek hem verbaasd aan. 'Wie heeft opdracht daartoe gegeven?'

Het gezicht van de beambte betrok en stamelend bekende hij ten slotte dat hij het op eigen initiatief had gedaan.

'Waarom?' vroeg Isabel Jovellar streng.

Uit de door de *seguroso* gestamelde uitleg werd duidelijk dat hij en zijn collega's gewoon die mooie buitenlandse vrouw eens privé wilden bekijken... De uren duurden lang in deze controlepost. Isabel Jovellar zei verder niets. Toen ze jong was, genoot ze er tenslotte ook van wanneer ze vrijende stelletjes kon begluren.

'Goed,' zei ze uiteindelijk, 'in het vervolg breng je aan mij persoonlijk verslag uit. Dit is mijn telefoonnummer.'

Er werd op Malko's deur geklopt. Het was iemand van de onderhoudsdienst. Tien minuten eerder had hij de receptie gebeld omdat zijn airconditioning niet meer werkte. De technicus zocht overal, demonteerde de ventilatie-unit en vroeg uiteindelijk of hij de receptie mocht bellen. Toen gaf hij de hoorn aan Malko.

'Uw airco kan niet worden gerepareerd,' legde de receptioniste uit. 'We hebben geen onderdelen. U krijgt de kamer ernaast, een kleine suite, voor dezelfde prijs. Het spijt me, door het embargo hebben we gebrek aan alles. Ik stuur u een kamermeisje om u te helpen verhuizen.'

Malko ging akkoord en bedankte haar.

Deze verhuizing naar een andere kamer beviel hem niets. Het was een oude methode van de geheime diensten in het Oosten om hem een 'voorbereide' kamer te geven. Maar hij had tenslotte zelf geklaagd over de airconditioning...

Toen hij naar kamer 805 was verhuisd, haalde hij Fedora op om in club Havana te gaan lunchen.

Uit voorzorg, voor het geval de Skoda werd afgeluisterd, wachtte hij tot ze veilig op het strand van de club waren en vatte toen voor de jonge vrouw zijn ontmoeting van de vorige avond samen.

'Dat gedoe met die auto van de politie bevalt me niets,' zei de Russin. 'Dat deden wij ook zo in de Sovjet-Unie. En ook dat je een andere kamer hebt gekregen.'

'Ben jij niet verhuisd?'

'Nee.'

Dus misschien werd ze niet verdacht. Malko probeerde zich te ontspannen. Tot zijn volgende ontmoeting met generaal Anibal

Guevara had hij niets te doen. Behalve contact te onderhouden met Lee Dickson.

Ondanks de blauwe hemel, de zon en de lauwe wind, maakte Malko zich ongerust over de opmerking van Fedora Kulak. Ze was niet voor niets beroeps.

'Uw vriendin wacht beneden op u,' zei de stem van een beambte van de receptie.

Malko was net terug in het Nacional, nadat hij Fedora bij het Havana Libre had afgezet. Nieuwsgierig ging hij naar beneden. Hij verwachtte niemand. Hij inspecteerde de lobby en het terras en hij wilde net terug naar boven gaan, toen hij Nora zag, de Cubaanse vrouw die hem naar kolonel José Cardenas had gebracht. Ze stond bij de receptie een tijdschrift te lezen. Ze wisselden een korte blik. Toen liep de jonge vrouw naar de kelder. Malko haalde haar in op de trap. Al lopende zei ze snel: 'Ga vanavond om elf uur naar het kerkhof Colón. Bij de Zapata-ingang. Joachim is daar.'

Ze ging de cafetaria binnen en Malko liep door naar de toiletten, waar hij meteen kon kijken of er een bericht op hem wachtte.

Dat was zo. Een nieuw nummer voor een telefonisch contact de volgende dag om één uur.

Hoe moest hij midden in de nacht naar het kerkhof Colón gaan zonder op te vallen?

'Ik heb een idee,' stelde Fedora voor. 'Je gaat met me mee naar het Havana Libre en je zet je auto in de ondergrondse parkeergarage. Daarna vertrek je door de hoofdingang, te voet, en laat je auto staan. Ga eerst in de richting van het Nacional, alsof je teruggaat. En neem dan een taxi.'

'Dat eerste deel is een goed idee,' gaf Malko toe, 'maar ik neem geen taxi. Te riskant. Ik ga wel lopend. Zelfs al is het een flink eind weg. Die ontmoeting midden in de nacht op een kerkhof vind ik nogal bizar.'

Fedora Kulak glimlachte. 'Dit hele land is bizar. Je hebt geen keus. Vooruit, laten we gaan.'

Ze verlieten de paladar Chez Adela, in de Calle F, waar ze nauwelijks ontdooide kreeft hadden gegeten. Malko's gespannenheid aanvoelend, zei Fedora teder: 'Maak je hoofd leeg. Je moet straks in vorm zijn. Je bent ongewapend, je hebt geen enkele bescherming. Het is net een oerwoud waar je niet uit wegkomt. Het mag niet mislukken.'

Hij parkeerde de Skoda in de grote garage van het Havana Libre en ze namen de lift naar boven. Parkeren in de buurt van het hotel was moeilijk. Daarom was het niet ongewoon, wat Malko deed. Zodra ze in Fedora's kamer waren, trok ze haar trui over haar hoofd uit. Eronder droeg ze een goed gevulde, zwarte beha. Haar kobaltblauwe ogen strak op die van Malko gericht, drukte ze zich tegen hem aan. 'Laat me lekker klaarkomen,' zei ze. 'Dat zal je goed doen.'

Julio Ramírez, dienstdoende *seguroso* van de surveillance van de kamers van het Havana Libre, nam het ervan. Normaal zou hij de komende uren moeten doorbrengen met achter elkaar op zijn scherm de beelden van de dertig camera's te bekijken waarop een even groot aantal kamers te zien was. Maar sinds een halfuur kon hij zijn ogen niet afhouden van kamer 505. Hij keek toe hoe de blonde buitenlandse de liefde bedreef met de man die ze had meegenomen, terwijl ze zichzelf intussen heftig bevredigde. Toch zag hij dit niet vaak. De toeristen die Cuba aandeden, waren meestal oude echtparen die doodmoe waren van een dag in de bus zitten en meteen in slaap vielen zodra ze terug in het hotel waren. Maar nu was het of Julio Ramírez naar een pornofilm zat te kijken. Deze prachtige vrouw, met haar volle billen, maakte diepe indruk op de *seguroso*. Ze zat nu op haar knieën en bevredigde haar minnaar, die tegen de muur geleund stond.

De volgende stap was nog opwindender. Geknield op het bed

liet de vrouw zich door de man nemen, terwijl ze met haar handen in de lakens klauwde. Julio Ramírez kreeg er een droge mond van. Hij hoorde nauwelijks dat er op de deur werd geklopt. Pas toen hij op de klok keek, begreep hij het: hij werd afgelost.

Snel haastte hij zich naar de deur, deed hem van het slot en liet een van zijn collega's van de *seguridad* binnen: een schattig halfbloedmeisje met een puntig gezicht, gekleed in een korte, blauwe jurk. Ze liep een broodje te eten.

'Stoor ik ergens mee?' vroeg ze, en ze bleef plotseling staan. Julio Ramírez was vergeten zijn broek dicht te doen en zijn rode, stijve penis stak recht naar het meisje, dat in lachen uitbarstte. 'Hé, verveel je je soms?'

Julio Ramírez was zo opgewonden, dat hij haar arm pakte en haar naar het scherm meetrok. 'Kijk.'

Toen ze de beelden zag, verstrakte ze. De vrouw lag nu op haar buik, de man lag boven op haar en had zijn penis, die slechts vluchtig te zien was, recht omlaag tussen haar billen gestoken. De *segurosa* voelde nauwelijks dat Julio Ramírez haar hand pakte en op zijn penis legde. Gedachteloos begon ze hem langzaam te bevredigen. Ze kon haar ogen niet van het scherm afhouden. Hun hijgende ademhaling was het enige geluid in de kamer.

Plotseling duwde Julio Ramírez op de nek van zijn collega, die gehoorzaam voor hem neerknielde en hem in haar mond nam. Het standje in de kamer was weer veranderd. De man lag nu op zijn rug en de vrouw bereed hem. Ze was op het scherm van opzij te zien. Haar volle borsten schokten op en neer op de maat van haar galop.

De telefoon ging.

'Julio,' zei de stem van de *seguroso* die op zijn post in de hal stond, 'kijk je naar kamer 505?'

Julio Ramírez lachte met een verstikte stem. 'Ze neuken dat de vonken ervan af vliegen!' zei hij. 'Dit moet je zien.'

'Mooi zo. Kan ik mijn post even verlaten?'

'Geen probleem,' verzekerde Julio Ramírez hem voordat hij ophing.

Zijn collega deed haar uiterste best en hij zou het niet lang meer uithouden. Hij voelde onder haar korte jurk, trok haar slipje weg en trok haar boven op zich, met haar gezicht naar hem toe, zodat hij over haar schouder het andere stel kon blijven volgen. Hij kwam samen met de man in de kamer klaar en hij zag dat de vrouw op de borst van de man in elkaar zakte. Zijn collega trok haar slipje al aan. Ze zeiden geen woord tegen elkaar en hij begon een voor een de andere kamers te inspecteren. Helaas zonder iets interessants te zien. Toen hij terugkwam bij 505, was die leeg! Even schrok hij, maar toen kwam de vrouw naakt uit de badkamer terug en ging op het bed liggen. Hij wachtte nog even, maar niemand kwam bij haar.

De man was vertrokken terwijl hij de andere kamers controleerde. Plotseling in paniek belde Julio Ramírez snel de directe lijn van zijn collega beneden. Geen antwoord. Hij was ergens een biertje gaan drinken of hing buiten, bij de Yarabioscoop rond. Julio Ramírez keek naar een donker scherm: de vrouw had het licht uitgedaan. Hij aarzelde. Moest hij het gebeurde noteren? In dat geval liep zijn collega de kans te worden gestraft wegens het verlaten van zijn post. Julio Ramírez stelde zichzelf gerust door te zeggen dat het echtpaar er niet gevaarlijk uitzag, ondanks de verdenkingen van de DGI. Imperialisten neukten niet zo fel. En vaak kregen ze verdachte personen aangewezen die volkomen onschuldig bleken te zijn. Uiteindelijk ondertekende hij zijn verslag van die avond met de opmerking 'niets bijzonders' en hij vertrok, zijn collega voor de nachtdienst alleen latend.

Malko liep snel over de lege stoep van de Rampa naar het noorden. Toen hij uit het Havana Libre was vertrokken, had hij zich kunnen verbergen in een groep Canadese toeristen die met allemaal bagage waren aangekomen en de medewerkers achter de receptie bezighielden. Hopelijk had niemand hem gezien. Hij voelde zich als een vuurrode vis in een bassin vol met haaien. In Cuba genoot hij geen enkele bescherming. Hij had geen wapen en het gevaar was alom aanwezig. Hij keek om en zag langs de stoep aan de overkant een witte politieauto met gedoofde lichten onder een kapokboom staan. Zo stonden er tientallen in de stad, plus de motorrijders en de politieagenten in uniform en in burger. Het was een geducht netwerk.

Als hij niet was gezien, maakte hij een kans om weg te komen, maar anders zou hij het moeten opgeven.

Nog twintig huizenblokken. De stad was nauwelijks verlicht, wat hem nu goed uitkwam. Op de kaart had hij de ingang Zapata aan de westkant van het kerkhof gevonden. Langs de weg stond een kapotte Lada. De chauffeur stond onder de openstaande motorkap gebogen. In dit deel van de stad waren geen restaurants of bars, maar wel groepen mensen die voor hun huis van de frisse lucht stonden te genieten. In een leren tasje had Malko de brief van president George W. Bush, die hij snel wilde afgeven. Alleen al het bezit van dit schrijven zou genoeg zijn om hem voor de rest van zijn leven naar de gevangenis te sturen. En niemand zou hem te hulp komen.

Nog honderd meter, en toen zag hij een houten hek, waarvan een van de deuren openstond: de ingang Zapata van het kerkhof Colón. Hij bleef in de duisternis staan en tot zijn grote verbazing zag hij een paar minuten later enkele gedaantes het kerkhof binnengaan!

Op dit late uur kwamen er toch geen bezoekers? Het was allemaal zo vreemd, dat hij bijna rechtsomkeert maakte. De verlichte wijzers op zijn Breitling gaven aan dat het elf uur was. De tijd waarop hij had afgesproken. Hij luisterde: geen geluid te horen. Geen auto te zien. Hij besloot verder te lopen naar de ingang, waar hij twee gedaanten in de schaduw zag staan, verscholen tegen de gesloten deur. Er kwam een stelletje langs dat bij het hek bleef staan. Er volgde een kort overleg met de twee 'bewakers'. Malko zag een fles van handen wisselen, waarna het stel het kerkhof binnenging...

Hij liep er eveneens heen. De twee 'bewakers' kwamen op hem af: twee jongens, van wie één met een baard. Achter hen verscheen een grote gedaante, die iets naar hen siste, waarna ze terugliepen. Malko herkende in de duisternis de grafdelver, Joachim. Die vroeg zacht: 'Hoe bent u gekomen?'

'Lopend.'

'Mooi zo. Kom mee.'

Het was een vrij heldere nacht en de grootste grafzerken en de paden tekenden zich vaag in de duisternis af. Zwijgend liepen ze bijna het halve kerkhof door. Toen zag Malko plotseling een groep mensen. Ze zaten op een graf te praten en gaven een fles rum aan elkaar door. 'Wat is dat?' vroeg hij.

'Een stelletje freaks,' legde Joachim uit. 'Ze komen hier van tijd tot tijd voor een fiesta. Ik geef hun rum. Ze vinden het spannend om hier te zijn.'

Op een zerk ernaast hadden ze kaarsen neergezet. De vlammetjes flakkerden in de warme wind. Het was bijna koud. Op een ander graf zat een jongen met een baard op een gitaar te tokkelen, terwijl zijn vrienden dronken. Iets verderop lag een stelletje op een stenen grafzerk de liefde te bedrijven. Het meisje kreunde. Er hing een sterke geur van hasj in de lucht. Ze liepen nog tweehonderd meter door, tot Joachim bleef staan bij een grafmonument van zwart marmer, dat door een hek werd afgesloten.

Net toen hij binnen wilde gaan, dook er een gedaante uit de duisternis op. Malko herkende het korte, grijze haar van kolonel José Cardenas, de helikopterpiloot. Hij had een pistool achter zijn riem en zijn gezicht stond ernstig. 'Ik moet u fouilleren,' zei hij. 'Eerst uw handtas.'

Malko gaf hem die en de ander fouilleerde hem.

'Knoop uw overhemd open,' droeg de Cubaanse ex-kolonel hem vervolgens op.

Malko gehoorzaamde en de Cubaan onderzocht zijn lichaam in alle kieren en plooien. Toen begreep Malko wat hij zocht: een microfoon. Toen hij klaar was, ging hij voor hem staan. 'U moet weten, señor, dat u de eerste bent die zal sterven wanneer er iets misgaat.'

Hij vertrouwde Malko duidelijk niet helemaal. Die merkte op: 'Ik neem ook een groot risico door hierheen te komen.'

De ex-helikopterpiloot knikte. 'De G5 is erg machtig. Ze hebben de dissidenten aan alle kanten geïnfiltreerd. De secretaresse van Marta Beatriz Roque werkte voor hen. Ze is nooit ontmaskerd. Pas nadat ze meer dan dertig sympathisanten had verraden, trad ze in het daglicht. Nu is ze een heldin van de revolutie. Zweert u dat u geen enkel contact hebt gehad met de mensen in Miami?'

'Geen enkel,' beaamde Malko.

Voor het eerst voelde hij een dreigend gevaar. Hij zag dat Joachim hem bekeek, een machete in zijn hand. Een geducht man. De gitarist, iets verderop, speelde nog steeds. De ex-piloot wees naar het half openstaande hek van de tombe. 'Naar binnen, alstublieft.'

Malko duwde tegen het hek, dat piepend en krakend opendraaide en ging naar binnen. Een kaars verspreidde een flakkerend licht. Een man in overhemd, grijs haar, een levendig gezicht met een snor, zat op een grafsteen. Hij stond op en stak Malko zijn hand toe. 'Goedenavond. Ik ben generaal Anibal Guevara.'

12

Malko schudde langdurig de hand van de Cubaanse generaal. Het hek achter hem piepte. Joachim had het dichtgedaan om de twee mannen beter te kunnen beschermen.

Het was een goed gekozen locatie voor een geheime ontmoeting. Hij dankte de hemel dat dit eerste contact was gelukt en hij pakte het tasje met de brief die hij van Frank Capistrano had gekregen. 'Generaal,' zei hij, 'allereerst is het mijn taak u een boodschap van de president van de Verenigde Staten te overhandigen.'

Hij zweeg terwijl de Cubaanse generaal de envelop opende en de handgeschreven regels las. Hij staarde lange tijd naar de handtekening en vouwde de brief toen dicht. 'Señor,' zei hij, 'deze brief is een teken van respect dat ik zeer waardeer, maar het is geen aanmoediging. En hoe graag ik mijn land ook wil bevrijden van dit afgrijselijke regime, ik zie daar geen mogelijkheid toe. Bovendien zullen de Verenigde Staten niet ingrijpen.'

'Niet rechtstreeks,' gaf Malko toe, 'maar president Bush verzekert u dat uw regering onmiddellijk door de Verenigde Staten zal worden erkend, wanneer het u zou lukken de macht in Cuba te grijpen.'

'Zover zijn we nog niet,' beet generaal Anibal Guevara hem toe, met een zekere kilheid in zijn stem.

'Dat klopt,' beaamde Malko, 'maar president Bush heeft het risico genomen mij hierheen te sturen omdat er nieuwe feiten bekend zijn geworden, waar we snel op zullen moeten reageren. Weet u dat Fidel Castro een beroerte heeft gehad en op dit moment tussen leven en dood zweeft? Hij is niet tot regeren in staat.'

Uit de lange stilte die volgde, maakte Malko op dat dat nieuw was voor de generaal. Het was doodstil in de crypte, op wat verre gitaarklanken na. Plotseling besefte Malko dat zijn overhemd drijfnat was van het zweet en op zijn lichaam plakte. Het was drukkend heet en vochtig in deze besloten ruimte.

'Hoe komt u aan die informatie?' vroeg generaal Guevara.

'Van een zeer nabije bron,' legde Malko uit. 'Iemand die getuige was van de attaque en hem op zijn bureau in elkaar heeft zien zakken. Meer kan ik u voorlopig niet zeggen.'

'Wanneer is het gebeurd?'

'Een week of twee geleden.'

Weer bleef het even stil. Toen zei de generaal tegen Malko: 'Wacht hier op me.'

Hij ging de grafkelder uit en verdween in de duisternis op het kerkhof. Malko wachtte tien minuten, met als enig gezelschap de kaars. De gitaarakkoorden werden meer en meer een kwelling. Malko vroeg zich af of die freaks die hier kwamen vrijen, drinken en hasj roken ook maar enig vermoeden hadden van wat er zich naast hen afspeelde. Het hek piepte en de generaal kwam terug.

'Ik heb het zojuist met kolonel Cardenas besproken,' zei hij. 'Zelfs Radio Bamba heeft geen geruchten gemeld, maar dat is op zich niet verbazend. Er zijn maar heel weinigen die echt nauw met hem samenwerken.'

'Het hoofd van de staf, generaal Albano López Muera, moet er beslist van op de hoogte zijn,' zei Malko.

'Nee, zelfs dat niet,' antwoordde Anibal Guevara. 'En zelfs als dat wel zo zou zijn, zou hij het aan niemand vertellen. Het werkelijke hoofd van het leger is Raul Castro, en die zal er zeer zeker wel vanaf weten. Maar ik herhaal, als een van de zeer weinigen. *El Viejo* zal ofwel in zijn privékliniek in het gebouw van de Raad van State worden behandeld, of in de speciale vleugel van het ziekenhuis Cimeq, in Siboney. In beide gevallen zit hij volkomen van de buitenwereld afgesloten.'

'Er is nog iets, wat erop wijst,' legde Malko uit. 'Een beroemde,

Spaanse neuroloog is enkele dagen na het gezondheidsprobleem in Cuba aangekomen. En, trouwens, hebt u informatie die dit verhaal zou kunnen tegenspreken?'

Generaal Guevara dacht lange tijd na en gaf ten slotte toe: 'Nee, hij is al ruim twee weken niet meer op televisie verschenen, maar dat is niet ongebruikelijk. Ik heb niets over reizen of bijeenkomsten gehoord, maar dat is ook geen hard bewijs. Soms blijft hij wekenlang weg, zonder zich te laten zien. We zullen rekening houden met uw informatie, maar het is nog geen oplossing voor het probleem.'

'Goed,' zei Malko. 'Ik ben gekomen om u een eenvoudige vraag te stellen. Wanneer wij bewijs mochten hebben dat Fidel Castro dood is, vóórdat dat openbaar wordt gemaakt, bent u dan bereid het regime omver te werpen en de troonopvolger, Raul Castro, af te zetten? Wat is trouwens uw huidige functie?'

'Ik leid een eenheid gevechtshelikopters en een opleidingscentrum voor stadsguerrilla's in Baracoa, niet ver van Havana.'

'Hebt u sympathisanten in het leger die bereid zijn u bij een staatsgreep te steunen?'

Generaal Guevara glimlachte. Dat was voor het eerst. 'Ik heb sympathisanten. We hebben allemaal een diep trauma overgehouden aan de schandelijke manier waarop generaal Arnaldo Ochoa is behandeld. Hij was een man van eer die altijd zijn land heeft gediend. Raul Castro is in het leger niet geliefd en zonder de bescherming van zijn oudste broer, denk ik niet dat hij het lang zal uithouden. Maar of hij lef heeft of niet, merk je pas wanneer je hem tegen de muur zet... Toch denk ik dat sommigen van mijn kameraden zich achter mij zullen scharen, op voorwaarde dat het een zuiver Cubáánse actie is.'

'Zo zien de Verenigde Staten het ook graag,' zei Malko hem toe. 'De brief van president Bush is bedoeld om aan te geven hoe hun houding daarná zal zijn, als een soort garantie dat het nieuwe regime economische hulp van de Verenigde Staten zal krijgen. Ik heb een vraag. De veiligheidsdiensten zijn alom aanwe-

zig. Hoe zullen die in het geval van een staatsgreep reageren?'
'Veel van de diensten hebben een militair aan het hoofd staan die we goed kennen. Ik denk dat we hen wel zover zullen krijgen dat ze zich afzijdig houden. Op een paar uitzonderingen na.'
'En in het leger?'
'Dat valt moeilijker te zeggen. Maar veel van mijn kameraden voelen een diepe weerzin, al laten ze dat niet blijken.'
Generaal Guevara stond tegenover Malko, maar hij leek steeds zenuwachtiger te worden. Malko begreep dat het onderhoud niet veel langer meer mocht duren. 'Generaal,' besloot hij, 'welke garantie wilt u zien om aan een staatsgreep te beginnen?'

Joachim, een voormalig strijder uit Angola, voelde een diepe bewondering jegens generaal Guevara, onder wie hij had gediend, en hij koesterde de herinnering aan generaal Ochoa, een held uit het Cubaanse leger. Hij had nooit geloofd in de leugens over drugssmokkel, die Fidel Castro had verzonnen. Hij kende de reden voor deze nachtelijke ontmoeting niet, maar hij vermoedde dat het erg belangrijk was. Generaal Guevara kwam zelden naar buiten.
Híj had deze dag uitgekozen, gebruikmakend van het feest van de freaks, waardoor het komen en gaan op het kerkhof midden in de nacht niet zou opvallen. Een van hen kwam naar hem toe. 'Heb je nog rum?' vroeg hij zacht.
Joachim liep naar een graf en haalde een fles uit de schaduw. 'Eén dollar,' zei hij.
Dat was niet duur. De jongeman gaf hem een biljet, maar voordat hij terugliep, zei hij snel: 'Verderop staan twee vage figuren die we niet kennen. Ze wilden per se meekomen, maar ik vraag me af of ze niet werken voor...'
Hij maakte zijn zin niet af. Joachim voelde zijn maag samenkrimpen. Wanneer de *Seguridad* optrad, zouden ze het kerkhof kunnen afsluiten. Hij zou zijn baan verliezen, omdat hij de

freaks had binnengelaten, maar wat veel ernstiger was, was dat generaal Guevara ook de kans liep bij de razzia te worden opgepakt. 'Goed,' zei hij. 'Wijs ze aan.'

De grafdelver volgde de jonge freak naar een kleine tombe. Hij keek naar binnen en draaide zich toen om. 'Ze zijn weg! Kijk, daar zijn ze!' Hij wees naar twee gedaantes die naar de ingang Zapata liepen. Zonder een woord te zeggen, ging Joachim snel achter hen aan. Toen hij bijna bij hen was, keek een van hen om, zag hem en zei enkele woorden tegen zijn kameraad. Meteen begonnen ze te rennen. Maar de grote neger kon veel harder rennen dan zij...

Toen ze begrepen dat ze het niet zouden halen, bleven ze staan en draaiden zich om. '*Amigo*, wat is er?' vroeg een van hen.

'Waar gaan jullie heen?'

'We hebben geen peso's meer voor rum en roken. Dus gaan we naar huis.'

Joachim aarzelde. Het klonk geloofwaardig. Plotseling kwam een van zijn rumleveranciers naar hem toe en fluisterde in zijn oor: 'Kijk uit. Dat zijn spionnen. Ze werken voor Calle M.' Daar was afdeling G van de *Seguridad* gevestigd.

Ze hadden het gehoord. De eerste wilde er al vandoor gaan, maar Joachim pakte hem meteen bij zijn kraag. 'Jongens,' zei hij, 'we moeten eens praten.'

Zonder te protesteren, volgden de twee hem naar een grote, verlaten tombe. Zodra hij binnen was, bleef Joachim stokstijf staan: hij hoorde geluiden. Er waren twee gedaanten binnen. Binnen enkele tellen onderscheidde hij een grote neger die staande een meisje nam. De nagels van het meisje krasten in het cement van de muren. De neger keek om en beet hem toe: 'Donder op of ik ruk je kop eraf!'

Joachim hief zijn machete op. 'Wegwezen, en gauw.'

De neger zag de machete en langzaam trok hij een grote, zwarte penis uit het meisje. Hij trok zijn broek omhoog en verdween met het meisje naar buiten. Toen duwde Joachim de twee spionnen naar binnen. Een van hen was doodsbang en besloot open kaart te spelen. 'Luister,' zei hij, 'we zijn inderdaad gestuurd om te kijken wat er aan de hand was. Maar ik zweer je, we zullen niets over jou zeggen. Maar we hebben wel andere dingen gezien. Rare mensen. Dat mogen we toch wel doorgeven, hè?'

'Wat voor rare mensen?'

'Het moeten hasjsmokkelaars, of mensen van de zwarte markt zijn.'

Joachim antwoordde niet. Hij was verstijfd van schrik. De mensen waar het om ging, waren degenen die hier voor het geheime gesprek waren. Deze idioot had zo-even zijn doodvonnis getekend. Hij keek op en zei op kalme toon: 'Goed, ga nu terug.'

Ze draaiden hun rug naar hem toe, blij dat ze konden gaan. Spionnen waren niet geliefd op Cuba, ook al wemelde het ervan. De machete trof de dichtstbijzijnde van de twee schuin in zijn nek en sneed meteen zijn halsslagaders door. Hij slaakte een verstikte kreet en viel voorover. Zijn hoofd was bijna van zijn romp gescheiden.

De ander draaide zich om en kreeg nog net de tijd om bang te worden. Met een krachtige uithaal sneed Joachim zijn keel bijna tot op het bot door, waarna hij snel een stap achteruit deed om het opspattende bloed te ontwijken. Hij bekeek de twee lijken die in een grote bloedplas op de grond lagen. Helaas. Hij hield er niet van om te doden, maar het risico was te groot geweest. Nu was hij in elk geval gerust, niemand zou iets vermoeden. Hij stapte over de lichamen heen naar buiten. Voor zonsopkomst zou hij de twee lijken aan de noordkant van het kerkhof begraven, waar nog meer onbekenden lagen, mensen zonder familie. Niemand zou hen daar zoeken.

Hij nam zijn post weer in bij de tombe waarin generaal Anibal Guevara en de blonde buitenlander stonden te praten. Toch vroeg hij zich af wat een man die kennelijk net zo belangrijk als generaal Anibal Guevara was, hier kwam doen.

Generaal Guevara had lange tijd gezwegen, na Malko's vraag. Ten slotte zei hij: 'Ik doe niets zolang ik geen absolute zekerheid heb dat Fidel Castro dood is. Anders is een staatsgreep bij voorbaat kansloos. De mensen zijn te bang voor hem.'

'Vertrouwt u mij?' vroeg Malko.

'Ik denk het wel. Waarom?'

'Ik ben de enige die u dat nieuws kan overbrengen. Natuurlijk zal het door onze bron moeten worden bevestigd. En die is betrouwbaar. Maar we zullen niet veel tijd hebben om in actie te komen.'

'Ik heb al heel langgeleden besloten hoe ik het zal aanpakken,' zei de generaal. 'Ik hoef alleen maar een tiental kameraden te waarschuwen. Sommigen om er zeker van te zijn dat ze zich afzijdig zullen houden, anderen om met me mee te doen.'

'Zal een deel van het leger Castro niet trouw blijven?'

'Een deel wel, ja, maar niet voor lang. Bovendien is er nauwelijks nog een leger. Het Russische materieel is verouderd en we hebben geen benzine en moderne wapens. Fidel Castro heeft in Cuba Alexandra luchtdoelraketten laten bouwen, maar niemand heeft ze nog uitgeprobeerd. Mijn helikopters staan altijd klaar om op te stijgen. Binnen enkele uren kunnen we het ministerie van Binnenlandse Zaken en dat van Defensie in handen hebben, plus het televisiestation. Ik denk dat een paar raketsalvo's op de ministeries de grootste fanatiekelingen wel tot rust zullen brengen. Daarna zullen we moeten improviseren.'

'Wat houdt dat in?' hield Malko vol.

'Ik zal de staat van beleg afkondigen en vrije verkiezingen onder leiding van het leger uitschrijven. Een groep zal Villa Marista overnemen, met de bedoeling de DGSE uit te schakelen. Ik kan natuurlijk niet uitsluiten dat de bevolking fel zal reageren. Veel Cubanen hebben nog heel wat rekeningen te vereffenen.'

Hij haalde zijn schouders op en keek op zijn horloge. 'Goed, ik moet de brief van George W. Bush veilig opbergen. Dit is een historisch document. Wanneer u er zeker van bent dat Fidel

Castro dood is, waarschuwt u Joachim. Hij is elke dag op het kerkhof. We zullen elkaar snel weer zien. Tot ziens.'

Nadat hij Malko's hand had geschud, liep hij de tombe uit en verdween het kerkhof op, samen met kolonel José Cardenas. Malko wachtte nog even voordat hij achter hen aan ging. Hij was zowel opgelucht als bezorgd. De bal lag nu bij Lee Dickson. Zonder Iglesia zou er niets gebeuren.

De straten waren volkomen verlaten. Het kostte hem ruim een halfuur om bij het Nacional te komen. Er stonden geen taxi's en de lobby was verlaten, op twee meisjes achter de receptie na. Hij ging naar zijn kamer om te slapen, maar hij bleef lange tijd wakker liggen. Hopelijk zou deze riskante ontmoeting ergens toe leiden.

Lee Dickson kon de slaap niet vatten. Hij stond op en stak aan de rand van het zwembad een sigaar op. Toen liep hij naar de bar en schonk een glas Defender in, dat hij mee naar buiten nam. Zijn contact met Iglesia was gelukkig hersteld, maar nu maakte hij zich zorgen over Malko's pogingen om in contact te komen met generaal Anibal Guevara. Wanneer die het Amerikaanse aanbod zou weigeren, zou er geen operatie plaatsvinden en wachtte het post-Castrisme gouden tijden. Het zou een regime worden zoals in Algerije of Birma, geleid door een corrupt leger dat alle economische touwtjes in handen had.

Hij rekte zich uit: nog bijna twaalf uur tot hij het resultaat van Malko's gesprek met generaal Guevara zou horen.

Isabel Jovellar was heel vroeg naar de Villa Marista gegaan. De verslagen van die nacht over haar belangrijkste 'verdachte' lagen al klaar. Er stond weinig in. Hij was niet in een telefooncel geweest. Hij had met de vrouw in het Havana Libre in een paladar gegeten, toen had hij haar teruggebracht en was bij haar gebleven. De *seguroso* die de kamers van het Havana Libre in de gaten hield, had een aantekening gemaakt dat ze de liefde hadden bedreven en dat het licht om halfelf uit was gegaan.

Toen ging de onderzoekster verder met de lijst van de mannen in het Nacional, met aantekeningen over dezelfde 'verdachte'. Meteen viel haar iets op. De man van kamer 805 was om half- drie 's nachts te voet in het hotel aangekomen en was meteen gaan slapen!

Peinzend bekeek ze de twee lijsten. Er klopte iets niet. De man was om halfelf in het Havana Libre gaan slapen en kwam drie uur later te voet thuis, in het Nacional. Hij had zijn auto dus bij het Havana Libre laten staan. Wat had dat gat te betekenen? En waarom hadden de *segurosos* in het Havana Libre hem niet zien vertrekken? Ze stak een sigaar op en dacht na. Een logische ver- klaring zou zijn dat de dienstdoende *seguroso* in het Havana Libre zijn werk niet goed had gedaan. Ze moest het zeker weten. Behalve de subjectieve verdenkingen van luitenant- kolonel Lenin Díaz, kon ze die Walter Zimmer nog niets con- creets verwijten.

Ze liet zich onderuitzakken in haar stoel en nam een lange trek van haar sigaar. Ze straalde van trots. Voor het eerst sinds lange tijd voerde de CIA weer een grote operatie uit op Cubaans grondgebied. En zij zou degene zijn die hem zou ontmantelen. Toch bleef er één grote vraag open: waar waren de Amerikanen op uit?

De vorige keer, in 1993, had de CIA geprobeerd de dochter van de Cubaanse leider, Alina, te ontvoeren. Deze poging had Fidel Castro in een ongelooflijke woede doen ontsteken. Twee agen- ten van de DGSE waren gefusilleerd en verscheidene anderen waren naar een heropvoedingskamp in het oosten van het eiland gestuurd. Isabel Jovellar wist dat bij een mislukking zelfs haar band met de commandant van de DGI haar niet zou kunnen beschermen tegen de woede van de Líder Máximo. Er zat maar één ding op: slagen. Daarvoor zou ze al haar pionnen tegelijker- tijd moeten inzetten. Ze belde een van de *segurosos* die bij het onderzoek waren betrokken. Ze had besloten eens kennis te maken met Miguel Barreiro, de spil in de tegenmaatregelen van de DGSE.

Malko kwam uit het Nacional en ging te voet naar het Havana Libre om zijn auto te halen. Hij was gedwongen af te wachten hoe de zaak zich zou ontwikkelen. Alleen God zou het uur van de dood van Fidel Castro kennen. Intussen was hij van plan met Fedora naar het strand Tarara te gaan, vijfentwintig kilometer ten oosten van Havana.

Toch was hij tevreden dat het cruciale gesprek met generaal Guevara was gelukt zonder dat hij was gevolgd.

Miguel Barreiro voelde zijn maag samenkrimpen toen hij de grijze Lada voor zijn hek zag staan. Een van de *segurosos*, degene die hij kende, kwam glimlachend naar hem toe. 'Señor Barreiro, u wordt op de Calle San Miguel verwacht.' Hij maakte een komische buiging. Achter de Castiliaanse hoffelijkheid school een felle spot. Miguel Barreiro reageerde er niet op. 'Laten we gaan,' zei hij slechts.

'Stapt u maar in onze auto, dan brengen we u.'

Doodsbang nam de Spaanse architect achterin plaats. Zijn testikels deden nog vreselijk veel pijn. De auto stonk naar rotte ananas. Hij deed zijn ogen dicht en vroeg zich af wat hem te wachten stond. Toen hij op de Calle San Miguel was, brachten agenten in uniform hem over het grote grasveld verder, langs een vijf meter hoog model van een kalasjnikov, het symbool van de revolutie. Met aan beide kanten een *seguroso* liep hij naar het achterste gebouw.

Een van de mannen klopte op een deur en deed hem open, waarna hij opzij stapte om de Spaanse architect binnen te laten. Die aarzelde even, terwijl hij zich afvroeg wat voor gruwelijkheden hem nu weer te wachten stonden.

Verrast zag hij in het kantoor erachter een prachtige negerin met een sigaar in haar hand staan. Haar grote borsten werden omspannen door een rood topje, zonder beha. Ze bekeek hem geïnteresseerd. Slechts één ding verontrustte hem: op haar bureau lag een machete. De deur ging dicht en de vrouw zei: 'Ik ben Isabel Jovellar, assistent van *compañero* generaal Cienfuegos. Hij heeft me opgedragen het onderzoek naar uw doen en laten verder te leiden.'

Opgelucht dat hij niet meteen werd gemarteld, protesteerde Miguel Barreiro met onzekere stem: 'Wat voor onderzoek? De generaal weet alles al.'

'Nee,' beet ze hem toe. 'Een van onze mannen die u op Groot Kaaiman schaduwde, is verdwenen. Zijn auto is gevonden op het parkeerterrein van restaurant Papagallo. We denken dat hij door uw Amerikaanse vrienden is vermoord en dat u daaraan medeplichtig bent. Dat is een zeer ernstige misdaad.'

Miguel Barreiro wist niet wat hij hoorde. 'Maar ik heb nog nooit van die man gehoord. Dat zweer ik u bij de heilige maagd Maria...'

'Dat zult u moeten bewijzen,' zei de Cubaanse kil. 'Hebt u gedaan wat de generaal u heeft opgedragen?' vroeg ze meteen erachteraan.

'Ja, natuurlijk,' antwoordde Miguel Barreiro beschaamd.

'Goed, ik zal u een nieuw bericht dicteren.'

Aangemoedigd door de relatieve vriendelijkheid van de ondervraagster, boog de architect naar voren en legde zijn hand op het bureau. 'Luister, als de Amerikanen erachter komen dat ik... Dan vermoorden ze me.'

De blik van de vrouw verstrakte. Met een flitsende beweging pakte ze de machete en sloeg er uit alle macht mee op haar bureau. Het lemmet drong enkele centimeters van Miguel Barreiro's hand diep in het hout. Die deinsde zo snel achteruit, dat hij met stoel en al op de grond viel. Zodra hij overeind was gekropen, stond hij oog in oog met de machete, die recht naar hem toe wees. 'Wil je worden gefusilleerd, net als die schoft Carlito?' beet Isabel Jovellar hem op dreigende toon toe. 'Ik hoef mijn handtekening maar onder een opdracht te zetten. Dus nu ga je precies doen wat ik je zeg. En misschien dat je dan je ballen mag houden. Begrepen?'

13

Steeds zenuwachtiger doorkruiste Malko achter het stuur van zijn Skoda de lanen van club Tarara, een enclave aan zee die meer weg had van een verlaten, militair kampement. De club lag vijfentwintig kilometer ten oosten van Havana. Rijen vervallen bungalows deden denken aan de Atlantikwall die de Duitsers in de Tweede Wereldoorlog langs de Franse kust hadden aangelegd. Verwoeste bunkers, antitankversperringen in het zand, overal roestig ijzer en een dijk van kaal beton. Als het zou zijn schoongemaakt, zou het hier goddelijk zijn, maar het zand was zo smerig, dat je er nauwelijks op kon liggen. Bovendien was er geen enkele telefooncel! Malko keek op zijn Breitling. Tien over een; Lee Dickson zou zich wel ongerust maken.

Hij kon maar één ding doen: hij liet Fedora Kulak in het zand achter en ging naar de uitgang, naar het stukje snelweg waarover hij was gekomen.

Hij moest bijna vijf kilometer rijden voordat hij een bushalte met twee telefooncellen vond. De eerste was defect. Gelukkig, in de tweede hoorde hij de telefoon met een holle bijklank overgaan. Na een lange tijd nam Lee Dickson op. Malko kon hem nauwelijks verstaan en de mensen om hem heen bekeken hem nieuwsgierig. Je zag buitenlanders zelden in een telefooncel bellen. Bovendien moest hij Engels praten.

'Is alles goed gegaan?' vroeg Lee Dickson.

'Ja,' antwoordde Malko, 'maar hij komt pas in actie wanneer hij zeker is van de biologische oplossing. Daar valt niet over te onderhandelen.'

De stem van de Amerikaan klonk zwak en werd bijna overstemd door gesis en gekraak. 'Alles gaat hier ook goed,' verzekerde hij. 'Iglesia heeft contact gehad met zijn bron. Nu moeten we afwachten. Ik laat het u via de gebruikelijke kanalen weten.'

Fedora Kulak en Malko zaten weer in de Skoda, die in de volle zon voor het kleine restaurant Tarara stond. Er was bijna niets te krijgen, behalve bier. Lauw door de hitte. Ze hadden gezwommen en wat in het ondiepe water geflirt, terwijl een Cubaans stelletje niet ver bij hen vandaan ongegeneerd veel verderging. Hoewel Tarara vooral door buitenlanders werd bezocht, waren er ook enkele Cubanen. Op het moment dat Malko het portier van de auto opendeed, kwam er een meisje naar hem toe. Ze zag er heel sexy uit in een truitje van geel, elastisch katoen, dat haar borsten omspande, en een uiterst strak, rood rokje. '*Buenos días,*' zei ze. 'Gaat u naar Havana?'

Malko durfde geen nee te zeggen. 'Ja.'

'Kunt u me meenemen?'

Liften was heel normaal in Cuba, wegens een gebrek aan behoorlijk openbaar vervoer. 'Natuurlijk,' antwoordde Malko.

Het meisje stapte achterin. Ze was een prachtige halfbloed. Voordat ze bij de tunnel onder de haven waren, vroeg ze: 'Waar gaat u heen?'

'Naar het Nacional.'

Toen haalde ze een kistje uit haar strandtas en maakte het open. Er zaten sigaren in. 'Dit zijn Cohiba's,' zei ze. 'Slechts twee dollar per stuk. Ik werk in de Partagas-fabriek. Ik kan aan alles komen wat u hebben wilt.'

Malko wees het aanbod beleefd af. Het zou een val kunnen zijn. Ze stapte uit in de parkeergarage van het Nacional en ze liep met haar sigaren naar het zwembad.

Fedora Kulak keek haar wiegende heupen na en merkte fijntjes op: 'Ze verkoopt vast niet alleen sigaren. Heb je haar ogen gezien? Die vroegen er gewoon om.'

Generaal Anibal Guevara zat in zijn oude Russische jeep en keek naar het ballet van zijn MI-24-helikopters, die oefenden hoe ze een vijandige verzetshaard in een stad in puin moesten veranderen. Om de beurt vuurden ze raketten af op een huizenblok dat al grotendeels was vernietigd. 'Vijandige' schutters op de platte daken beantwoordden het vuur met lichte wapens.

Vanwege een tekort aan brandstof werden dergelijke oefeningen slechts één keer per maand op de basis in Baracoa gehouden. Officieel was het een oefening in een aanval op een invasie van Amerikaanse troepen, die vaste voet hadden gekregen in Havana. Fidel Castro was persoonlijk een keer komen kijken en hij had talloze vragen gesteld. Daaruit had generaal Guevara opgemaakt dat het hem er vooral om ging een eventuele opstand van Cubaanse revolutionairen neer te slaan, die met bescheiden wapens tegen het regime vochten. Tegen Amerikaanse troepen die met MI-24 luchtdoelraketten waren uitgerust, zouden ze het niet lang uithouden, en nog minder tegen MI-8-raketten.

De laatste helikopter landde en de leidinggevende kolonel kwam verslag uitbrengen bij zijn chef. Ze hadden samen in Angola en Ethiopië gevochten. Toen waren ze nog jong geweest.

'Kom morgen naar mijn huis,' stelde de generaal voor. 'Om zes uur 's avonds. Er komen nog meer kameraden. Dan drinken we wat en maken we plezier.'

Anibal Guevara woonde in een klein huis in Nuevo Vedado, een wijk die zich uitstrekte over golvende heuvels, niet ver van het kerkhof Colón, waar vooral militairen woonden. Maar de straten zaten er vol met gaten en regelmatig viel de elektriciteit uit. Helaas kon de generaal het zich niet veroorloven een generator te kopen, dus leende hij er zo nu en dan een van de basis. Sinds zijn ontmoeting op het kerkhof had hij veel nagedacht en was hij tot de conclusie gekomen dat dit misschien de kans van zijn leven was. Hij was niet ambitieus en hij verafschuwde politiek. Hij was tevreden met zijn magere soldij en de paar voordelen die bij zijn functie hoorden, zoals zijn toch niet onaangename huis. Hij was nog vijf jaar van zijn pensioen en hij wist dat hij niet meer hogerop zou komen. De hoogste posten waren voorbehouden aan vrienden van Raul Castro, die alleen mannen om zich heen wilde hebben die hij honderd procent vertrouwde.

Heel voorzichtig had hij eens inlichtingen ingewonnen over wat de agent van de CIA hem had verteld. In bedekte termen had men bevestigd dat Fidel Castro problemen met zijn gezondheid had. Waarschijnlijk lag hij in zijn privékliniek in het gebouw van de Raad van State, maar zeker wist hij het niet. Natuurlijk was slechts een handvol getrouwen ervan op de hoogte. Het gewone volk wist van niets en was blij dat ze enige tijd waren verlost van de eindeloze redevoeringen van de Líder Máximo. De goed geoliede machinerie liep voorlopig vanzelf.

Generaal Guevara liep naar zijn grote Skoda en reed naar Nuevo Vedado. Hij had een half dozijn vrienden uitgenodigd die samen met hem de militaire hiërarchische ladder hadden beklommen en dezelfde afkeer voelden jegens een regime waarvoor ze in Afrika en Zuid-Amerika vaak hun eigen bloed hadden vergoten. Ze begrepen dat Fidel Castro zijn land ter meerdere eer en glorie van zijn eigen ideologische hersen- schimmen een rampzalige koers liet volgen.

Toen hij thuis was aangekomen, stapte generaal Guevara uit en stuurde zijn chauffeur weg. Die werkte vast voor de militaire veiligheidsdienst en hoefde zijn gasten niet te zien. Op Cuba werd alles wat maar een beetje ongewoon was, meteen gemeld. Kolonel José Cardenas, de gepensioneerde piloot, was er al en stond met zijn vrouw te praten. De mannen namen met een bier- tje plaats in de tuin, waar geen microfoons zouden zijn. Toch zette generaal Guevara uit voorzorg de radio aan, hard genoeg om hun gesprek te overstemmen. Na een eerste slok Bucanero vroeg hij aan kolonel Cardenas: 'Wat vind jij ervan?'

De voormalige helikopterpiloot aarzelde geen moment. 'We moeten het doen! Zodra zeker is dat die gek niet meer onder ons is. Anders neemt die bende van Transgaviota zijn plaats in, en die zal zich niet zo eenvoudig laten verdrijven.'

Hij doelde op de hoge officieren die, met instemming van Raul

Castro, de winstgevende toeristenindustrie in handen hadden gekregen. Na de hotels hadden ze met Transgaviota hun aandacht op het vervoer van de toeristen gericht. En zij hadden er alle belang bij dat het regime zou blijven voortbestaan.

Een Lada met een groen nummerbord stopte voor het huis en een man in een olijfgroen uniform stapte uit: generaal Emilio Zapatero, die de pompeuze titel 'commandant van het westelijke leger' droeg. Dat wil zeggen, van het westelijke deel van Cuba, inclusief Havana.

Een uur later was iedereen er: zeven hoge officieren die allemaal onder Arnaldo Ochoa hadden gediend en zijn herinnering levend hielden. Ze wisten allemaal dat hij was gefusilleerd omdat hij een Cubaanse Gorbatsjov wilde zijn en daarvoor zijn militaire aura als oorlogsheld wilde inzetten. Niemand was hem vergeten en iedereen wilde hem maar wát graag wreken. Rondom deze zeven officieren bestond bovendien nog een ruime kring van majoors, kapiteins en luitenants die er net zo over dachten.

Dat moest genoeg zijn voor een snelle, efficiënte staatsgreep. Onder de aanwezigen was een kolonel, de tweede man van de MININT, die de hele organisatiestructuur van het repressieve systeem uit zijn hoofd kende.

Ze hadden hun toevlucht genomen tot de garage en lieten de deur openstaan. Ze hieven hun glazen en generaal Guevara riep spottend: '*Venceremos! Patria o muerte!*'

Isabel Jovellar zat op de penis van haar minnaar gespietst, zoals elke dag om deze tijd, en genoot dubbel: seksueel genot en het genoegen de Amerikaanse operatie succesvol te hebben afgesloten. Haar geliefde had haar geen kans gegeven het te vertellen, maar had meteen haar slipje weggetrokken. Dat was een vaste gewoonte. Bovendien stond buiten een klein salsa-orkest voor een fiesta te oefenen, wat generaal Cienfuegos in een opperbeste stemming bracht. Ze ging steeds sneller heen en weer en al gauw slaakte hij een rauwe kreet, terwijl hij in haar borsten kneep en diep in haar buik klaarkwam.

Vijf minuten later zaten ze keurig aan het lage tafeltje en begon Isabel Jovellar aan haar verslag.

'Eindelijk heb ik de onbekende spion ontmaskerd. Hij heet Walter Zimmer, logeert in het Nacional en heeft een Canadees paspoort. Vandaag was hij op het strand in Tarara. Hij is om één uur weggegaan om in een telefooncel aan de snelweg te telefoneren. Dat is gefotografeerd. Tegelijkertijd werd de Amerikaan Lee Dickson in een cel in de club Havana gebeld. Hun gesprek duurde kort. Ze zijn voorzichtig.'

'Natuurlijk weten we niet wat ze hebben gezegd...'

'Nee,' gaf Isabel Jovellar toe, 'maar we zijn er nu zeker van dat er een operatie aan de gang is. Intussen kunnen we ons met de dissidenten amuseren.'

De generaal stak zijn sigaar weer op. 'Wat weten we over die Walter Zimmer? Ken je zijn echte identiteit?'

'Nog niet,' moest de Cubaanse bekennen. 'Volgens de immigratiedienst leek zijn paspoort echt te zijn. We hebben te weinig mensen in Canada om een onderzoek uit te voeren, maar de naam waaronder we hem zullen fusilleren doet er weinig toe...'

Generaal Cienfuegos glimlachte om deze ijver. Hij was trots op de jonge vrouw. 'Wat voor contacten heeft hij gelegd?' vroeg hij.

Isabel Jovellar liet haar hoofd zakken. Dat was het zwakke punt van haar verslag. 'We hebben niemand kunnen identificeren,' bekende ze. 'Maar we schaduwen hem sinds gisteren. Er zit een gat van drie uur tussen elf uur gisteravond en twee uur vannacht.'

'We moeten erachter komen wat hij doet. Is dat alles?'

'Nee, hij heeft contact met een toeriste die hij kennelijk hier heeft ontmoet.'

'Wie is het?'

'Een Canadese van Russische afkomst. Heel knap. Ze logeert in het Havana Libre.'

'Denk je dat ze met hem samenwerkt?'

'Ik denk het niet, nee. Ze zien elkaar alleen om te vrijen.'

'Als ze Russisch is, kunnen we het misschien aan onze vrienden vragen,' opperde de generaal.

De betrekkingen tussen Fidel Castro en het Rusland van Poetin waren sinds enige tijd verbeterd. De SVR, de Russische veiligheidsdienst, werkte sinds drie jaar weer samen met de Cubaanse DGI. En die werkte zelfs voor de Russen in de Verenigde Staten, wat twee Cubaanse agenten levenslang wegens spionage had gekost.

'Dat is een goed idee,' gaf Isabel Jovellar toe. 'Dit zijn foto's van hem en die vrouw.'

De generaal bekeek de foto's en viel meteen voor de grote blondine met haar knot. Isabel Jovellar had gelijk. 'Als je haar gaat ondervragen,' zei ze, 'wil ik erbij zijn...'

Zonder iets te zeggen, legde generaal Cienfuegos de foto's neer. Isabel kende hem langer dan vandaag.

'Ben je intussen meer te weten gekomen over hoe de spion van de Amerikanen aan de telefoonnummers van die telefooncellen is gekomen?'

'Ik heb zojuist goed nieuws ontvangen,' zei ze. 'Kolonel Montero verdenkt iemand van de ETCSA die reparaties heeft uitgevoerd in het gebouw van de afdeling ter behartiging van de Amerikaanse belangen. Het was het hoofd van zijn wijk al opgevallen dat hij diverse aankopen had gedaan, waaronder een tweedehands koelkast. En aangezien hij geen ouders heeft die in Miami wonen... We zullen hem ondervragen. Maar we weten niet waar hij op het moment is.'

'Uitstekend. Zorg dat ze hem snel vinden,' droeg de generaal haar op.

Hij nam een grote trek van zijn sigaar en staarde naar buiten, naar het pokdalige grasveld. Toen stelde hij de vraag waarop hij het antwoord al kende. Maar hij deed het alleen om haar alertheid te testen. 'Wat is volgens jou de opdracht van die imperialistische agent?'

Isabel Jovellar antwoordde niet. Ze had zichzelf die vraag ook gesteld, maar geen antwoord gevonden. Natuurlijk hadden ze ook nog Miguel Barreiro, die lange tijd pal onder hun neus had geopereerd. 'Ik zal proberen daarachter te komen,' beloofde ze.

De nacht was gevallen en de vloer van de garage van generaal Guevara lag vol met lege Bucaneroflessen. Ze hadden enthousiast alle mogelijkheden besproken en ze waren het eens geworden. Binnen enkele uren konden ze met een goed geleide actie de MININT in handen krijgen, evenals het kantoor van Fidel Castro, dat van zijn broer Raul en de televisiezender, om aan de Cubanen bekend te maken dat de Líder Máximo dood was en er een nieuw tijdperk aanbrak.

De generaal liep mee de straat op om zijn vrienden uit te laten. Toen zag hij een man die zijn hond uitliet hun kant op kijken. Het was Pedro Gomez, hoofd van de CDR van zijn wijk. Hij liep naar hem toe en omhelsde hem blij. 'Hoe gaat het ermee, *compañero*? Ik had jou ook moeten uitnodigen. We hebben de overwinning van Ogaden gevierd, waar we de imperialisten vijfentwintig jaar geleden hebben verslagen.'

'Ah, mooi,' zei de spion opgetogen. Dan had hij iets om in zijn weekverslag over de bewoners van zijn wijk te zetten. Van mensen zoals hij waren er bijna honderdtwintigduizend op Cuba. Mensen die alle informatie verzamelden die ze maar konden vinden. Niets mocht aan de revolutionaire waakzaamheid ontgaan.

14

Malko opende het portier van de Skoda, met de bedoeling Fedora in het Havana Libre op te halen, waarna ze een tochtje op zee zouden gaan maken met George Wimont. Toen zag hij de kleine sigarenverkoopster van de vorige dag. Ze zag er hetzelfde uit: een uiterst strak, felgeel truitje, bijbehorend rood rokje en sandalen. Over haar schouder hing een tas. Voordat hij kon reageren, had ze het andere portier van de Skoda al geopend en stapte ze in!

Woedend over deze opdringerigheid, stapte hij eveneens in. 'Wat wilt u?' vroeg hij.

Ze deed haar tas open en liet hem enkele sigarenkistjes zien. Toen zei ze op smekende toon en met een even smekend gezicht, zodat het bijna komisch was: 'Señor, ik heb geld nodig. Mijn broer heeft aids, hij ligt in het ziekenhuis, maar ik moet medicijnen betalen. Die zijn heel duur. Hij heeft die rotzooi in Angola opgelopen, toen hij zijn internationale plicht deed... Ik verkoop u het kistje Cohiba's voor slechts twintig echte peso.'

'Ik rook niet,' zei Malko.

Toch was hij onder de indruk van de sensualiteit die deze tropische bloem uitstraalde. Maar waarschijnlijk was ze giftig. Haar rok was heel hoog over haar dijen opgekropen en haar tepels waren duidelijk zichtbaar onder het gele truitje. En haar blik... Vloeibaar vuur.

'Dan geeft u ze aan een vriend,' zei ze smekend, en ze legde zacht een hand op zijn dij.

Malko keek naar buiten. De bewaker van de parkeergarage keek geïnteresseerd toe. Hij wilde de aandacht niet op zich vestigen. Door de tweeslachtige houding van het meisje was het onduidelijk wat ze nou aanbood: zichzelf of haar sigaren. Hij pakte het geld uit zijn zak en gaf haar twee biljetten van tien peso. 'Alstublieft,' zei hij. 'Maar ik hoef geen sigaren te hebben.'

Het gezicht van de jonge Cubaanse klaarde op in een brede glimlach. Ze klemde de biljetten in haar hand, boog zich verder naar voren en streek met haar lippen vluchtig langs die van Malko. '*Muchísimas gracias*, señor. Ik heet Dalia. *Vaya con dios.*'

Ze sprong de auto uit, liet de sigaren toch liggen, en verdween heupwiegend, smachtend nagekeken door de parkeerwachter. De sigaren zou hij aan George Wimont geven.

George Wimont keek in het kistje sigaren dat hij van Malko had gekregen. 'Het zijn echte,' zei hij blij. 'Al verpakt voor de export, met zegel en hologram. Dank u wel. Ze produceren honderd miljoen sigaren per jaar, maar de arbeiders stelen er tien miljoen. Kom, laten we gaan.'

Fedora Kulak ging als eerste aan boord van de Bertram. Ze zag er fantastisch uit in een zwarte deux-pièces en een pareo. Ze nam met Malko plaats op de kampanje. Glimlachend keek ze hem aan. 'Zie je? Je hebt me helemaal niet nodig. Je missie is al bijna afgerond. Nog een gesprekje met die generaal Guevara en je kunt het vliegtuig nemen. De rest is jouw zaak niet.'

'Ik hoop dat je gelijk hebt,' verzuchtte Malko. 'Ik kan niet geloven dat in deze politiestaat de *Seguridad* nog nergens vanaf weet. Ik heb toch grote risico's genomen.'

Fedora Kulak smeerde haar gezicht met zonnebrandcrème in en glimlachte. 'Ik ken het systeem goed. Bij ons ging het ook vaak mis. Anders zou ik niet hier zitten, maar lag ik begraven op het kerkhof van Loebianka.'

Vijf minuten later voer de *Bertram* de vaargeul door. Toen ze bijna de haven uit waren, kwam er uit de nabijgelegen militaire haven een klein patrouilleschip, dat koers naar zee zette. George Wimont keek verrast. 'Hé, ze hebben weer brandstof. Ik heb ze al wekenlang niet naar buiten zien komen.'

Het schip voer weg en liet een blauwige rookpluim achter. Het haalde niet meer dan twaalf knopen. Zelf voeren ze evenwijdig aan de kust verder en wierpen hun lijnen uit. Het weer was prachtig en deze lege zee maakte diepe indruk. Vanuit de verte zag Havana er mooi uit. Ze wiegden een minuut of twintig op de golven, toen Fedora, die languit op een bankje lag, zei: 'Ik voel me niet lekker. Ik ga naar beneden. Ik denk dat ik zeeziek word.' Ze liep het trapje af en verdween de *Bertram* in. Vijf minuten later zei Malko ongerust tegen George Wimont: 'Ik ga kijken hoe het met haar is.'

'Ik heb pilletjes tegen zeeziekte,' zei de Engelsman. 'Als het niet goed gaat, moet ze die maar nemen.'

Malko trof Fedora languit in de brede kooi in de voorste hut aan. Toen hun blikken elkaar kruisten, vond hij dat ze er niet echt ziek uitzag. Integendeel. In haar kobaltblauwe ogen stond een geamuseerde gloed.

'Gaat het al beter?'

Ze rekte zich uit en stak een arm naar hem uit. In dezelfde beweging stak ze opdringerig een hand in zijn zwembroek. 'Veel beter sinds jij er bent. Zeg eens, dat kleintje dat je die sigaren heeft verkocht, was ze net zo sexy als gisteren? Zou je niet haar slipje willen wegrukken, dat ze zo gemakkelijk liet zien?'

Al pratende streelde ze hem, waarmee ze onmiddellijk resultaat boekte. Ze glimlachte. 'Zie je? Je raakt al opgewonden als ik over haar praat.'

Malko protesteerde. Fedora verving haar hand door haar mond. Binnen een oogwenk had ze haar bikinislip uitgetrokken en liet zich boven op hem zakken.

Toen ze terug naar boven kwamen, keek hij automatisch de horizon af. De Cubaanse patrouille was er nog steeds te zien en lag er kennelijk bewegingloos bij. Dat schip verontrustte Malko. Hij voelde zich alsof hij in de gaten werd gehouden. Een kreet van George Wimont leidde zijn aandacht af: 'Een marlijn! Recht vooruit!'

Een van de lijnen stond strak gespannen en aan het einde was een vorm te zien die fel vocht. De vis sprong het water uit: het was inderdaad een zwarte marlijn van ongeveer één meter vijftig. George Wimont reikte Malko de hengel aan. 'Kom hier, het is een mooie.'

Terwijl Malko de plaats van George Wimont innam, haalde de Engelsman een van de flessen Taittinger uit de koelkast, die Malko had meegenomen.

'Ik heb een Russische kruidenier gevonden!' riep Fedora Kulak opgetogen. 'Op de hoek van de Avenida A en Calle 13, in een niet onaardige villa. Ik heb de *baboesjka* gesproken die daar elke dag haar vers gebakken koekjes brengt. Er zijn niet meer dan ongeveer honderd Russen in Havana en ze hebben het slecht. Grappig, de eerste raadsman van de Russische ambassade is een voormalige agent die door mijn vroegere chef, generaal Polyakof, is aangenomen. Hij heeft goed geboerd. Zijn naam is Evgueni Alexandrovitsj Tifonov.'

'Je kunt hem maar beter niet tegen het lijf lopen,' zei Malko.

Fedora barstte in lachen uit. 'Integendeel! Om te beginnen kan kameraad Poetin tegenwoordig beter met George Bush opschieten dan met Fidel Castro. Verder heeft Tifonov er altijd van gedroomd met me in bed te duiken. Als hij me hier tegenkomt, in de zon, met die salsa, wordt hij gek.'

Ze zaten bijna ontspannen op het terras van het Nacional te praten, begeleid door de klanken van de mariachi's. Malko keek op zijn Breitling: 'Ik moet bellen.'

Na terugkomst van het boottochtje had hij in de toiletten de gebruikelijke boodschap van Lee Dickson gevonden. Hij moest om zes uur bellen. Malko liep naar de lobby en moest in de rij staan om in de cel naast de portier te bellen. Eerst belde hij George Wimont om hem te bedanken, toen koos hij het nummer dat hij in de toiletten had gevonden.

'Ik word sinds vanmorgen onophoudelijk door een Lada gescha-

duwd,' zei Lee Dickson meteen. 'Hebt u geen problemen gehad?'
'Nog niet,' zei Malko en hij keek om zich heen. 'Hebt u nieuws?'

'Ja. Volgens Iglesia komt hij er niet meer bovenop. U kunt doorgeven...'

'Dat heeft geen zin,' bracht Malko ertegenin. 'Degene om wie het gaat, komt pas in actie wanneer de biologische kwestie werkelijk is afgerond.'

Hij voelde het stille protest van de Amerikaan. Die zou de samenzweerders hun eigen dood tegemoet hebben gezonden. Zolang hij operatie Iglesia maar kon starten. Hij geloofde in harde maatregelen, maar hij was niet degene die risico zou lopen. Daarom drong hij aan: 'Ik zei al dat het onomkeerbaar is... Het risico is dus beperkt.'

'Laten we wachten tot het zover is,' hield Malko koppig vol.

'*Shit*!' riep Lee Dickson plotseling uit. 'Ze komen naar me toe. Ik moet ophangen.'

De verbinding werd plotseling verbroken en Malko ging met gemengde gevoelens terug naar het terras van het Nacional. Waarom schaduwde de DGI Lee Dickson plotseling?

De mariachi's speelden vol overgave voor de enthousiast toekijkende toeristen. Fedora keek hem bezorgd aan. 'Niets nieuws?'

'Helaas niet,' verzuchtte Malko.

Hoe lang moest hij wachten op de officiële bekendmaking van de dood van Fidel Castro? Met de Cubaanse geheime diensten, die om hen heen zwalkten, voelde hij zich alsof hij op een berg explosieven met een heel korte lont zat.

'Waar gaan we eten?' vroeg Fedora.

Hij antwoordde niet: Dalia, de sigarettenverkoopster, was op het terras verschenen en liep naar de bar. Toen ze langs hun tafel kwam, wierp ze Malko een glimlach toe die niets aan de verbeelding overliet. Dat ontging Fedora niet. 'Dat sletje wil met je tussen de lakens,' zei ze.

'*Compañera*, we hebben Tomás Coro gevonden, de man die de telefoonnummers heeft doorgegeven! Hij zit op het moment te eten in een paladar in Miramar, Doctor Cafe, Calle 38, tussen de Primera en de Segunda. Wat doen we?'

De stem van kolonel Montero trilde van opwinding. Isabel Jovellar zei zonder te aarzelen: 'Ik kom eraan. Doe nog niets.'

Ze liet haar Suzuki staan en nam een Lada met chauffeur uit de garage. 'We gaan naar Miramar,' zei ze. 'Snel.'

Onderweg belde ze generaal Cienfuegos en liet een boodschap voor hem achter. Twintig minuten later stopte haar auto achter een Moskvitsj waarin vier mannen zaten. Ze stonden te wachten voor een huis dat enigszins apart in een tuin stond. Op een bord stond: DOCTOR CAFE. DE BESTE PIZZA'S.

Een van de *segurosos* uit de Moskvitsj kwam naar haar toe. 'We hebben hem vanaf zijn huis hiernaartoe gevolgd. Hij heeft een meisje opgepikt en ze zitten nu hier te eten.'

'Kom mee,' zei Isabel Jovellar slechts.

Ze moesten over een smal pad langs het huis lopen om bij het restaurant te komen, dat aan de achterkant lag. Isabel Jovellar werd gevolgd door drie *segurosos*. Door de ramen konden ze naar binnen kijken en in de huiskamer zagen ze een enorme porseleinen hond staan.

Ze kwamen uit onder een groot prieel, dat met verscheidene buitenlandse vlaggen was versierd. Er stonden zes of zeven tafels, maar slechts twee waren bezet. Een door twee negers, de andere door een stelletje. Aan de achterkant stonden twee enorme pizzaovens. Boven de bar braakte een radio achter elkaar salsa's uit.

De eigenares, een dikke, slecht geklede vrouw, kwam hen tegemoet en begreep meteen dat er iets mis was. Ze was vroeger zelf inspectrice geweest die paladars controleerde en van het smeergeld was ze er zelf een begonnen. 'Goedendag, *compañeros*,' zei ze. 'Een biertje?'

Op Cuba weigerde je nooit een aangeboden biertje. De drie

segurosos en Isabel namen plaats aan de bar en dronken op de revolutie.

'*Compañera*,' vroeg Isabel Jovellar vervolgens, 'ken je dat stel achteraan?'

Een Cubaan van ongeveer veertig jaar oud, gekleed in een overhemd, samen met een vrouw die iets van een *jinetería* weg had, met priemende borsten, een heel donkere huid en een felrode mond als een overrijpe guave. Met verstrengelde handen zaten ze te praten. Er kwam een serveerster met een bord met een enorme kreeft uit de keuken. Isabel Jovellar schrok op en zei tegen de eigenares: '*Compañera*, heb je een aankoopfactuur voor die kreeft?'

Het gezicht van de eigenares van de paladar werd rood. Isabel Jovellar vervolgde op strenge toon: 'Je weet dat het bij wet verboden is te vissen en schaaldieren te verkopen. Je riskeert zes jaar gevangenisstraf. Dit is een uiterst strenge overtreding. Een economisch delict. Vroeger heb je zelf paladars daarop gecontroleerd.'

'Dat is waar,' zei de dikke eigenares zacht. 'Dat was verkeerd. Een visser heeft hem gebracht. Ik kon het niet weerstaan.'

'Goed,' zei Isabel Jovellar ten slotte, 'geef de naam van die visser.'

'Ja, meteen,' zei de eigenares opgetogen, die blij was er met een beetje verraad vanaf te komen. Het zou de visser slechts een of twee jaar gevangenis kosten.

De twee negers, Afrikaanse diplomaten, vroegen om de rekening, die ze meteen kregen. Zodra ze waren vertrokken, zei Isabel Jovellar kortaf: '*Compañera*, sluit het restaurant. We willen niet gestoord worden.'

De eigenares gehoorzaamde snel. Het stel had nog niets in de gaten, de radio overstemde de gesprekken.

De drie *segurosos* en Isabel Jovellar liepen naar de tafel. Een van de mannen liet zijn pas zien. 'Staatsveiligheidsdienst, *compañero*. Je papieren, graag.'

De man en de vrouw pakten hun identiteitspapieren. De *seguro-so* bekeek ze en gaf ze terug, terwijl hij op strenge toon zei: '*Compañero*, je weet dat het verboden is illegaal gekochte kreeft te eten.'

Het gezicht van de man betrok. 'Dat wist ik niet, *compañero*. Het stond op het menu.'

Het meisje staarde slechts naar haar bord. Een *seguroso* vroeg: 'Is zij uw vrouw?'

'Eh, nee.'

'Dan moet ze gaan.'

Hij was nog niet uitgesproken, of de *jinetería* verdween al naar de uitgang, blij dat ze er zo gemakkelijk vanaf kwam. Ze had geen werk en leefde van een beetje smokkel. Twee keer per week ontmoette ze Tomás Coro, die haar te eten gaf, haar met een fles rum meenam naar een kamertje en haar honderd peso gaf.

De *segurosos* en Isabel Jovellar pakten stoelen en gingen tegenover Tomás Coro zitten. Isabel was degene die met de ondervraging begon. 'Tomás, je werkt toch voor de ETCSA?'

'Ja, *compañera*,' antwoordde de man, die al begon te begrijpen dat het hen niet om de zwarte markt te doen was.

'Hoeveel verdien je?'

'Vierhonderd peso, plus extra's.'

'Mooi,' zei Isabel knikkend. 'Je neemt het er goed van. Wat doe je precies voor werk?'

'Ik controleer de installaties van de imperialisten,' antwoordde Tomás Coro. 'Trouwens, alle *compañeros* bij u kennen me, ik moet elke week verslag uitbrengen. Ik pas ook huizen aan,' voegde hij er met een glimlach aan toe.

Tot nu toe maakte hij zich niet al te druk. Gewoon een routine-controle. Maar plotseling legde Isabel Jovellar een scherp, puntig mes op tafel en deed alsof ze ermee speelde. Wat daarna gebeurde, had niemand verwacht. Met een harde klap stak ze het mes recht in de rechterhand van Tomás Coro, die een afgrijselijke kreet slaakte. Meteen stond een van de *segurosos* op en draaide het volume van de radio hoger. Begeleid door een salsa riep Isabel: 'Schoft! Vuile smeerlap! Wie heeft je het geld gegeven waarmee je die kreeft van het volk steelt?'

Ze wilde geen tijd verdoen. Op de kaart kostte een kreeft veertig inwisselbare peso, dat was meer dan duizend gewone peso. Tweeënhalf keer het maandsalaris van de technicus... Die zat met zijn hand aan de tafel genageld en staarde naar het bloed dat uit de wond stroomde. Trillend over zijn hele lichaam, wist hij uiteindelijk stamelend uit te brengen: 'De imperialisten geven me wel eens kleine klusjes, wat reparatiewerk. Ik heb zelfs een keer bij iemand thuis gewerkt. Hij had zelf voor het materiaal gezorgd.'

Er hing een onwerkelijke sfeer in het lege restaurant, met de keiharde muziek. Isabel Jovellar boog zich naar Tomás Coro's oor. 'En jíj, wat heb jij hun gegeven?'

De Cubaan zweeg. Meedogenloos vroeg ze: 'Wat heb je gedaan voordat je bij de imperialisten ging werken?'

'Toen controleerde ik de telefooncellen in Vedado en Miramar.'

'Mooi zo, mooi zo,' zei Isabel Jovellar knikkend. 'Nu begin je eindelijk de waarheid te zeggen. Misschien kóm je er met een of twee jaar gevangenisstraf vanaf. Aan wie heb je de telefoonnummers van die cellen gegeven?'

Een van de *segurosos* stond op en bekeek de pizzaovens. Hij stak zijn hand erin en trok hem snel, met een kreet van pijn terug. Binnenin was het gloeiend heet. Tomás Coro was lijkbleek en met zijn hand nog aan de tafel genageld, protesteerde hij: '*Compañera*, ik weet niet waarover je het hebt. Ik heb de Amerikanen nooit iets gegeven.'

De *seguroso* die zich zojuist had verbrand, fluisterde iets in Isabel Jovellars oor, die meteen breeduit glimlachte. 'Tomás,' riep ze boven het kabaal van de salsa uit, 'we willen je niet meenemen naar Villa Marista. Dat is te ver en we hebben haast. Je moet ons alles vertellen.'

'Ik heb niet...'

Hij kreeg geen tijd verder te praten. Ze had het mes al uit zijn hand gerukt en het bloed spoot eruit. Twee *segurosos* trokken hem overeind en pakten hem bij zijn borst en zijn benen. Een derde trok zijn sandalen uit.

'Vooruit,' riep Isabel Jovellar.

Toen duwden de twee *segurosos* de gevangene achteruit de pizzaoven in, tot alleen zijn borst en hoofd nog naar buiten staken. Zijn voeten en benen drukten tegen het gloeiend hete rooster. De arme man gilde als een waanzinnige. Toen ze hem de oven uit trokken, waren zijn voeten en enkels bedekt met rode vlekken en blaren. Derdegraads brandwonden. Isabel Jovellar boog zich naar hem toe. 'Schoft, je vertelt me wat ik weten wil. Anders roosteren we nu de andere kant.'

Hijgend kromp de telefoonbeambte ineen. Wanneer hij praatte, zou hij gegarandeerd worden gefusilleerd. Hij overwon de vreselijke pijn en bezwoer snikkend: '*Compañera*, ik heb niets gedaan...'

Geërgerd beet Isabel haar mannen toe: 'Nu het hoofd.'

Enthousiast duwden de twee *segurosos* hun slachtoffer nu met zijn hoofd de oven in. Hij gilde zo hard, dat de eigenares voorzichtig haar hoofd om de deur van de keuken stak. Toen ze zag wat er gebeurde, trok ze zich snel terug. Als ze tussenbeide kwam, zou haar belemmering van de rechtsgang worden verweten.

Toen de *segurosos* Tomás Coro weer de oven uit trokken, was zijn gezicht opgezwollen en zat het onder de rode vlekken. Zijn haar stond in brand en hij bleef onophoudelijk gillen. Isabel Jovellar pakte een fles Bucanero, goot de inhoud over het hoofd en zei: 'Hou op met gillen, schoft. We zullen je levend roosteren, als je niet praat. Als een kreeft.'

Nu was de pijn te erg. Bovendien wist Tomás Coro dat het geen loos dreigement was. *Segurosos* konden doen wat ze wilden. Uit zijn opgezwollen lippen klonken enkele woorden: 'Ja, het is waar, ik heb hun telefoonnummers gegeven.'

'Welke?'

'Dat weet ik niet meer. Dat kan ik me niet herinneren. Op kantoor heb ik een lijst.'

'Dan gaan we naar je kantoor.'

De twee *segurosos* sleepten de gewonde over het pad. Isabel Jovellar vertrok als laatste, nadat ze de radio had uitgedaan. Ze was dolblij. De spion van de CIA kon haar nu niet meer ontsnappen.

15

Fedora Kulak en Malko hadden in een van de chicste paladars van Miramar gedineerd, de Torcoroco, waar ze een stuk vlees opgediend hadden gekregen dat taai was als een schoenzool. Tegen een prijs waar je elders een bord kaviaar voor kreeg. Zonder dat hij kon verklaren waarom, voelde Malko zich slecht op zijn gemak. Deze complexe operatie sleepte zich maar voort en elk uur dat hij langer in Havana bleef, werd het risico groter. Alsof ze zijn zorgen had geraden, legde Fedora een hand op zijn dij. 'Wat ben je gespannen. Neem vanavond een slaapmiddel en ga slapen. Ik smeer me lekker met aftersun in. Ik ben op de boot verbrand.'

Hij bracht haar naar het Havana Libre, waarna hij terugreed naar het Nacional. Net toen hij uit de Skoda stapte, dook er een gedaante voor hem op.

Dalia, de sigarenverkoopster. Nog steeds hetzelfde gekleed. Ze keek achterdochtig om zich heen en zei zacht: 'Señor, vandaag ben ik door de *segurosos* van het hotel opgepakt. Ze hebben mijn sigaren in beslag genomen en hebben me verboden nog terug te komen. Anders sturen ze me naar een heropvoedingskamp in het oosten.'

'Dat spijt me,' zei Malko, 'maar...'

Ze drukte een stukje papier in zijn hand. 'Dit is mijn adres. Ik heb thuis nog een heleboel sigaren liggen. U kunt komen wanneer u wilt. Vanavond.'

Verrast vroeg hij haar: 'Waarom bent u zo in mij geïnteresseerd?'

Ze glimlachte. 'Andere toeristen blijven één of twee dagen. U niet. Koopt u alstublieft mijn sigaren. Ik heb het geld hard nodig. Tot ziens.'

Ze verdween in de duisternis en terwijl hij het papiertje in zijn zak frommelde, liep Malko het hotel in.

De technici van de DGI hadden na de bekentenis van Tomás Coro snel en goed werk geleverd. Ze hadden de nummers gekregen van tien telefooncellen, die voor het bescheiden bedrag van vijfhonderd echte peso aan Lee Dickson waren verkocht.

Meteen na zijn bekentenissen was hij in de kelder van Villa Marista gedood. Er kon geen sprake zijn van een openbaar proces, waarin de zwakheden van het regime aan het licht zouden komen. Isabel Jovellar rekte zich uit. Het was drie uur 's nachts, maar ze was niet moe. De tien telefooncellen werden nu rechtstreeks afgeluisterd, zodat ze direct in actie zou kunnen komen. Dit was het moment om de Amerikaanse operatie een halt toe te roepen. Eindelijk zouden ze te weten komen wat de exacte plannen van de CIA waren. Isabel zwol op van trots bij het idee dat ze de laatste knop zou mogen indrukken. Snel schreef ze een briefje voor de *segurosos* van de ochtendploeg dat ze Miguel Barreiro moesten brengen. Ze had hem nog één keer nodig.

Toen ging ze naar bed.

Richard Lorenz, een van de *deputies* van Lee Dickson, zat met een Filippijnse diplomaat in het Chansonnier te eten. Elke avond leegde een van de leden van zijn ploeg de dode postbus. Het was trouwens een prettige omgeving, chique, met meerdere zalen met elk slechts twee of drie tafels. Jonge, homoseksuele obers liepen van zaal naar zaal en er hing een ontspannen sfeer. Het lag in een wijk die vroeger luxueus was geweest en het was een van de plezierigste plekken van Havana. Stelletjes wachtten achter een mojito tot ze een tafel op het terras konden krijgen. Hij stond op en verontschuldigde zich met een glimlach naar zijn vriendin.

Zodra hij de rode deur van het toilet had opengeduwd, tilde hij het porseleinen deksel van het waterreservoir op. Zijn hart bonkte in zijn keel. Aan een haakje hing een doorzichtig, plastic zakje. De jonge Amerikaan pakte het uit het water, veegde het af en maakte het open. Er stonden enkele woorden in het Spaans op het briefje: *El Viejo* is gisteravond overleden. Zijn dood zal over achtenveertig uur worden bekendgemaakt.

Hij vouwde het papier op en stak het in zijn zak. Zodra hij terug bij de tafel was, vroeg hij om de rekening. Wat hij bij zich had, was dynamiet. In principe vielen de Cubanen diplomaten niet lastig, maar alles was mogelijk. 'Zullen we iets gaan drinken bij Lee Dickson?' vroeg hij aan zijn partner.

'Graag,' antwoordde de jonge Filippijnse.

Richard Lorenz pakte zijn telefoon en belde het districtshoofd van de CIA, die meteen opnam. 'Met Dick,' zei hij. 'We zijn klaar met eten. Is het feest bij u nog aan de gang?'

'Reken maar!' antwoordde Lee Dickson. 'En er is nog volop rum. Kom maar gauw.'

Lee Dickson borg tevreden zijn telefoon op. Ze hadden afgesproken dat Richard Lorenz alleen zou bellen wanneer hij iets in de dode postbus had gevonden. En dat kon nu alleen hét grote nieuws zijn.

Twintig minuten lang beende hij zenuwachtig heen en weer. Zodra Richard Lorenz binnenkwam, trok hij hem mee naar zijn kantoor. Zwijgend gaf de jonge agent van de CIA hem het papiertje.

'Mijn god,' zei Lee Dickson nadat hij het had gelezen. 'Het is zover!'

Blij haalde hij een fles whisky uit de bar en schonk twee glazen in. '*God bless us*,' zei hij terwijl hij het zijne hief.

Toen dacht hij na. Hij moest zo snel mogelijk Malko waarschuwen, zodat die generaal Anibal Guevara kon waarschuwen. Hij vroeg aan Richard Lorenz: 'Vertrouwt u uw Filippijnse vriendin?'

'Ja, in principe wel. Waarom?'

'We moeten Malko morgenochtend direct waarschuwen. Ik wil u er liever niet zelf naartoe sturen. Denkt u dat we haar met een

boodschap naar het Nacional kunnen laten gaan?'
'Het zijn wel hérentoiletten,' merkte de jonge *deputy* op.
'Shit. Goed, u gaat.'

Malko had weinig en slecht geslapen. Na het ontbijt was hij
naar het zwembad gegaan en hij had een uur gewacht voordat
hij naar de toiletten was gegaan. Er had een boodschap gelegen.
Hij prentte zich het nummer in zijn hoofd en gooide het stukje
plastic in de wc-pot. Toen trok hij door.
Hopelijk had Lee Dickson hem echt iets te vertellen. Fedora
Kulak kwam om elf uur naar hem toe. Ze had goed geslapen.
Even voor twaalf uur trok Malko een hemd aan en liep naar de
lobby. Hij kocht een tijdschrift en liep naar de telefooncel.
Lee Dickson nam al op voordat de telefoon behoorlijk was
overgegaan. '*El Viejo* is dood!' riep hij uit.
Snel vertelde hij Malko de details. 'We moeten de generaal
waarschuwen. We hebben achtenveertig uur. Dit is fantastisch.'
Vreemd genoeg kon Malko niet hetzelfde enthousiasme
opbrengen als de Amerikaan. 'Ik zal grote risico's moeten
nemen,' opperde hij.
'We hebben geen keus,' merkte de Amerikaan kort op.
Snel verbrak hij de verbinding en Malko hing eveneens op. Hij
kon de samenzweerders op slechts één manier waarschuwen:
via Joachim. Terug in het zwembad zei hij tegen Fedora Kulak:
'We gaan naar het kerkhof Colón.'

'Ze gaan een staatsgreep plegen!' zei de chef-staf van het
Cubaanse leger, generaal Albano Lopez Muera, met een matte
stem.
Iedereen liet vol afschuw zijn hoofd zakken. Aanwezig waren
het hoofd van de DGI, generaal Cienfuegos, de minister van Binnenlandse Zaken, twee generaals van het reguliere leger en Raul
Castro, met zijn hangsnor. Ze bevonden zich op de bovenste
verdieping van het MINTAR, het ministerie van Defensie, tegen-

over het Paleis van de Revolutie. Ze hadden verscheidene keren naar de vertaling geluisterd van het gesprek dat twee uur geleden was gevoerd tussen Lee Dickson en zijn agent, die bekend stond onder de naam Walter Zimmer. Er was geen twijfel aan hun bedoelingen: een staatsgreep. Maar ze wisten niet wie de samenzweerders waren. En dat was op dit moment het belangrijkste.

'Ik stel plan Alba in werking,' zei de chef-staf. 'En daarna houden we grote schoonmaak.'

Het hoofd van de DGSE, generaal Cienfuegos, schudde zijn hoofd. 'Als we hen niet op heterdaad betrappen,' bracht hij daartegenin, 'bestaat de kans dat ze ontsnappen. Ze zijn sluw, want de militaire inlichtingendienst weet van niets. Het moet om betrouwbare officieren gaan. Als we hun de tijd niet gunnen om zich bloot te geven, blijven ze zitten waar ze ziften en proberen ze het de volgende keer opnieuw.'

Er viel een lange stilte na zijn verklaring. Toen zei Raul Castro op zijn beurt: 'Dat is waar. We moeten wachten tot ze zich blootgeven en hen dan verpletteren.'

'Maar wat als...' begon de chef-staf.

Hiermee suggereerde hij waar iedereen bang voor was, namelijk: wat als de staatsgreep bliksemsnel toesloeg en alles in zijn weg wegvaagde?

Generaal Cienfuegos stelde hem gerust. 'Laat u mij maar begaan. We pakken de imperialisten met hun eigen wapens.'

Hij legde hun uit hoe en na een halfuur werd de bijeenkomst afgesloten. Hij had gewonnen. Zijn Lada bracht hem naar de Villa Marista, waar Isabel Jovellar op hem wachtte.

Joachim was niet op het kerkhof! Al een uur lang doorzochten Fedora en Malko het immense kerkhof Colón, op zoek naar de grafdelver die voor Anibal Guevara werkte.

Tevergeefs.

Malko begon zich steeds ernstiger ongerust te maken en liep

naar het kleine bureautje bij de ingang Zapata. Daar was ook niemand te zien. Joachim was zeker ziek...

Dat was de eerste zandkorrel in de machinerie. En niet zo'n kleine ook.

Teleurgesteld ging hij terug. De enige andere manier om in contact te komen met generaal Guevara, was Nora, de Cubaanse die hem naar kolonel José Cardenas, de voormalige helikopterpiloot, had gebracht. Maar wanneer hij naar haar toe ging zonder dat hij er zeker van was dat hij niet werd gevolgd, bracht hij de hele operatie in gevaar.

Op de Malecón sloeg hij links af. De enige die hem misschien kon helpen, was George Wimont.

'Hij is met zijn blonde vriendin op het kerkhof Colón gaan wandelen,' vertelde de *seguroso* die Walter Zimmer moest schaduwen.

'Wie heeft hij er ontmoet?' vroeg Isabel Jovellar.

'Niemand.'

'Weet je dat zeker?'

'Absoluut zeker, *compañera*. We hebben hem geen seconde uit het oog verloren.'

Verbaasd vroeg Isabel Jovellar zich af wat dit vreemde bezoek te betekenen had en ze vroeg: 'Waar is hij nou?'

'Bij een buitenlander die in de olie zit, George Wimont. Hij schijnt al tochtjes op zee met hem te hebben gemaakt.'

'Goed, verlies hem niet uit het oog. Maar wees heel voorzichtig.'

'Ik heb een idee,' opperde George Wimont. 'Vanavond geef ik een feestje. Ik nodig u officieel over de telefoon uit.'

'En u nodigt Lee Dickson ook uit?'

De oliemakelaar glimlachte. 'Nee, dat is te riskant, maar onze huizen, in Siboney, liggen zo'n vijftig meter bij elkaar vandaan, binnen een wijk die aan de buitenkant streng wordt bewaakt.

Daarom is het eenvoudig om, vooral 's nachts, van het ene huis naar het andere te gaan zonder te worden gezien. Ik stuur mijn vrouw naar het gebouw ter behartiging van de Amerikaanse belangen, zogenaamd om een Amerikaans visum aan te vragen. Zij zal Lee Dickson waarschuwen.'

Enigszins opgelucht reed Malko naar Vedado. Waar hij nog geen oplossing voor had, was hoe hij ongezien Nora kon bereiken.

Rondom het zwembad stonden brandende fakkels, die zowel de muggen op een afstand moesten houden, als licht gaven. Toen Malko en Fedora bij George Wimont aankwamen, waren er al ongeveer twintig gasten, die stonden te drinken en te praten. Er was volop Taittinger en Defender. Wanneer de buitenlanders onder elkaar waren, dronken ze zelden rum. De oliemakelaar begroette hen hartelijk en begon hen aan de anderen voor te stellen.

Verrast zag Malko tussen de gasten Marita Díaz, de dochter van de officier van G5, die haar armen meteen om zijn nek sloeg. 'U hebt me niet meer gebeld,' verweet ze hem.

'Dat zal ik nog doen,' beloofde Malko haar.

Hij mengde zich onder de gasten, tot hij zich bij George Wimont in het huis voegde. Die deed een deur naar de tuin open aan de andere kant van het huis en hij wees naar een grote, ondoordringbaar lijkende groep tropische planten. 'Het huis van Lee ligt vijftig meter die kant op. U ziet het licht vanzelf. Hij verwacht u. We hebben hier in de buurt nog nooit *segurosos* gezien. Ga erheen en kom gauw terug.'

Malko sloop de tuin in en werkte zich tussen de lianen, kapokbomen en bamboestruiken door. Het leek wel of hij midden in het oerwoud was. Hij zag geen hand voor ogen en pas toen hij aan de rand van dit bos kwam, zag hij eindelijk het huis van de Amerikaan liggen. Die stond kennelijk al te wachten, want hij dook vlak voor hem uit de duisternis op. 'Mooi zo,' zei hij.

'Hebt u onze vrienden gewaarschuwd?'

'Nee,' moest Malko bekennen.

Geschrokken luisterde Lee Dickson Malko's verslag aan. 'We moeten een manier vinden om met hen in contact te komen,' drong hij aan. 'Elk uur telt.'

'Is er nog niets bekend geworden?' vroeg Malko.

'Niets.'

Het werd stil, een stilte die slechts door het zoemen van de insecten werd verbroken.

Toen vroeg Malko plotseling: 'Heb u het bericht van Iglesia hier?'

'Natuurlijk. Waarom?'

'Laat het eens zien.'

De Amerikaan wilde al naar het huis lopen, toen Malko er zachtjes aan toevoegde: 'En ik wil een wapen.'

'Een wapen!' riep Lee Dickson geschrokken. 'Maar dat is waanzin. Als ze u met een wapen aantreffen, weten ze meteen dat u geen gewone toerist bent.'

'Als ze dat wapen bij mij ontdekken,' bracht Malko daartegenin, 'is dat omdat ze al weten dat ik geen gewone toerist ben. Dat verandert dus niets aan de zaak.'

'Waar hebt u een wapen dan voor nodig?'

'We gaan roerige tijden tegemoet,' zei Malko. 'God mag weten wat er gaat gebeuren. George Wimont kan me het land uit brengen, maar er kan ook een heleboel misgaan. Als het nodig mocht zijn, wil ik in elk geval wel in staat zijn om me een weg naar de boot te banen.'

Uiteindelijk gaf Lee Dickson met tegenzin toe. 'Goed, ik zal u iets geven. Maar hier krijgt u vijftien jaar, alleen al op het bezit van een wapen.'

'Dat tellen ze dan maar op bij mijn levenslang wegens spionage,' zei Malko gelaten.

De Amerikaan liep naar de villa en kwam even later terug met het bericht van Iglesia en een pakje dat in een lap was gewikkeld, die hij openvouwde. Er zat een oude, automatische Tokarev kaliber .32 in.

'Ik heb hem nooit geprobeerd,' moest de Amerikaan bekennen. 'Ik weet zelfs niet waar hij vandaan komt. Hij lag er al toen ik hier kwam.'

Malko borg het pistool onder zijn loshangende overhemd achter zijn riem op en stak Lee Dickson zijn hand toe. 'Goed, ik zal vannacht proberen Nora te bereiken. Geef me een nummer waar ik u morgenochtend, laten we zeggen om twaalf uur, kan bellen.'

Lee Dickson pakte de lijst met nummers van telefooncellen en gaf Malko er een. Toen schudde hij hem langdurig de hand. In een plotselinge opwelling vroeg Malko: 'Bent u absoluut zeker van Iglesia?'

'Hij heeft altijd eersteklas informatie gegeven,' zei de Amerikaan slechts. 'Hij haat dit regime en laat zich niet met geld omkopen. Voor mij is hij ijzersterk.'

Malko dook de tropische vegetatie weer in en liet zich leiden door de muziek die vanuit het huis van George Wimont klonk. Zodra hij de woonkamer binnen was geslopen, kwam hij oog in oog te staan met Marita Díaz. Met een glas in haar hand vroeg ze hem: 'Waar bent u geweest?'

'Een eindje wandelen,' zei Malko.

De galeriehoudster glimlachte geheimzinnig. 'Kijk maar uit, uw vriendin is erg populair. Ze ziet er trouwens fantastisch uit. Ik had u graag aan mijn vriend willen voorstellen, maar hij is niet in Havana.'

'Een andere keer dan.'

Marita Díaz keek op haar horloge. 'O, het is al laat. Ik moet naar huis.'

Ping. Malko dacht plotseling aan de 4x4 met donkere ramen. Als hij naar Nora toe wilde gaan, moest hij er absoluut zeker van zijn dat hij niet werd gevolgd. 'Mag ik met u mee?' vroeg hij. 'Ik ben moe.'

'Met alle plezier. Gaat u uw vriendin maar halen.'

Malko liep naar Fedora, die werd omgeven door een groepje kwijlende mannen. 'Ik ga met Marita mee,' fluisterde hij haar toe. 'Neem jij mijn auto maar.'

Met een knik gaf ze aan dat ze het begreep. Malko keerde terug naar Marita Díaz. 'Ze wil nog blijven. Dat geeft niet, ze neemt mijn auto wel. Zullen we gaan?'

'Ja, we gaan.'

De grote 4x4 reed het parkeerterrein af en sloeg links af de Calle 150 in. Door de donkere ramen was er vanbuiten niet te zien wie er in de auto zaten. Degenen die eventueel het huis van George Wimont schaduwden, zouden geen moment vermoeden dat hij in deze auto zat.

16

Het was nog warm en Malko stond badend in het zweet na een lange tocht te voet door de stad in de Calle San Lázaro, waar Nora woonde. Gelukkig zat de deur van de hal niet op slot. Op de tast, want er was geen licht, begon hij de zeven verdiepingen op te klimmen. Op de vierde stond een echtpaar met schelle kreten ruzie te maken. Toen hij boven was, zocht Malko in het licht van zijn aansteker de deur. De bel deed het natuurlijk niet. Hij keek op zijn horloge: tien voor twaalf. Nora zou wel slapen. Hij besloot aan te kloppen. Gelukkig was er geen andere deur op de overloop.

Toen hij het enkele minuten lang tevergeefs had geprobeerd, stopte hij. Hij kon de deur toch niet intrappen! Toen hoorde hij geritsel aan de andere kant van de deur en vroeg een vrouwenstem zacht: 'Wat moet je?'

'Nora, ik ben het, je vriend uit hotel Nacional.'

Hij hoorde een sleutel draaien en de deur werd geopend door de Cubaanse, gekleed in een wit T-shirt en een spijkerbroek. Haar gezicht was vertrokken van angst. Snel sloop Malko naar binnen.

'Wat is er?' vroeg ze zacht.

'Ik heb een dringende boodschap voor Joachim,' legde Malko uit. 'Maar hij is niet op het kerkhof.'

'Ik weet het, hij is naar zijn moeder in Pinar del Río. Ze heeft kanker. Morgen is hij terug.'

'Morgen is het te laat,' zei Malko. 'Kun je generaal Guevara bereiken?'

Ze fronste haar voorhoofd. 'Om deze tijd?'

'Ja. Fidel Castro is dood. Dat moet hij onmiddellijk weten.'

Nora reageerde sceptisch. 'Weet u het zeker? Er wordt zoveel over hem gezegd.'

'Ik heb schriftelijk bewijs,' verzekerde Malko haar. 'We mogen geen minuut verliezen.'

De Cubaanse zweeg even en zei toen: 'Goed, ik zal proberen hem zelf te waarschuwen. Nu meteen.'

'Hebt u een auto?'

Nora glimlachte bedroefd. 'De enigen die een auto hebben, zijn de vrienden van Fidel Castro en degenen met familie in Florida. Nee, ik ga lopend. Om deze tijd zijn er geen bussen of taxi's.'

Malko haalde het briefje van Iglesia uit zijn zak. 'Geef dit aan de generaal. En wens hem succes.'

Terug in zijn kamer in het Nacional borg hij het pistool op in de kluis in zijn kast, ervoor zorgend dat eventuele camera's het niet konden zien.

Het aftellen was begonnen. Zijn missie was beëindigd. Morgenochtend zou hij meteen een vlucht boeken bij Cubana de Aviación.

Generaal Cienfuegos kookte van woede. Hij wees met een vinger naar Isabel Jovellar, die tussen twee *segurosos* stond, en schreeuwde: 'Walter Zimmer is met de blonde vrouw in zíjn auto naar het feest van George Wimont gegaan. De vrouw is in haar eentje om tien over één vertrokken en señor Zimmer is om twee uur 's nachts lopend in het Nacional teruggekeerd. Hoe is hij bij Wimont weggegaan? Waar is hij geweest?'

Er viel een korte stilte. Niemand kon antwoord geven, wat de Cubaanse officier nog kwader maakte. Maar ook bezorgd. Want toen er voor een staatsgreep was gewaarschuwd, was hij degene geweest die had gezegd dat hij de situatie onder controle had en nog niet in actie wilde komen.

'*Compañero general*,' zei Isabel Jovellar, 'we weten niet wat er gisteravond is gebeurd, dat is waar, maar misschien heb ik interessante informatie.'

'Wat?' blafte generaal Cienfuegos haar toe.

'Ik kreeg zo-even een verslag van patrouille 84. Ze hebben vannacht een vrouw aangehouden die uit het huis van generaal Anibal Guevara kwam, aan de Calle Tulipán in Nuevo Vedado. Ze hebben haar ondervraagd, omdat ze dachten dat ze een inbreekster was, maar ze had niets bij zich. Ze zei dat ze tot zo laat was blijven praten.'

'Generaal Anibal Guevara,' zei het hoofd van de DGI peinzend. 'Ik heb zijn naam een dezer dagen voorbij zien komen.'

Hij belde zijn secretaresse en legde haar het probleem uit. Vijf minuten later kwam ze terug met een rapport van het hoofd van CDR 126 van zone 7. Generaal Cienfuegos nam het snel door en slaakte een kreet. 'Hier wordt een bijeenkomst van een stel hoge officieren gemeld. Drie dagen geleden in het huis van generaal Guevara. De nummers van hun auto's en motoren zijn genoteerd. Ze bereiden een staatsgreep voor!'

Hij kon het bijna niet geloven.

'Maar we moeten hen eerst allemaal identificeren,' zei hij. 'Vlug, haal die vrouw die bij Guevara naar buiten kwam en breng haar hier.'

Malko werd om negen uur 's ochtends wakker. De lucht was blauw. Hij belde Fedora in het Havana Libre en ze beloofde hem de Skoda snel terug te brengen. Met het pistool in de leren holster ging hij eerst op de zesde verdieping ontbijten en vertrok vervolgens lopend naar Cubana de Aviación, aan het einde van de Rampa. Hij ging in de rij staan naast een jonge vrouw in het wit, alsof ze de eerste communie ging doen.

Toen hij aan de beurt was, liet hij zijn paspoort zien en vroeg om een plaats in het vliegtuig naar Toronto. Het meisje achter de balie zocht het glimlachend in haar computer op en keek hem toen aan. 'Señor, er is pas volgende week plaats. Probeert u het eens bij Air Canada.'

Hij ging naar buiten en liep naar het kantoor van Air Canada, dat iets verderop lag. Het resultaat was daar hetzelfde: alle vluchten tot volgende week waren vol. Woedend, maar zich nog niet ongerust makend, ging hij naar Air France, dat naast Cubana lag. En ook daar verontschuldigde het meisje achter de balie zich: 'We hebben een probleem met een vliegtuig gehad. We kunnen u pas volgende week woensdag boeken. Maar u hebt een ticket voor Toronto, niet voor Europa...'

'Ik moet dringend terug naar Toronto,' legde Malko uit. 'Als ik via Europa moet gaan, dan moet dat maar. Dank u wel.'

Niet geheel gerustgesteld ging hij weer naar buiten. Hij geloofde niet in toeval. Het was onmogelijk dat álle vluchten vol zaten. Ze wilden dus niet dat hij uit Cuba zou vertrekken. In dit soort landen konden ze eenvoudig alle luchtvaartmaatschappijen een dergelijke opdracht geven.

Dat betekende één ding: hij was in elk geval verdacht, en misschien zelfs herkend.

Hoe ervaren hij ook was, het kostte hem moeite niet in paniek te raken. Hij wist hoe zulke dingen gingen: heel subtiel en glimlachend, om het slachtoffer niet te verontrusten. Maar wanneer hij eenmaal in handen van de *Seguridad* was, was hij verloren.

Vanuit de telefooncel in de lobby belde hij George Wimont. Na hem nogmaals te hebben bedankt, vroeg hij ontspannen: 'Ik heb wel zin in een tochtje vanmiddag.'

'Ai,' zei de oliemakelaar. 'Mijn schipper is er vandaag niet. Zullen we morgen gaan?'

'Goed,' antwoordde Malko met tegenzin. 'Morgenochtend om negen uur. Ik hoop dat er dan een hoop vis is...'

Nora drukte haar oog tegen het spionnetje in haar deur en meteen bonkte haar hart in haar keel. Er stonden drie *segurosos* op de kleine overloop. Toen ze niet opendeed, bonkten ze op de deur en riepen: '*Seguridad del estado*, doe onmiddellijk open.'

Ze deinsde achteruit toen de deur begon te bezwijken onder hun laarzen. Er klonken twee schoten en de drie agenten stormden het appartement in. Nora stond al op het terras en sprong over een van de lage muurtjes die de verschillende delen scheidden.

'Staan blijven!' riep een van de *segurosos* en hij zette de achter-volging in. Hij maakte zich niet echt bezorgd, want zijn colle-ga's blokkeerden de ingang aan de kant van de Malecón.

Nadat ze over het laatste muurtje was gesprongen leek Nora een fractie van een seconde onbeweeglijk in de lucht te hangen en toen verdween ze.

Toen de eerste *seguroso* over de reling keek, begonnen de men-sen zich al te verzamelen rondom het lichaam dat verbrijzeld op de stoep van de Malecón lag.

Generaal Anibal Guevara had zojuist zijn belangrijkste officie-ren in de instructieruimte van de basis Baracoa verzameld om een antiguerrilla-oefening te bespreken. Het thema was het uit-schakelen van een *cuadra* die in handen was van *subversivos*. Maar in werkelijkheid zouden ze bespreken hoe ze de twee bovenste verdiepingen van MININT moesten uitschakelen. Een operatie die ze over een uur zouden uitvoeren. Zijn vriend, de nummer 2, had om die tijd een bijeenkomst van de belangrijk-ste leiders van MININT belegd. Natuurlijk zou hij zelf te laat komen...

Zijn telefoon ging en hij zag op het schermpje het nummer van zijn vriend, kolonel Jaime Durango. Zodra hij had opgenomen, spoot de adrenaline door zijn aders: 'Anibal! Ze hebben zojuist mijn auto klemgereden! Ik word bedreigd door *las Tropas*.'

Anibal Guevara hoorde piepende remmen, toen schoten en de wanhopige stem van kolonel Durango: 'Ze willen me arreste-ren! Adiós.'

De verbinding werd verbroken. Stomverbaasd keek generaal Anibal Guevara op en hij zag een rij auto's de basis op komen rijden, recht op het gebouw af waarin hij zich bevond.

Zijn officieren keken hem vol onbegrip aan. Drie vrachtwagens stopten voor het gebouw en braakten mannen in grijze unifor-men uit, *las Tropas*, de Pretoriaanse garde van Fidel Castro. Ze verspreidden zich door het gebouw terwijl een van hun officieren met een pistool in zijn hand de ruimte binnenkwam. '*Seño-res y amigos*,' zei generaal Guevara kalm, 'we zijn verraden. *Adiós.*'

Hij pakte zijn pistool, richtte het op de officier van de *Tropas* en schoot hem op de drempel van de deur neer. Toen pakte hij zijn telefoon en toetste het nummer van José Cardenas in. Gelukkig, die nam op. Hij was nog thuis. Omdat hij met pensioen was, deed hij niet aan de allereerste operaties mee en bleef hij achter als reserve voor de staatsgreep.

'José,' zei generaal Guevara, 'we zijn verraden. Die schofterige *gringos* hebben ons voor de gek gehouden. Doe wat je kunt. *Adiós.*'

Hij verbrak de verbinding en stond op, lijkbleek. Tegen zijn ver- zamelde mannen zei hij: '*Viva el Gran General!* Leve Cuba!'

Hij ging weer zitten, drukte de loop van zijn wapen onder zijn kin, richtte het recht omhoog, bad een laatste keer tot de hemel en haalde de trekker over. Hij wilde niet kennismaken met de martelkamers van Villa Marista, waarna hij gegarandeerd zou worden gefusilleerd.

Malko doodde de tijd, met een brok in zijn maag gespannen afwachtend. Om twaalf uur had hij een kort telefoongesprek gevoerd met Lee Dickson om hem te melden dat hij hét nieuws had doorgegeven. Hij ging ervan uit dat dit de laatste keer was dat hij contact met het districtshoofd van de CIA zou hebben.

Als alles goed ging, zou hij de volgende dag met de Bertram van George Wimont uit Cuba vertrekken.

Fedora liet zich op het moment masseren. Ze had genoeg van het zwembad. Net toen hij opstond, zag hij de sigarenverkoop- ster in de donkere gang die van het zwembad naar de kelder leidde, waarin de toiletten en enkele winkels lagen. Ze leek zich verborgen te houden, maar ze gebaarde naar hem.

Hij moest toch langs haar lopen om naar boven te gaan.

'Ik dacht dat u hier niet meer mocht komen,' zei hij.

'Er staan nu andere *segurosos*,' legde ze uit. 'Behalve die bij het zwembad. Kijk uit!'

Malko draaide zich om en zag een man met een kwaad gezicht hun kant op komen. Hij duwde de mensen opzij, maar de verkoopster ging ervandoor. Niet zonder haar tas te laten vallen, die voor Malko op de grond viel. Hij pakte hem op: er zaten twee kistjes met Partagas-sigaren in en nog wat spullen, zoals make-up, een kam en een foto met een zwarte rand. Het was er een van een vrij knappe jongeman. Malko draaide hem om en las op de achterkant: CARLITO, MIJN LIEF.

Hij deed de tas dicht en liep naar zijn kamer. De *seguroso* en de Cubaanse waren verdwenen. Eerst zou hij een douche nemen en daarna wat rondwandelen in Vieja Habana.

Dalia dook van achter een auto op en sprong snel de Skoda in. Toen ze haar tas zag, klaarde haar gezicht meteen op. 'Ah, u hebt hem meegenomen! Die schoft heeft me tot in Calle O achtervolgd.'

Spontaan wierp ze zich om zijn nek en kuste hem, waarbij ze een warme tong in zijn mond stak. 'Hartelijk bedankt,' zei ze ten slotte. 'Als ik die sigaren was verloren, zou degene die ze aan me heeft gegeven, het me nooit hebben vergeven. Het is niet gemakkelijk.'

Plotseling keek ze hem met een ernstige blik aan. '*Papito*, wil je met me trouwen?'

Malko kon een glimlach niet onderdrukken. 'Met je trouwen? Waarom?'

'Dan kan ik weg uit Cuba. Het leven is hier vreselijk en ik wil geen *jineteria* blijven.'

'Red je je al lang zo?' vroeg Malko.

Ze schudde heftig haar hoofd. 'Nee, ik had een goede baan in de Fábrica Nacional de Partagas, maar ze hebben me ontslagen.'

'Waarom?'

'Mijn vriendje maakte deel uit van de lijfwacht van *El Coman-*

dante, maar hij heeft iets doms gedaan. Hij heeft een koe gestolen en politieagenten gedood. Omdat hij bij mij had geslapen, zeiden ze dat ik een asociaal element was. Ik zal nooit meer normaal werk kunnen vinden.'

Malko was als verlamd. 'Hoe heette dat vriendje van je?' vroeg hij.

'Carlos, maar ik noemde hem Carlito. Hij is dood.'

Het was of de hemel op zijn hoofd viel. Als Carlos dood was, hoe kon Iglesia dan iets over de dood van Fidel Castro weten? De schok was zo groot, dat het enkele seconden duurde voordat hij de waarheid besefte. De CIA had zich bij de neus laten nemen. Iglesia was verraden. Hij werd er duizelig van.

'Wat is er?' vroeg de Cubaanse. 'Voel je je niet lekker?'

'Dat valt wel mee,' verzekerde Malko haar. 'Is je vriend allang dood?'

Hij klampte zich aan een laatste strohalm vast. 'Zo'n twee weken.'

Dat was de laatste nagel aan de doodskist van de plannen van de CIA. Vol afgrijzen dacht hij aan de officieren die hun staatsgreep aan het voorbereiden waren. Die waren ervan overtuigd dat Fidel Castro dood was. Als de Cubanen de Amerikanen hadden bedrogen, moest dat al van begin af aan zo zijn geweest. Plotseling begreep Malko waarom hij niet was lastiggevallen: ze hadden hem zijn gang laten gaan om via hem de samenzweerders te vinden.

Elke seconde telde. Als het niet al te laat was. Hij dwong zich naar de Cubaanse te glimlachen. 'Goed, ik heb een afspraak. Tot ziens.'

Zonder een woord te zeggen, stapte ze uit de Skoda, waarna hij wegreed. Malko lette niet meer op of hij werd gevolgd; dat was wel zeker. Op de Rampa sloeg hij rechts af naar het zuiden.

Joachim, de grafdelver, was zijn enige band met de opstandelingen. Misschien was het nog niet te laat om hen tegen te houden. Zigzaggend tussen de propvolle *camellos*, oude Amerikaanse auto's en fietstaxi's, kostte het hem minstens twintig minuten om het kerkhof Colón te bereiken. Hoe groot het risico ook was, hij móést generaal Guevara waarschuwen.

Eerst liep hij pad B op. Niemand te zien.

Hij doorzocht een deel van het kerkhof, maar Joachim zag hij nergens. Toen hij naar de ingang Zapata liep, hoorde hij het grind achter zich knersen en keek hij om.

Joachim de grafdelver kwam als een wildeman op hem af stormen, zijn grote machete in zijn hand. Zijn witte tanden waren zichtbaar in een hatelijke grijns. Hij hief de machete op en slaakte een soort woest gegrom, klaar om op Malko in te hakken.

17

Het lemmet van de machete kwam schuin omlaag en schampte Malko's schouder, maar sneed toch nog de band van zijn schoudertas door. De neger had zo hard geslagen, dat de punt van de machete een diepe kras maakte in het marmer van een graf. Malko kon nog net zijn tas oppakken voordat Joachim opnieuw op hem af kwam. Malko was kennelijk te laat gekomen om een ramp te voorkomen.

'Joachim!' riep Malko, 'ik ben hier om je te waarschuwen!'

De zwarte man luisterde niet, zo vervuld van haat was hij. Vloekend stormde hij opnieuw op Malko af, die alleen nog maar kon vluchten. Je ging niet in discussie met een neger van één meter negentig die vastbesloten is je te vermoorden. Toen hij bij het grote hek was, keek Malko om om te zien of Joachim achter hem aan was gekomen. Hij zag dat hij in een hevige discussie was verwikkeld met twee mannen die uit het niets waren opgedoken. Plotseling zag hij dat de grafdelver zijn machete ophief en liet neerkomen op een van de mannen, die als een zoutzak in elkaar zakte. De ander trok zijn pistool onder zijn hemd vandaan en schoot drie keer. Toch lukte het Joachim nog hem een enorme houw met zijn machete te geven, waarmee hij bijna zijn hoofd van zijn romp scheidde, waarna hij zelf vervolgens in elkaar zakte.

Vol afgrijzen begreep Malko dat hij de Cubaanse agenten zelf naar Joachim had geleid. De zaak begon een verkeerde wending te nemen. Als een automaat rende hij naar de Skoda, die in een oven was veranderd. Hij startte en reed als een gek weg, zich niets aantrekkend van rode verkeerslichten en éénrichtingsverkeer, tot hij er zeker van was dat hij eventuele achtervolgers had afgeschud. Ten slotte stopte hij in een rustig straatje in de schaduw van een kapokboom.

De knoop in zijn maag begon zich te ontspannen. Waar moest hij heen? Eerst dacht hij aan de verrader, Miguel Barreiro, de Spaanse architect, die hun valse berichten van een dode had doorgespeeld. Malko zou hem dolgraag twee kogels door zijn hoofd willen jagen. Maar zijn huis zou vast worden bewaakt.

Lee Dickson? Hij zou niet langs de versperringen van de Cubaanse soldaten komen die het gebouw ter behartiging van de Amerikaanse belangen bewaakten. Dat gold ook voor zijn villa. In het geheim het land uit vluchten was zijn enige mogelijkheid. De Cubaanse geheime dienst zou zich vast niet haasten met hem op te pakken. Cuba was een eiland en ze hoefden alleen maar de vliegvelden af te grendelen.

Toen dacht hij aan Fedora Kulak. Hoe moest zij zich uit dit debacle redden? Misschien was ze al gearresteerd. Hij moest het tot morgen zien uit te houden. Hij besloot terug naar het Havana Libre te gaan en contact met de Russin te zoeken.

Malko parkeerde in de parkeergarage van het Nacional. Wanneer de Cubanen hem hadden willen arresteren, hadden ze dat al op het kerkhof Colón kunnen doen. Om de een of andere onbekende reden deden ze het kalm aan.

Fedora was niet bij het zwembad. Hij ging naar zijn kamer. Op zijn voicemail wachtte een bericht voor hem. George Wimont vroeg hem terug te bellen. Dat deed Malko meteen.

'Er is morgen een probleem,' zei de eigenaar van de Bertram.

'Wat voor probleem?' vroeg Malko geschrokken.

'Het hoofd van de jachthaven Hemingway heeft van het ministerie van Binnenlandse Zaken instructies gekregen dat tot nader order geen enkel schip de haven uit mag varen.'

Het net om hem heen werd aangetrokken.

'Goed,' zei Malko. 'Dan gaan we een andere keer. Waarom komt u niet iets in het hotel drinken?'

'Zodra ik klaar ben, kom ik,' beloofde George Wimont hem.

De Lada stoof vol gas het parkeerterrein van de Villa Marista op, gevolgd door een Russische jeep met groene nummerborden. Opgewonden *segurosos* sleurden er ruw een geboeide man in uniform uit. Zijn gezicht was al bont en blauw. Ze sleepten hem mee naar het gebouw achteraan, waar ze hem in een leeg kantoor smeten. Vrijwel meteen stormde generaal Cienfuegos, kokend van woede, binnen. 'Juan Carlos!' riep hij. 'Schoft! De revolutie heeft zoveel voor jou gedaan. Smeerlap! Verrader! Dacht je dat de imperialisten je zouden helpen? Ze hebben je verraden, goor zwijn.'

Juan Carlos Jaruco stond aan het hoofd van de enige nog functionerende pantserbrigade van het Cubaanse leger. Hij was uit zijn kazerne in het zuiden van Havana gesleurd. Hij probeerde vol te houden. '*Compañero*,' zei hij, 'zeg tegen je mannen dat ze die boeien afdoen. Ik ben een officier van het revolutionaire leger!'

'Je bent een hond,' beet generaal Cienfuegos hem toe. 'Binnenkort zul je samen met je kameraden worden gefusilleerd.'

'Ik begrijp het niet,' protesteerde Juan Carlos Jaruco.

'Goed,' vervolgde generaal Cienfuegos, die iets tot rust leek te zijn gekomen. 'Dan kun je ons mooi bij het onderzoek helpen. Was je drie dagen geleden bij een bijeenkomst van je vriend generaal Anibal Guevara, in zijn villa in Nuevo Vedado?'

'Ja, zeker.'

'Wat hebben jullie daar besproken?'

'We hebben de Slag bij Ogaden gevierd, waar we allemaal hadden gevochten.'

'Je liegt, smeerlap. Jullie hebben een staatsgreep voorbereid.'

'Dat is gelogen!'

'Goed, met zijn hoevelen waren jullie?'

'Zeven man, geloof ik.'

'Ja, zeven smerige verraders. We kennen ze allemaal.' Hij noemde zes namen op en vroeg vervolgens met een zachtere stem: 'Juan Carlos, er is er één lopend weggegaan. Iemand die geen auto had. Wie was dat?'

Juan Carlos Jaruco begreep dat hij geen kant meer op kon. De zevende man was kolonel José Cardenas geweest, de man die hem eens in Angola met gevaar voor eigen leven had gered. 'Dat weet ik niet meer,' beweerde hij. 'Maar we deden geen kwaad.'

Zonder enige waarschuwing schopte de generaal hem hard in zijn kruis. 'Schoft! We krijgen je wel aan het praten, al moeten we je aan stukken hakken. Vooruit, *compañeros*.'

Zodra hij de kamer uit was, wierpen drie agenten zich op de gevangene, die met zijn voeten aan een ring in de vloer vastzat. Zijn geboeide armen werden ruw naar achteren getrokken en een van de *segurosos* haalde een scheermes uit zijn hemd, dat hij openklapte. 'Je gaat ons de naam van die smeerlap geven.'

'Ik heb niets te zeggen.'

'Mooi zo.'

Met zijn linkerhand pakte de agent een oor van de gevangene beet en met zijn rechter sneed hij het in één haal van het hoofd. Het bloed spoot alle kanten op en de gevangene gilde het uit. Zijn collega's keken vol bewondering toe...

Daarna zwaaide de agent met het oor voor de ogen van Juan Carlos Jaruco. 'Schoft! We snijden alles eraf. Oren, je neus, je ballen, je pik. En dan halen we je vrouw erbij en snijden we haar borsten eraf.'

Meestal waren de martelingen in Villa Marista veel 'zachter'. Gevangenen werden in cellen opgesloten die dag en nacht fel verlicht waren, zodat ze niet konden slapen, en na enkele dagen waren ze dan meestal tot alles bereid, als ze maar mochten slapen.

In dit geval wilde het hoofd van de DGI snel resultaten zien.

'Iglesia is overgelopen. Zijn bron is al minstens twee weken dood. Het is helemaal niet zeker dat Fidel Castro dood is. De Cubaanse geheime dienst heeft onze operatie van begin af aan gemanipuleerd.'

Fedora Kulak was eindelijk terug uit de fitnessclub en naar haar oor toe gebogen, deed Malko fluisterend verslag van het slechte nieuws. Ze zaten op het terras van het Nacional, te midden van de toeristen en op de achtergrond het mariachi-orkest.

De Russin stak een sigaret op en zei onaangedaan: 'De Amerikanen zijn altijd al erg naïef geweest. In de tijd van de Sovjet-Unie hebben we ze vaak aan het lijntje gehouden.'

'Bovendien is de jachthaven Hemingway sinds vanmorgen afgesloten. We kunnen dus niet met de Bertram vertrekken.'

En Key West lag hemelsbreed maar honderdveertig kilometer ver! Helaas had Malko geen vleugels. Hij keek om zich heen en probeerde tevergeefs te ontdekken wie hem schaduwden. Zelfs het net dat hem omsloot was onzichtbaar. Het was een stalen net met zeer fijne mazen. De Cubaanse geheime dienst was beslist niet van plan hem te laten ontsnappen, maar ze namen er de tijd voor. Misschien hoopten ze dat Malko hen nog verder zou leiden. Hij keek Fedora aan. 'Je moet zelf proberen weg te komen. Reserveer een vlucht. Het heeft voor jou geen zin om te blijven.'

Fedora Kulak reageerde slechts op kalme toon: 'Ik laat je hier niet achter. Bovendien heb ik misschien een idee.'

'Wat?' vroeg Malko sceptisch.

Uit Cuba vertrok je alleen over zee of door de lucht.

'Ik heb je over Evgueni Alexandrovitsj Tifonov verteld, de eerste raadsman van de Russische ambassade. Hij viel vroeger nogal op me.'

'Ja. Wat kan hij voor ons doen?'

'Hij walgt van de Cubanen. Als je vrienden van de CIA de SVR officieel om hulp vragen, denk ik dat Evgueni hier de zaken wel kan versnellen. Om mij een plezier te doen. Hij heeft al geprobeerd me over de telefoon te versieren. Ik zal op zijn pogingen ingaan en zal zeggen dat ik vanavond met hem uit wil gaan. Ik laat me hier door hem ophalen. Dat zullen de Cubanen zien en als ze slechte bedoelingen met mij mochten hebben, zal dat hen wel op andere gedachten brengen. Ze proberen de banden met Rusland op het moment juist aan te halen. Ik zal je het nummer van zijn directe lijn op de ambassade geven. Voor het geval dát.'

Malko schreef het nummer op. Plotseling vervolgde Fedora: 'Je spreekt uitstekend Russisch. Ik denk dat je met een Russisch paspoort en een kleine vermomming, gemakkelijk het land uit moet kunnen komen. Vooral als Evgueni me wil helpen. Maar het kan wel een paar dagen duren voordat het zover is...'

Er viel een stilte. Malko voelde de handboeien al om zijn polsen klemmen.

'Daar is George,' zei hij plotseling, en hij zwaaide.

De oliemakelaar kwam aan hun tafel zitten en bestelde een Defender Success. Toen keek hij hen met een ongeruste blik aan, waarop Malko besloot open kaart te spelen. 'Ik denk dat de Cubaanse geheime dienst me in de gaten heeft,' zei hij. 'Ze hebben de jachthaven om mij geblokkeerd.'

'Wilde u het land uitgaan?'

'Ja. Dat is nu niet meer mogelijk. Althans niet met uw boot. Ik wil u verder geen last bezorgen, maar ik wil u wel om een laatste gunst vragen. Wanneer u straks weggaat, wilt u dan langsgaan bij de Amerikaanse ambassade en tegen Lee Dickson zeggen dat ik om zes uur bij de vleesafdeling in de supermarkt op de Avenida Primera op hem zal wachten.'

George Wimont keek hem aan alsof hij iets obsceens had gezegd. 'Maar de Cubanen zullen er vast en zeker ook zijn.'

Malko glimlachte bitter. 'Dat doet er niet meer toe. Ze zullen ons zien, maar ze zullen niet horen wat we zeggen. Ik ben er toch al bij.'

Lee Dickson kon niet geloven dat plan Iglesia zou zijn mislukt. Hoewel alle instanties waren gealarmeerd, was er geen enkel teken van ongewone activiteiten. Toch waren generaal Anibal Guevara en zijn vrienden de afgelopen nacht gewaarschuwd. Maar ruim elf uur later was er nog niets gebeurd, terwijl ze wisten dat het van het grootste belang was dat ze snel toesloegen. Het onverwachte bezoek van George Wimont en de informatie dat Malko was ontmaskerd, was zeer slecht nieuws. Maar dat hoefde nog niet te betekenen dat de hele operatie was mislukt.

Met een onzekere pas duwde hij de deur open van de winkel, waar veel buitenlanders kwamen om inkopen te doen. Meteen zag hij Malko bij de koeling staan. Cubanen kwamen niet in deze winkel, maar de *segurosos* zouden niet ver zijn.

Malko keek om en hun blikken kruisten elkaar. Ze liepen naar elkaar toe en zacht zei hij: 'De Cubanen hebben u bedonderd. Iglesia heeft tegen u gelogen. Zijn bron Carlito is al twee weken dood. Het bericht over de dood van Fidel Castro is dus vals en van de Cubaanse geheime dienst afkomstig.'

Lee Dickson trok bleek weg. 'Mijn god. Hoe weet u dat?'

'Bij toeval,' zei Malko, zonder er verder over uit te weiden. 'De Cubanen hebben u op het verkeerde been gezet.'

'Waarom?'

'Om degenen te vinden die het regime omver wilden werpen. Ze zijn trouwens al in actie gekomen. Op het kerkhof Colón probeerde Joachim mij te vermoorden, waarna hij zelf door twee politieagenten is doodgeschoten. Ik weet niet hoe, maar de Cubanen hebben de samenzweerders geïdentificeerd, en die denken nu dat wij hen hebben verraden. U kunt aan Washington doorgeven dat er geen staatsgreep komt.'

Het nieuws kwam als een mokerslag bij Lee Dickson aan. 'En Castro,' vroeg hij nieuwsgierig. 'Is hij nou dood?'

Malko zuchtte. 'Dat weet ik niet. Misschien hebben ze deze hele zaak alleen maar gebruikt om een mogelijke oppositie te liquideren. Misschien was het allemaal van begin af aan verzonnen. De toekomst zal het leren.'

'En Miguel Barreiro?' vroeg Lee Dickson.

Malko glimlachte bitter. 'Die zal wel feest zitten te vieren met zijn vrienden van de DGI.'

Het districtshoofd van de CIA stamelde geschokt: 'Dat is vreselijk. Absoluut vreselijk.'

'Heeft George Wimont u nog verteld dat de Cubanen de jachthaven Hemingway hebben afgesloten? Ik kan niet meer over zee vluchten. Ook niet met het vliegtuig. Ze hebben me in de gaten en het is een kwestie van tijd tot ze me zullen arresteren.'

'Wat gaat u doen?'

Malko staarde naar de verpakte steaks in de koeling. 'Misschien kunnen de Russen me helpen.'

'De Russen?'

'Ja. Fedora Kulak heeft een voormalige tsjekist gevonden die nu eerste raadsman op de Russische ambassade is. Hij schijnt wel bereid te zijn me te helpen, als hij tenminste toestemming krijgt van zijn centrale. Langley moet contact opnemen met hun collega's van de SVR. Het moet op het hoogste niveau worden gespeeld. Stel Frank Capistrano namens mij op de hoogte. Als de Russen me willen helpen, maak ik nog een kans. Anders zal ik van de aardbodem verdwijnen.'

Lee Dickson schudde zijn hoofd. 'Ik was er van begin af aan al tegen u hier te laten infiltreren. Het systeem is te verrot.'

'Het lag niet aan het systeem,' bracht Malko daar geërgerd tegenin. 'Uw eigen operatie is door de Cubanen geïnfiltreerd. Maar ik weet nog niet alles. Wat is het adres van die Miguel Barreiro? Ik wil graag eens bij hem langsgaan.'

'Calle 84, in Miramar, tussen de Avenidas 7 en 9. Een groot, zwart hek op de hoek van de Zevende. Ga er niet heen, dat is waanzin. U kunt bij mij schuilen,' stelde de Amerikaan voor. 'Ik geniet diplomatieke onschendbaarheid.'

'Om er, in het gunstigste geval, jaren opgesloten te zitten, of op weg naar uw huis te worden vermoord? Nee, dank u, ik zal alles proberen om van dit verrotte eiland weg te komen.'

18

Generaal Francisco Cienfuegos bekeek tevreden de verslagen die op zijn bureau lagen. De dag liep ten einde en de staatsgreep was definitief de kop ingedrukt. Behalve de zes ontmaskerde officieren, van wie de leider zelfmoord had gepleegd, hadden zijn mannen tientallen ondergeschikten gearresteerd die op het punt stonden zich bij hen aan te sluiten. En het was nog niet voorbij: de ondervragingen waren nog niet afgerond. Door zijn koppigheid was kolonel Juan Carlos Jaruco ook zijn tweede oor kwijtgeraakt, maar bij het vooruitzicht te worden gecastreerd, had hij de namen genoemd van de ondergeschikten die aan de staatsgreep meewerkten.

Vanwege de behandeling die Jaruco had ondergaan, kon hij niet bij een proces worden opgevoerd, en dus zou de generaal hem discreet moeten opruimen nadat hij alle namen had genoemd.

Andere samenzweerders waren minder opstandig geweest en hadden zich laten overhalen met beloftes van clementie. Maar zij zouden natuurlijk ook worden gefusilleerd. Het besluit daartoe was al op het hoogste niveau genomen. Ongehoorzaamheid jegens de revolutie werd niet geduld. Generaal Cienfuegos likte zijn lippen erbij af. Sinds het proces van generaal Ochoa waren er geen 'mooie' processen meer geweest waarin de Cubaanse revolutie zich van haar vijanden had ontdaan. Bovendien was het altijd een goede zaak wanneer je je van een aantal militairen kon ontdoen: degenen die overbleven waren dan dubbel zo toegewijd aan het regime. En het mooiste was nog, dat de mensenrechtenorganisaties niet protesteerden dat ze zogenaamd 'onschuldige' dissidenten vervolgden. Het ging nu om de voorbereidingen voor een militaire staatsgreep, met de hulp van de Amerikaanse imperialisten.

Nadat ze had geklopt, kwam Isabel Jovellar het kantoor binnen.

Ze kuste haar minnaar.

'Heb je hem gevonden?' vroeg hij meteen.

De glimlach van de negerin vervaagde. 'Nog niet, schat, maar dat zal niet lang meer duren.'

Dat was het enige wat het plezier van de generaal nog een beetje vergalde. De naam van kolonel José Cardenas, de zevende man die bij de bijeenkomst bij generaal Anibal Guevara aanwezig was geweest, was uiteindelijk door kolonel Juan Carlos Jaruco prijsgegeven, maar helaas, toen de agenten van de DGI bij zijn villa op de Calle 230 in Fontanar aankwamen, was de vogel gevlogen. Hij had nog één spoor waarmee hij hem misschien kon vinden: Walter Zimmer, de agent van de CIA die volgens de verklaringen van de andere daders in contact met hem had gestaan. Misschien probeerde kolonel Cardenas opnieuw contact met hem op te nemen.

Walter Zimmer werd dag en nacht geschaduwd en generaal Cienfuegos maakte zich absoluut niet ongerust: Cuba was een volmaakte fuik waaruit hij niet zou kunnen ontsnappen. De Amerikanen konden niets voor hem doen, zijn plan om over zee te vluchten was geblokkeerd en hij was als een goudvis in een kom: vrij om te zwemmen, maar niet te ver, anders botste je tegen de wand.

'Walter Zimmer heeft zojuist Lee Dickson ontmoet,' zei Isabel Jovellar. 'We weten niet waar ze over hebben gepraat, maar de Amerikaan zag er nogal geschrokken uit.'

'Hij weet ook niet alles,' zei generaal Francisco Cienfuegos opgetogen. 'En die Fedora Koelanine?'

'Ik weet niet zeker of ze bij het complot zit,' moest Isabel Jovellar toegeven. 'We schaduwen haar ook. Ze dineert vanavond met de eerste raadsman van de Russische ambassade. We denken dat ze elkaar hier in Havana tijdens een ander diner hebben ontmoet.'

'Laten we eens contact opnemen met die Rus,' opperde generaal Cienfuegos.

'Hoe lang wil je die man nog vrij laten rondlopen?' vroeg Isabel Jovellar.

Ze wilde hem snel ondervragen en zien hoe hij in haar handen zou breken.

'Achtenveertig uur,' antwoordde generaal Cienfuegos op felle toon. 'Die Walter Zimmer is een mooie getuige. Hij mag niet te erg beschadigd raken. We kunnen hem prachtig gebruiken om de betrokkenheid van de Verenigde Staten bij deze staatsgreep bloot te leggen.'

Malko lag languit op zijn bed, de leren holster met het pistool dat hij van Lee Dickson had gekregen, binnen handbereik, en hij probeerde zich te interesseren voor CNN. Nadat hij afscheid had genomen van de Amerikaan, was hij rechtstreeks teruggegaan naar het Nacional, in de verwachting dat hij elk moment kon worden gearresteerd.

Zijn enige hoop was nu nog Fedora Kulak. Zij zou op dit moment zitten te dineren met haar Russische vriend, Evgueni Alexandrovitsj Tifonov. Het plan had een kans van slagen, wanneer de Cubanen hem tenminste lang genoeg vrij lieten rondlopen. Hij kon niet langer stilzitten, dus ging hij naar beneden. In de lobby wemelde het van de toeristen en in de eetzaal zat een oude pianist te spelen.

Hij liep het terras op en bestelde wodka. Hij voelde zich net een geit die aan een paal was vastgebonden, als lokaas voor het monster dat hem zou verslinden. Toen hij geld uit zijn zak haalde, om te betalen, viel zijn oog op een verfrommeld stukje papier. Hij trok het open en las enkele woorden in het Spaans, die in een onhandig handschrift waren opgeschreven: DALIA SANCHEZ, 12 CALLE MANRIQUE, ESQUINA DE SAN LÁZARO, APP 64, PISO OCHO.

Het adres van de sigarenverkoopster die met hem wilde trouwen om uit Cuba weg te komen.

Peinzend vouwde hij het papiertje op en plotseling zag hij een manier om te ontsnappen aan het net dat langzaam om hem sloot. Waarom vluchtte hij niet tijdelijk naar dat meisje, dat kennelijk geen handlanger van het regime leek te zijn? Via zijn mobiele telefoon kon hij contact onderhouden met Fedora.

Hij ging terug naar zijn kamer en haalde vijfduizend dollar uit de kluis, een fortuin op Cuba. Er bleef echter één groot probleem: hij moest elke achtervolger afschudden voordat hij naar de Calle San Lázaro zou gaan. Toen dacht hij terug aan hun tochtje naar het strand Tarara. De tunnel die onder de zeearm door liep, naar de haven van Havana. Hij zou aan de andere kant meteen kunnen keren en ongezien terugrijden. Het viel te proberen.

Lee Dickson had zojuist een uitgebreid telegram voor Langley opgesteld met een samenvatting van operatie Iglesia en de reden waarom het was mislukt. Na een aanvankelijke doorbraak dankzij een bron die de ziekte van Fidel Castro had gemeld, was de bron Iglesia overgelopen naar de Cubanen, wat op een ramp was uitgelopen. In zijn verslag benadrukte hij dat hij geen mannen in het veld had om dit soort rampzalige ontwikkelingen voor te kunnen zijn.

Hij had echter geen idee hoe de Cubanen achter de identiteit van de samenzweerders waren gekomen.

Hij besloot zijn verslag met een verzoek om instructies over de nu te volgen werkwijze: wat moest er gebeuren met de agent, die gelukkig geen Amerikaan was? Plichtsgetrouw voegde hij er een laatste suggestie aan toe: de Russische SVR om hulp vragen.

Hij stond op en zag de zon ondergaan achter de huizen van Siborney. Nadat hij de tekst naar de codeerruimte had gebracht, kwam hij terug om een sigaar te roken. Zoals altijd stond de Cubaanse televisie in zijn kantoor aan, zonder geluid. Het nieuws was bezig. Hij zette het geluid aan en net op dat moment kondigde de commentator aan dat *El Comandante* Fidel Castro morgen het land vanuit het Paleis van de Revolutie zou toespreken en dat hij zou onthullen hoe hij het land had beschermd tegen een nieuwe poging van de yankees de revolutie te destabiliseren. Morgen om zes uur 's avonds. *VENCEREMOS. PATRIA O MUERTE.*

Als verlamd staarde Lee Dickson naar het scherm. Hij kon zijn oren niet geloven. Eindelijk drong de betekenis van dit nieuws tot hem door: de hele operatie Iglesia was een lokaas geweest. Van begin af aan! De Cubanen hadden hen voor de gek gehouden en de getuigenis van de jonge Carlos, de lijfwacht van Fidel Castro, moest ook een vervalsing zijn geweest. Hij werd er misselijk van.

Zijn eerste opwelling was in zijn auto te stappen en naar het Nacional te rijden, om zijn agent te redden. Maar toen zag hij daarvan af. Die zat waarschijnlijk allang in Villa Marista. Met zijn Canadese paspoort had hij geen recht op Amerikaanse juridische hulp. Hij zou de Canadese ambassadeur bellen om hem de zaak uit te leggen...

Zijn blik viel op een kaartje dat naast de foto van zijn moeder lag: het toeval wilde dat hij was uitgenodigd voor een receptie op de Russische ambassade. Hij voelde er wel voor om erheen te gaan en zich te bedrinken, maar toen bedacht hij zich: hij moest zijn soldaat te velde, Malko Linge, zo snel mogelijk redden, en daarvoor moest hij contact leggen met zijn collega van de SVR. Hoe eerder, hoe beter. Al zou hij hem niet het hele verhaal vertellen, om te voorkomen dat de Russen over de grond zouden rollen van het lachen...

Evgueni Alexandrovitsj Tifonov maakte een droom waar: diep begraven in de vagina van Fedora Kulak, die plat op haar rug op zijn bureau lag, haar zachte, zijden japon tot boven haar heupen opgeschoven. Met achteroverhangend hoofd zag Fedora in de verte de baai van Havana liggen. Ze kende de Russen, haar landgenoten. Voordat ze hun om een gunst zou vragen, moest ze hun iets aanbieden. Hijgend trok de eerste raadsman van de Russische ambassade haar benen omhoog om nog harder in haar te kunnen stoten, en toen kwam hij met een gelukzalig gekreun in haar klaar.

Hij was haar inderdaad in het Havana Libre komen ophalen, maar hij had uitgelegd dat hij eerst voor een receptie terug naar de ambassade moest, waarna ze konden gaan eten. In de ambassade had hij Fedora Kulak meteen naar zijn kantoor meegenomen. Zonder zich illusies te maken, was de Russin achter hem aan gegaan, en ze had hem laten begaan toen hij haar vrijwel verkrachtte.

Ze moest Malko redden.

Terwijl de diplomaat zijn kleren op orde bracht, werkte Fedora haar make-up bij. Vervolgens ging ze uitdagend voor hem staan. 'Evgueni Alexandrovitsj,' zei ze, terwijl ze hem met een ijskoude blik aankeek, 'ben je tevreden? Je droomt er al heel lang van me te neuken.'

'Dat is waar,' gaf hij toe, 'ik hoop dat we...'

'Dat ligt aan jou,' onderbrak ze hem. 'Ik heb het er al over gehad dat ik een probleem heb. En jij moet me helpen dat op te lossen.'

Het gezicht van de Rus betrok en hij gromde: '*Bolsjemoi*, je weet heel goed dat dat afhangt van het Centrum. Ik kan je niet in mijn eentje helpen. Heb je ook met hem geneukt?'

'Ik hou van mensen die risico's durven te nemen,' zei Fedora kalm. 'En ik ben ervan overtuigd dat jij me niet zult teleurstellen.'

'Een Russisch paspoort regelen voor een Amerikaanse spion die zojuist een operatie in Cuba heeft uitgevoerd, is wel het toppunt,' zei hij.

'Het is de enige manier voor hem om het land uit te komen,' bracht Fedora daartegenin. 'Je weet wat er anders met hem zal gebeuren. Hij valt niet onder de diplomatieke onschendbaarheid.'

'Het is een delicate kwestie...'

'Het is de Amerikanen gelukt Alina, de dochter van Fidel zelf, op een dergelijke manier het land uit te smokkelen,' merkte Fedora op. 'En zij werd ook streng bewaakt. Ze hebben haar vermomd en onder een valse identiteit op een vlucht van Iberia naar Madrid gebracht.'

'Goed,' besloot de Rus. 'We gaan naar beneden. Ik heb Lee Dickson uitgenodigd. Hij zal er intussen wel zijn.'

Het buffet was magertjes, maar rum en wodka was er volop. Fedora Kulak stond midden in de grote salon op het versleten tapijt en bekeek haar nieuwe minnaar, die in een druk gesprek was verwikkeld met Lee Dickson, die ze nu voor het eerst zag. Met zijn slungelige voorkomen, zijn bril en slordige kleding, had hij meer weg van een student op leeftijd. Ze dacht aan Malko. Het was vreemd, maar ze was bereid tot het uiterste te gaan om hem Cuba uit te krijgen. Als goede beroeps wist ze dat de Russische oplossing de meest praktische was.

Evgueni Tifonov kwam naar haar toe en meteen vroeg ze: 'En?'

'Hij zegt dat hij het al heeft doorgegeven aan zijn Centrale. Ik hoop dat dat waar is. Wacht, ik moet die man daar even spreken,' voegde hij eraan toe, en hij liep weg.

Ze zette haar glas neer en liep naar het districtshoofd van de CIA. 'U bent Lee Dickson?'

'Ja,' zei de Amerikaan.

Ze stak hem haar hand toe. 'Ik ben Fedora Kulak.'

'Ik weet wie u bent,' zei het districtshoofd. 'Ik heb zojuist Evgueni Tifonov gesproken.'

Fedora glimlachte koel. 'Praten is mooi, doen is mooier. U weet dat uw agent zich in een zeer delicate situatie bevindt, als hij niet al door de DGI is gearresteerd?'

Lee Dickson keek verlegen om zich heen. Er moesten overal microfoons hangen. Fedora pakte hem bij zijn arm en trok hem mee naar een rustige hoek van de zaal. Lee Dickson kreeg het gevoel of zijn arm in een bankschroef was geklemd. Hoe kon deze prachtige vrouw zo sterk zijn?

'Meneer Dickson,' zei Fedora op kille toon, 'ik wil u één ding zeggen: ú hebt Malko naar Cuba gehaald en ú moet ervoor zorgen dat hij hier weer wegkomt.'

'Maar...' De Amerikaan kon niet op tegen de ijskoude, kobaltblauwe ogen. Fedora Kulak glimlachte nog steeds, maar wat ze zei, deed hem verkillen.

'Ik stel u er persoonlijk verantwoordelijk voor dat Malko het land uit komt,' zei de Russin zacht. 'Als het mislukt, dood ik u, meneer Dickson.' En om haar woorden kracht bij te zetten, vervolgde ze: 'Ik kan u met mijn blote handen ombrengen. Het zou niet de eerste keer zijn dat ik iemand ombreng.'

Het districtshoofd van de CIA zag de kille blik en begreep dat Fedora het meende. Ongemakkelijk stamelde hij een onverstaanbaar antwoord en liep weg, terwijl hij zichzelf bezwoer dat hij de volgende dag een telegram zou sturen om de zaken te bespoedigen.

Malko liep de lobby van het Nacional door, het bordes af, langs de taxi's, en verder naar het parkeerterrein. Hij keek om om te zien of hij werd gevolgd en zag een man met een haastige pas het bordes af komen. Hij herkende hem meteen: kolonel José Cardenas, de man die hem op het kerkhof Colón aan Anibal Guevara had voorgesteld.

Wat deed hij hier? Het was waanzin om naar het Nacional te komen. Waarschijnlijk waren ze ook naar hem op zoek.

Bij de Skoda aangekomen, stapte Malko in en wachtte af. Hij hoopte eindelijk te weten te komen wat er precies was gebeurd. Toen José Cardenas dichterbij kwam, viel hem zijn gespannen gezicht op. Hij was duidelijk op van de zenuwen. Zijn rechterhand verdween in een leren tas die over zijn schouder hing. Hij liep er vreemd bij. Zodra hij bij Malko was, zei deze: 'Het is gevaarlijk om hierheen te komen. Als ik had geweten waar ik u zou kunnen vinden, zou ik naar u toe zijn gekomen, maar ik had zelfs uw adres niet.'

De Cubaanse officier bleef een meter bij Malko vandaan staan. Hij weifelde en met een stem vol ongeloof vroeg hij: 'Waarom wilde u contact met me opnemen?'

'We zijn door de Cubaanse geheime dienst gemanipuleerd,' zei Malko. 'Onze bron Iglesia werkte voor hen. Zodra ik daar bij toeval achter was gekomen, heb ik geprobeerd Joachim te waarschuwen. Hij wilde me doden, maar hij is vermoord door de *segurosos* die hem schaduwden. Wat is er precies gebeurd?'

José Cardenas kwam dichterbij en zei zacht: 'Al mijn kameraden zijn dood of gearresteerd. U hebt ons ertoe aangezet om te proberen een staatsgreep te plegen. Waarom bent ú nog niet gearresteerd?'

Zonder Malko de tijd te gunnen om te antwoorden, haalde hij een groot, automatisch pistool uit zijn zak. Hij drukte de loop tegen Malko's borst en kwam nog dichterbij.

Malko keek omlaag en zag dat de haan omhoog was geduwd. Klaar om te schieten. Hij keek op en zag de haat in de ogen van de Cubaanse kolonel. Het bloed stolde in zijn aderen.

'Joachim heeft geprobeerd u te doden,' zei José Cardenas met een kalme stem. 'Maar ík zal het doen. Om mijn kameraden te wreken.'

19

Vanuit de verte leken ze net twee vrienden die in een intiem gesprek waren verwikkeld. Zelfs de parkeerwacht schonk geen aandacht aan hen. Meteen spoot de adrenaline door Malko's aderen. Kolonel José Cardenas meende het en hij was wanhopig. Hij hoefde zijn rechterwijsvinger maar enkele millimeters te verplaatsen om Malko uit de wereld der levenden weg te vagen.

Hij keek de Cubaan strak aan, terwijl hij doodstil bleef zitten, en het lukte hem met een kalme stem uit te brengen: 'Kolonel, ik begrijp dat u me wilt doden, maar ik heb u niet verraden. De Amerikanen ook niet. Ik heb mijn leven op het spel gezet door naar Cuba te komen, want ik word al sinds mijn vorige bezoek aan uw land door de DGI gezocht. We zijn allemaal door de Cubaanse geheime dienst gemanipuleerd, want de operatie was, volgens mij, van begin af aan geïnfiltreerd. Ik weet niet waarom ik nog niet ben gearresteerd, maar dat zal niet lang meer duren. Ik zit vast op Cuba, want mijn plan om het land uit te komen, is door de Cubaanse geheime dienst geblokkeerd. Toen ik u zag komen, dacht ik eerst dat u een Cubaanse agent was en stond ik op het punt mijn wapen te gebruiken. Maar toen herkende ik u.'

De loop van de grote Makarov drukte nog steeds tegen Malko's borst, maar de blik van de Cubaanse officier werd al minder strak. 'Bent u gewapend?' vroeg hij.

'Ja.'

Langzaam tilde Malko de tas met daarin het wapen op. Meteen pakte de Cubaan hem beet en voelde de omtrekken van een wapen. Op zijn gezicht was nu twijfel te lezen. 'Kent u de mensen die aan onze staatsgreep meededen?' vroeg hij.

'Nee,' zei Malko. 'Waarom?'

'Wist u waar generaal Anibal Guevara woonde? Uw vrienden van de CIA weten het vast en zeker.'

'Misschien,' gaf Malko toe, 'maar dat hebben ze mij nooit verteld. Waarom?'

'Er is een bijeenkomst bij hem thuis geweest. Alle aanwezigen zijn gearresteerd, behalve ik.'

'Waarom bent u gespaard?'

'Ik weet het niet. Misschien omdat ik de enige was die te voet was gekomen en de anderen in de auto. Waarschijnlijk hebben ze de nummerborden genoteerd. Mijn kameraden hebben me niet verraden.'

Malko haalde diep adem. 'Kolonel,' zei hij, 'u kunt me doden wanneer u ervan overtuigd bent dat ik u heb verraden. Maar dat zou een vergissing zijn. We zijn samen de enige overlevenden van dit fiasco.'

De seconden kropen traag voorbij, alsof het minuten waren. Met ingehouden adem en tot het uiterste gespannen spieren verwachtte Malko elk moment een kogel zijn hart te voelen binnendringen.

Plotseling zag hij vanuit zijn ooghoek achter de rug van José Cardenas drie mannen uit een taxi springen die aan de andere kant van de straat stond geparkeerd. Ze begonnen hun kant op te rennen. Zijn hartslag schoot omhoog en hij zei met een beheerste stem: 'Kolonel, er komen een paar *segurosos* onze kant op. Achter u.'

Kolonel Cardenas liet zich niet uit het veld slaan. Integendeel, de druk van zijn wapen werd groter. Woedend zei hij: 'Probeer mijn aandacht maar niet af te leiden. Ik ga u doden.'

De drie *segurosos* waren nog maar een meter of dertig bij hen vandaan. Malko drong op dwingende toon aan: 'Kolonel, als we nu niets doen, zullen we over enkele tellen worden gearresteerd. Ze komen eraan.'

Zonder de druk op het pistool te verminderen, draaide de kolonel zijn hoofd iets om en eindelijk zag hij de drie agenten, die nu bijna bij de ingang van het parkeerterrein waren. Hij vloekte binnensmonds en hij richtte zijn blik weer op Malko. 'U hebt ze hierheen laten komen!'

Malko's angst maakte plaats voor woede. Ze mochten geen seconde verliezen. 'Kolonel,' zei hij, 'schiet wanneer u wilt, maar ik wil niet in handen van die mensen vallen.'

Hij leunde naar opzij en deed het portier aan de passagierskant van de Skoda open. Maar de kolonel reageerde niet. Plotseling leek hij Malko vergeten te zijn. Die draaide snel het contact om en schakelde de auto in zijn achteruit. Toen klonk er een schot. Malko keek om, net op tijd om te zien dat een van de mannen die naar hen toe rende, op de grond in elkaar zakte. De twee anderen zochten snel beschutting achter een heg die het parkeerterrein van de weg scheidde. Malko riep: 'Vlug, stap in!'

Even aarzelde kolonel Cardenas nog, maar toen kwam hij eindelijk in beweging en sprong in de Skoda. Malko trapte het gaspedaal in, nog voordat het portier dicht was, en schoot op de uitgang van het parkeerterrein af. De kolonel, zijn pistool nog in zijn hand, leek verbijsterd te zijn. De twee agenten die achter de heg waren weggedoken, keken de Skoda met zijn rode nummerborden na zonder in te grijpen. Maar de chauffeur die in de zogenaamde taxi was achtergebleven, reed snel·naar voren en blokkeerde de uitgang. Malko gaf een ruk aan het stuur naar links en schoot de weg op via de ingang van het parkeerterrein. In zijn achteruitkijkspiegel zag Malko de twee agenten naar de taxi rennen, maar er klonken geen schoten. Kennelijk wilden ze hem levend in handen krijgen.

Een bocht naar links op de Calle O, het licht op de hoek van de Rampa stond gelukkig op groen en meteen sloeg Malko links af, naar de Malecón. Vol gas stoof hij verder; hij had twee of drie minuten voorsprong. Maar al gauw zou de hele politiemacht van Havana zijn gealarmeerd en hen op de hielen zitten.

Toen deed de stem van kolonel Cardenas, die eindelijk weer bij zinnen kwam, hem opschrikken. 'Waar gaan we heen?'

Malko keek hem aan. 'Voorlopig weet ik het niet. Hebt u enig idee?'

'Hoe weet ik of ze het niet alleen op mij voorzien hadden?' vroeg de kolonel.

'Dat kan ik niet bewijzen, maar ik ben ook een slachtoffer, net als u. Ik heb u nooit aan de DGI verraden. De enige die ons daar meer over kan vertellen, is Iglesia, de Spaanse architect die de bron was van de CIA.'

'Weet u waar hij woont?'

'Ongeveer,' zei Malko. 'Maar dat is in Miramar, aan de andere kant van Havana. In deze auto, die iedereen kent, is dat een veel te groot risico. Bovendien zal hij wel door de DGI worden beschermd.'

'Laten we toch gaan,' drong de kolonel aan. 'Ik wil de waarheid weten. Ik zal u de weg wijzen over achterafweggetjes. De hoofdwegen zullen ze nu wel afgrendelen.'

Op de bovenste verdieping van het gebouw waarin de zetel van de binnenlandse veiligheidsdienst was gevestigd, was het ongewoon druk. Sinds een halfuur was bekend dat de laatste samenzweerder van de staatsgreep en de agent van de CIA samen waren en waren ontsnapt aan de *segurosos* die hen schaduwden. Het nummer en het type van hun auto, met een rood nummerbord, waren doorgegeven aan alle agenten van de stad en er was een premie van duizend inwisselbare peso op hun hoofden gezet. Levend.

Er rinkelde een telefoon. Kolonel Cardoza, die de operatie leidde, nam hem op. '*Dígame?*'

'De auto is op de brug van de Avenida 13 gezien,' zei een stem. 'Door een agent te voet, dus hij kon hen niet aanhouden.'

De officier vloekte. 'Concentreer alle aandacht op Miramar. Laat de patrouilleauto's alle bruggen tussen Miramar en Vedado afgrendelen.'

Zenuwachtig hing hij op. Villa Marista volgde de operatie van minuut tot minuut.

Al twintig minuten lang hobbelde de Skoda door de kuilen van een smalle weg in Miramar. Ze hadden de hoofdwegen, die van oost naar west liepen, vermeden. Het was een wonder dat ze nog niet waren onderschept. De twee mannen hadden geen woord gewisseld, op de korte aanwijzingen van de kolonel na om Malko de weg te wijzen.

'Daar is Calle 84,' zei José Cardenas.

De koplampen beschenen een van de kleine, witte paaltjes waarop, vlak boven de grond, de nummers van de straten stonden. Malko sloeg rechts af en meteen zei de Cubaanse kolonel: 'Dadelijk kruisen we Avenida 7.'

Honderd meter verderop beschenen de koplampen aan de linkerkant een groot, zwart hek. Zoals Lee Dickson het had beschreven. Malko remde af. 'Daar moet het zijn, dat zwarte hek.'

'Voorzichtig,' zei de Cubaan meteen. 'Misschien is er een bewaker.'

Malko reed langzaam langs het grote, zwarte hek en sloeg toen links af Avenida 7 in. Twintig meter verderop stopte hij en doofde de koplampen.

'Kom mee,' zei José Cardenas.

Ze liepen terug naar het hek, zonder iemand te zien. Er was geen bewaker. Malko keek door de kieren naar binnen, maar zag geen licht. Ze liepen verder langs de muur, tot ze bij een houten deur kwamen. Met een harde trap forceerde kolonel Cardenas het slot en ze slopen naar binnen, een tuin in. Ze gingen verder langs een prieel met een barbecue en links een zwembad. Rechts, door de openstaande deur van een garage, zagen ze de achterkant van een Mercedes.

Ze liepen om het huis heen. De voordeur zat op slot en de ramen werden door tralies beschermd.

'Hij zal wel slapen,' zei Malko.

'Ik wil naar binnen,' hield José Cardenas vol.

Hij liep terug naar de garage en werkte zich tussen de Mercedes en de muur naar achteren. Meteen riep hij naar Malko: 'Kom hier!'

Malko ging naar hem toe en triomfantelijk wees de Cubaan naar een openstaande deur, achter in de garage, waardoor ze het huis binnen konden gaan. 'Hij zat niet op slot,' legde José Cardenas uit. 'Kom mee.'

Nadat ze door een grote keuken waren gekomen, kwamen ze uit in de hal. Het was er pikdonker. Op de tast vond Malko een lichtknopje. Toen zagen ze links een grote salon waarvan de muren vol met schilderijen hingen. Hij was smaakvol ingericht en verfraaid met kunstvoorwerpen. Maar er was nog steeds nergens een teken van leven. Toch draaide de airconditioning op volle toeren, wat te herkennen was aan een zacht ruisen.

Met zijn pistool nog steeds in de hand, wees kolonel Cardenas naar een gang die waarschijnlijk naar de slaapkamers leidde, en zacht zei hij: 'Daar zal hij wel zijn.'

Ze gingen de gang in en de Cubaan opende voorzichtig de eerste deur. In het vage schijnsel van het licht uit de hal zagen ze een bed waarop een menselijke gedaante lag. Hier stond de airco ook op volle toeren te draaien, maar Malko viel een bitterzoete geur op. Een geur die hij goed kende. Zonder te aarzelen, drukte hij op het lichtknopje, waarna de kamer in het licht baadde. Gekleed in een rood slipje lag er een kleine man met achterovergekamd, zwart haar en een fijn getekend gezicht op het bed. Hij leek te slapen. Alleen was aan zijn lijkbleke teint en zijn absolute onbeweeglijkheid meteen te zien dat hij dood was.

Kolonel José Cardenas borg zijn pistool op en sloeg een kruisteken. Malko keek om zich heen en zag dat er een paar brieven op een secretaire lagen. Naast een stapel verpakkingen van geneesmiddelen en een fles water. 'Hij heeft zelfmoord gepleegd,' zei hij zacht, alsof de dode hem zou kunnen horen.

Hij bekeek de brieven. Op een van de enveloppen zag hij staan: SEÑOR LEE DICKSON, AFDELING AMERIKAANSE BELANGEN. HAVANA.

Hij maakte hem open en las de brief snel door, waarna hij hem aan José Cardenas gaf. 'Lees maar.'

Omdat de brief in het Spaans was gesteld, was dat eenvoudig. De voormalige piloot deed wat hem werd gevraagd. Er hing een drukkende stilte. Toen hij klaar was, gaf hij Malko de brief terug en zei met verstikte stem: 'Het spijt me dat ik u heb verdacht.'

In de brief legde Miguel Barreiro uit wat er was gebeurd en waartoe hij was gedwongen. Hij vroeg de Amerikaan om vergiffenis. Hij schreef ook dat hij een einde aan zijn leven zou maken.

De twee mannen keken elkaar aan. Voordat hij zelfmoord had gepleegd, had hij waarschijnlijk zijn personeel naar huis gestuurd. Malko borg de brief op: die hoefden de Cubanen niet te lezen. Na het slaan van nog een kruisteken, ging kolonel Cardenas terug naar de salon. Sinds ze het lichaam van de dode hadden gevonden, hing er een drukkende sfeer in het huis. Ze konden er in elk geval niet lang meer blijven. Vroeg of laat zou iemand komen kijken waar Miguel Barreiro was. Te beginnen bij de Cubaanse geheime dienst...

Plotseling kreeg Malko een idee. 'Wacht hier,' zei hij tegen kolonel Cardenas. 'Ik wil iets proberen.'

Hij ging terug naar de garage en probeerde het portier van de Mercedes. Dat zat niet op slot en de sleutels zaten in het contactslot. Hij ging terug naar de salon en stelde de Cubaanse kolonel voor: 'Laten we van auto ruilen. We zetten de Skoda in de garage en gaan in de Mercedes verder. Dan maken we kans aan de *Seguridad* te ontsnappen.'

Tien minuten later waren ze klaar.

'Wat bent u nu van plan te gaan doen?' vroeg Malko.

Kolonel Cardenas leek te zijn bekomen van de schrik. 'Ik kan niet in Cuba blijven,' zei hij. 'En ik zou het ook niet meer willen. Ik wilde enkele maanden geleden al uit Cuba vertrekken. Naar een vrouw in Miami, van wie ik houd.'

'Hoe wilde u dat doen?'

'Een vriend van me heeft op een afgelegen strand, Palma Rubia, een vlot gebouwd. Hij is ermee gestopt toen hij was ingeloot en een Amerikaans visum heeft gekregen. Het vlot ligt er nog, klaar om te vertrekken, met alles erop wat nodig is om de overtocht te overleven. De wind waait nu uit de goede hoek. Ik wil het erop wagen. En wat gaat u doen?'

'Ik probeer naar een jonge vrouw te vluchten die ik toevallig heb ontmoet,' legde Malko uit. 'De vroegere maîtresse van Carlos Fernández, de bron van Miguel Barreiro. Ze is ontslagen en moet zich nu maar zien te redden. Daarna krijg ik misschien de kans om te vluchten.'

De kolonel dacht slechts enkele seconden na. 'Waarom komt u niet met mij mee? Als God ons bijstaat, kunnen we voor zonsopkomst de zuidpunt van Florida bereiken. 's Nachts zijn de vlotten onzichtbaar voor de *Seguridad*. Ze zien ze niet op de radar.'

'Dat lijkt me een goed idee,' zei Malko.

Fedora Kulak had zich door Evgueni Tifonov naar het Havana Libre laten brengen, nadat ze in Chez Adela, een paladar in Vedado, hadden gegeten. De Rus legde opdringerig een hand tussen de dijen van de jonge vrouw. Na drie Defenders was zijn libido weer enkele punten gestegen. 'Het is nog vroeg, ik zou mee naar boven kunnen gaan.'

Fedora keek hem met een kille blik aan. 'Je hebt me zo-even al gepakt. Nu is het jouw beurt om iets terug te doen. *Do svidania*.' Ze stapte zo snel uit, dat hij de kans niet kreeg haar tegen te houden. In haar kamer belde ze meteen Malko in het Nacional. Ze kreeg slechts zijn voicemail en sprak een neutrale boodschap in, waarin ze hem vroeg haar terug te bellen. Toen stak ze een sigaret op. Waar zou Malko kunnen zijn? Ze verjoeg de gedachte dat hij misschien al was gearresteerd.

Kolonel José Cardenas was achter het stuur gestapt en ze reden naar het zuidwesten van Miramar, naar de snelweg A4 die naar Pinar del Río liep. Ze hadden al drie patrouilleauto's gekruist, maar de Cubaanse politie was niet op zoek naar een grijze Mercedes met oranje nummerborden. Ze reden langs Siboney en vervolgens door een gebied met akkers, kokosnootplantages en pakhuizen.

Ze kwamen steeds minder huizen tegen. Toen ze door een open gebied reden, rukte de zuidenwind hard aan de auto. Eindelijk bereikten ze de A4, die naar het westen liep. Er was maar weinig verkeer. Drie kwartier nadat ze waren vertrokken, remde de kolonel af en reed een onverharde weg op, die naar het noorden liep.

Er zaten steeds meer kuilen in de weg en overal waren zijweggetjes. Nergens stonden borden, maar de Cubaanse kolonel leek erg zelfverzekerd te zijn. Ze passeerden een slapend dorp.

'La Palma,' zei de kolonel. 'We zijn er bijna.'

Ze passeerden een soort duintop en daalden af. In het maanlicht zag Malko een klein strand liggen en de schuimkoppen van de aanrollende golven van de Atlantische Oceaan.

Generaal Cienfuegos gaf het niet op. Ondanks de inzet van alle afdelingen van de DGI waren de twee vluchtelingen verdwenen. Alle agenten op Cuba kenden het nummer van de groene Skoda van de spion van de CIA. De patrouilles hielden systematisch alle auto's met rode nummerborden aan.

Natuurlijk werd de woning van José Cardenas door *segurosos* bezet gehouden en wemelde het in de wijk van de agenten. Hetzelfde gold voor het Nacional en het Havana Libre. De Russische vrouw die in contact had gestaan met Walter Zimmer, was door de eerste raadsman van de Russische ambassade teruggebracht. Voorlopig verdacht hij haar niet.

Om tot rust te komen, stak de generaal een sigaar op. De vluchtelingen zouden zich vroeg of laat toch moeten laten zien. Morgen was er weer een dag. Als hij ze maar in handen had voordat de Líder Máximo morgen zijn redevoering hield, anders zouden er koppen rollen. Dat was het enige zandkorreltje in een uitstekend uitgevoerde operatie. Het was een idee van Fidel Castro zelf geweest, toen hij in een rapport zag dat Miguel Barreiro informatie doorspeelde aan de CIA, de Amerikanen voor de gek te houden en hen te laten geloven dat hij dood zou zijn.

Sinds enige tijd deden al geruchten de ronde dat een groep officieren van zijn dood gebruik zou maken om een staatsgreep te plegen en zijn broer, Raul, af te zetten en de marxistische revolutie te beëindigen. Het was generaal Cienfuegos zelf geweest die de jonge Carlito in de handen van de homoseksuele architect had gedreven. Dat hij door de stommiteit van zijn oom uit de weg moest worden geruimd, was een kleine tegenslag geweest, maar door Miguel Barreiro daarna te dwingen rechtstreeks voor hen te werken, was alles toch nog goed afgelopen.

Geschrokken bekeek Malko de stapel planken en touw, die drijvend werd gehouden door twee enorme vrachtwagenbanden. Wat voor een vlot moest doorgaan, lag verborgen tussen twee ruïnes van huizen en was vanaf de weg niet te zien. Met een zaklantaarn, die bij het vlot lag, controleerde kolonel Cardenas de inhoud van een kist die op het vlot was vastgemaakt. Hij haalde er een grote fles water uit, pakken biscuits en twee potten Bengaals vuur. Tussen twee planken zat een soort mast geklemd waaraan een zeil kon worden vastgemaakt. Toen keek hij Malko aan. 'Bij deze wind zullen we snel in Florida zijn,' verzekerde hij hem, en hij gaf hem een pot oranjekleurige was. 'Deze kleur schijnt haaien af te schrikken...'

Dat klonk bemoedigend.

Malko keek naar de witte streep van de branding, zo'n honderd meter bij hen vandaan. De zee was niet ruw, maar de wind veroorzaakte toch nog flinke golven. Er was geen enkel licht te zien. Alles was verder zwart. Hij hielp de kolonel, die was begonnen het vlot over het zand te slepen. Het geval moest zo'n honderd kilo wegen. De onderkant bestond uit twee autodeuren, die met touw aan de luchtkamers waren bevestigd.

Toen ze het water bereikten, was dit eerst koud, maar het wende snel. Toen het water tot hun middel kwam, dreef het vlot.

'Vooruit,' zei de kolonel, en hij klom op zijn buik op de planken. Malko deed hetzelfde. Hij was doornat. Het voelde niet prettig, en plotseling besefte hij dat hij de tas met vijfduizend dollar en het pistool in de Mercedes had laten liggen. Maar op zee zouden ze daar toch niets aan hebben.

Op zijn knieën begon kolonel Cardenas als een waanzinnige te peddelen om het vlot door de branding te loodsen. Malko nam de andere peddel: een bezemsteel met een stuk hout op het uiteinde gespijkerd. Langzaam voeren ze bij het strand vandaan, meter voor meter.

Na een honderdtal meter had Malko al pijn in zijn armen, en ze moesten nog honderdveertig kilometer... Toen legde de kolonel zijn peddel neer en maakte het geïmproviseerde zeil, een groene lap stof, aan de mast vast.

Meteen duwde de wind hen de leegte op. Ze waren vertrokken! Net als duizenden vlotten vóór hen, waarvan er veel op zee waren verdwenen, opgegeten door de haaien; daarvan wemelde het in de zee voor Florida.

'Het gaat goed!' riep kolonel Cardenas.

Toch spoelden de golven onophoudelijk over het vlot. Gelukkig zat de kist met levensmiddelen in plastic verpakt. Malko moest vanbinnen lachen: wie had ooit gedacht dat hij op deze manier uit Cuba zou moeten vertrekken... In elk geval zouden ze niet op de radar te zien zijn en wanneer het dag werd, zouden ze allang buiten de Cubaanse territoriale wateren zijn. De kreet van de kolonel rukte hem uit zijn overpeinzingen: 'Kijk uit!'

Hij keek op en zag een witte muur van wel twee verdiepingen hoog op hen af komen. Een soort barrière op ongeveer een kilometer van het strand. Ze konden hem niet ontwijken. Malko klemde zich zo goed mogelijk aan de touwen vast, evenals zijn kameraad.

Hij zag de met schuim bedekte muur op hen af komen en dacht dat ze er dwars doorheen zouden gaan. Maar de golf sloeg midden op het vlot neer en kieperde het als een blaadje om.

Malko voelde zich alsof hij door een reuzenhand werd geplet. Met een hels kabaal vloog het gammele vlot aan stukken en ze vielen in het water. Malko ging kopje onder en half versuft, zijn mond vol met water, leek het of hij zou verdrinken.

20

Eindelijk lukte het Malko boven te komen, hijgend en zijn mond vol met zout water. De enorme golf was gepasseerd en automatisch begon hij te zwemmen, gehinderd door zijn kleren. Het begon harder te waaien en de golven sloegen onophoudelijk in zijn gezicht. Hij keek om zich heen, maar zag geen spoor van het kapotte vlot. De wrakstukken moesten door de stroming zijn meegesleurd. De grote, rubberen luchtkamers waren nergens te bekennen. Watertrappelend keek hij om zich heen. Nergens zag hij de Cubaanse kolonel.

Hij riep, maar zijn stem klonk belachelijk zwak. Vaag zag hij de kust liggen en hij begon die kant op te zwemmen. Misschien was kolonel Cardenas verder weg gesleurd. Hun vluchtpoging was in elk geval gestrand. Op zijn rug zwemmend, om zijn krachten te sparen, probeerde hij dichter bij het strand te komen. Maar hij begon in paniek te raken: de wind dreef hem de zee op en zwemmend zou hij Florida beslist niet bereiken. Met op elkaar geklemde kaken spande hij zich in, en hij won iets terrein. Na lange tijd, eeuwen misschien wel, voelde hij eindelijk, uitgeput en tot op het bot verkleumd, zand onder zijn voeten en in een laatste poging wist hij zich het strand op te sleuren, waarna hij op het vochtige zand in elkaar zakte.

Rillend kwam hij overeind en trok zijn overhemd en drijfnatte broek uit. Met zijn handen bij zijn mond riep hij weer: 'Kolonel Cardenas!'

Geen antwoord. Hij riep nog eens en liep een eindje het strand af. Geen spoor van de Cubaan. Toen ging hij terug naar de Mercedes en ging erin zitten, om een einde aan het rillen te maken. Hij zette de motor aan en bescheen met zijn koplampen de zee. Niets dook uit de golven op. Hij zette de verwarming aan. Na een tijdje was hij enigszins opgewarmd en stapte hij uit. De wind voelde nu heerlijk lauw aan. Hij liep naar het water, riep nog een keer, maar kreeg geen antwoord. Opnieuw kwam er een grote golf op het strand af, die met groot geweld brak.

De Cubaanse kolonel was verdronken of de zee op gesleurd. Wat op hetzelfde neerkwam.

Malko pakte zijn kleren bij elkaar, wrong ze uit en legde ze op de nog warme motorkap van de auto. Toen ging hij weer binnenin zitten. Hij kon nog maar één ding doen: terug naar Havana gaan, voordat het dag werd. Op zijn Breitling zag hij dat het halftwaalf was.

Teruggaan naar het Nacional was onmogelijk. Hij kon ook Fedora niet in het Havana Libre ophalen. Er restte hem slechts één oplossing, die riskant en niet erg veelbelovend was: het sigarenverkoopstertje. Hij haalde het papiertje met het adres uit zijn tas: CALLE MANRIQUE 12, OP DE HOEK VAN DE SAN LÁZARO. Dat kon hij wel vinden, maar hoe zou ze reageren? Gelukkig had hij de tas niet op het vlot meegenomen. Anders zou hij hem kwijt zijn geweest.

Na een tijdje trok hij zijn kleren weer aan, die nog wat vochtig waren, maar verder aan zijn lichaam zouden moeten drogen. Zijn schoenen was hij kwijt, die waren door de golven meegesleurd. Hij keerde de Mercedes en hobbelend, op goed geluk een weg zoekend door alle paadjes, keerde hij terug.

Na een halfuur vond hij eindelijk de snelweg. Enkele minuten later kruiste hij een vrachtwagen: terug in de beschaving. Toch duurde het nog een flinke tijd tot hij in Rancho Boyeras was, aan de rand van de stad. Op goed geluk sloeg hij links af naar de Calle Independencia en reed in de richting van het centrum van de stad. Er waren maar heel weinig auto's.

Zijn kleren waren al droog toen hij de Calle Manrique in reed. Nummer 12 lag op de hoek van de San Lázaro, maar hij reed bijna een kilometer door en parkeerde op de Avenida de Italia. Hij sloot de auto af en deed de sleutels in zijn zak. Misschien had hij er nog iets aan. Op de terugweg kwam hij niemand tegen. Toen hij de deur van nummer 12 openduwde, was het of hij het paradijs binnenging. Hij droomde van een bed.

Het was pikdonker in het gebouw en het stonk er naar petroleum, vet en rum. In het licht van zijn Zippo vond hij de trap. Er was geen licht. De treden waren glibberig van het vuil. Hier en daar ontbraken treden en was de hellende ondergrond te zien. Het was of hij een berg beklom! Toen hij op de bovenste verdieping kwam, de achtste, voelde hij zich in de wolken. Er liep een ladder naar het plafond en op de overloop waren slechts twee deuren, waarvan er een ongebruikt leek. Hij waagde het erop en drukte op iets wat op een belknop leek, naast de tweede deur. Er klonk een schelle bel, die het hele gebouw had kunnen wekken. Met bonkend hart wachtte hij, zijn hand om de kolf van zijn pistool geklemd. Hij voelde zich een opgejaagd beest. Eindelijk zag hij een spleetje licht onder de deur.

'Wie is daar?' vroeg een slaperige vrouwenstem.

'Je vriend uit Hotel Nacional,' antwoordde Malko door de deur heen.

Ze kende zijn naam zelfs niet. Er werden sloten opzijgeschoven en de deur ging open. In de deuropening stond de sigarenverkoopster, gekleed in een pareo die haar bovenlichaam bloot liet. Haar haar zat in de war en haar gezicht was vertekend van de slaap. Verbaasd keek ze Malko aan. '*Papito*, wat is er aan de hand?'

'Mag ik binnenkomen?' vroeg Malko.

Ze ging opzij, maar hij streek toch langs haar lichaam. De aanraking van haar warme huid had op hem het effect van een elektroshock. De piepkleine hal kwam uit in een kleine kamer waarin een bed, een tafel en twee stoelen stonden. Tegen de achterkant hing een touw waaraan kleren hingen. Andere hingen aan haken aan de muur. In een hoek was een piepkleine keuken met een gaskomfoor. Een andere deur, die openstond, kwam uit op een terras.

Dalia Sánchez kwam dichterbij. 'Waar kom je vandaan, *papito*?' vroeg ze op vriendelijke toon. 'Wat is er gebeurd?'

Malko ging uitgeput op een stoel zitten. Er kwam nog zeewater uit zijn neus. Hij kon het niet meer opbrengen om te liegen. 'Met een Cubaanse vriend heb ik geprobeerd op een vlot weg te komen,' legde hij uit. 'We zijn door een golf omgeslagen en mijn vriend is verdwenen. Ik denk dat hij is verdronken.'

Dalia Sánchez sperde haar ogen wijd open. 'Jij, op een vlot! Je bent gek.'

Ze geloofde hem duidelijk niet. Gasten van het Nacional vertrokken meestal niet peddelend. Malko besloot haar verder in te lichten. 'Luister,' zei hij, 'het is een ingewikkeld verhaal. Ik word gezocht door de *Seguridad*. Als ze me hier vinden, krijg je grote problemen. Ik kan niet meer terug naar het Nacional. Mag ik hier tot morgen blijven?'

De jonge Cubaanse keek hem vol medelijden aan. 'Je ziet er heel moe uit.'

'Dat klopt,' gaf Malko toe. 'Ik ben ook bijna verdronken.'

Ze pakte hem bij de hand en nam hem mee naar het bed. 'Trek je kleren uit. Die zijn helemaal vochtig. Ga slapen. Morgen vertel je de rest maar.'

Malko kleedde zich als een automaat uit en hield alleen zijn slipje aan. Dalia legde haar pareo opzij en onthulde haar prachtige billen. Ze kwam tegen hem aan liggen, maar Malko viel in een diepe slaap, zonder iets te merken.

Lee Dickson had vrijwel niet geslapen. Toen hij teruggekeerd was van de receptie op de Russische ambassade, had hij een dringend telegram over Malko naar Langley gestuurd, erop aandringend dat het zou worden doorgestuurd naar Frank Capistrano. Hij voelde zich vreselijk schuldig. De Cubaanse media bleven zwijgen en lieten het zeker aan Fidel Castro over om zelf het nieuws over een mislukte staatsgreep te brengen.

De telefoon ging. Zijn secretaresse zei dat de Spaanse ambassadeur aan de lijn was. Na de vaste beleefdheidsuitingen, vertelde de diplomaat dat Miguel Barreiro dood was. Een bewaker had gezien dat de tuindeur openstond en had alarm geslagen. 'Hij heeft zelfmoord gepleegd,' legde hij uit. 'Waarschijnlijk een liefdeskwestie. Hij was door en door homoseksueel...'

Lee Dickson zei maar niet dat het niets met zijn seksuele geaardheid te maken had. Arme Miguel. Hij zou bloemen naar zijn graf sturen. Ontmoedigd hing hij op. Hij wist zelfs niet of Malko nog wel vrij rondliep. De Cubanen konden hem eindeloos lang in het geheim vasthouden.

Malko schrok wakker, badend in het zweet. Het moest minstens 35 graden in het kamertje zijn. Met bonkend hart keek hij om zich heen: niemand. Zijn tas lag waar hij hem gisteravond had neergelegd. Zijn eerste gedachte was, dat Dalia Sánchez was weggegaan om hem aan te geven. Hij sprong overeind en zag toen dat de deur naar het terras openstond: slechts gekleed in een wit slipje, met blote borsten, zat ze te lezen. Ze legde haar boek neer en kwam naar hem toe. 'Ik heb je laten slapen,' zei ze. 'Je moet heel moe zijn geweest. Het is al elf uur.'

Hij zag op zijn Breitling dat het inderdaad al zo laat was. Hij was nog niet helemaal helder.

'Wil je koffie?'

Hij knikte enigszins versuft. Alles was zo snel gegaan. De hemel was blauw, de zon brandde en de zee was vlekkeloos blauw. Hij pakte de koffie aan en dronk. Er zat nauwelijks suiker in. Pas na de tweede kop begonnen zijn hersenen weer te werken. Hij had een rustige nacht gehad, maar hij zat midden in Havana, bij een meisje dat hij nauwelijks kende en dat zeer wel in staat was om hem bij de *Seguridad* aan te geven. Glimlachend keek Dalia hem aan. 'Ik dacht vannacht dat je in mijn bed zou doodgaan,' zei ze. 'Je was lijkbleek.'

'Ik denk dat mijn vriend dood is,' zei Malko. 'Heb je nergens iets over gehoord?'

Ze fronste haar voorhoofd. 'Waarover?'

'Er is een poging geweest om een staatsgreep te plegen,' legde hij uit. 'Mijn vriend hoorde daarbij.'

Dalia glimlachte. 'Hier hoor je nooit iets. Op televisie zeggen ze dat *El Comandante* vanavond om zes uur een toespraak houdt. Meer niet.'

Malko voelde zijn benen onder zich wegzakken. 'Fidel Castro gaat praten!'

'Ja, dat doet hij vaker,' beaamde ze. 'Als je hem wilt zien: ik heb televisie. Maar hij zegt altijd hetzelfde.'

Malko kon wel huilen. Ze hadden hen dus van begin af aan bedonderd. Petje af voor de Cubaanse geheime dienst. Wat een fiasco! Dalia Sánchez keek hem nieuwsgierig aan. 'Wat doe je op Cuba? Je bent geen toerist...'

'Nee,' gaf Malko toe. 'Ik ben geen toerist en ik weet niet hoe ik uit Cuba weg moet komen.'

Toen ze zijn bezorgde gezicht zag, glimlachte ze hem gerust-stellend toe, zette een salsa op de radio aan en begon voor hem te wiegen, terwijl ze zong: 'Werk wel, salsa nee! Dat zingen we tijdens wijkmanifestaties. En daar heb ik lang in geloofd. Ik was gezond. Daarom mocht ik in de sigarenfabriek werken. Nu ben ik een asociaal element. Het hoofd van mijn wijk zei dat hij me niet meer bij een werkgever kan aanbevelen. Misschien alleen om voor tien peso per dag suikerriet te kappen in het oosten. Dan ben ik nog liever een *jinetería*. Of anders...'

Ze haalde haar schouders op.

'Wat?'

'Een keer vroeg mijn benedenbuurman of hij op mijn terras mocht komen zonnen,' zei Dalia. 'Dat vond ik natuurlijk goed. Hij liep regelrecht naar de reling en sprong naar beneden. Hij was moe, heel moe. Hier is het leven zwaar...'

Ze bleef voor hem staan wiegen terwijl ze het verhaal vertelde.

'Sinds ik mijn baan kwijt ben,' zei ze, 'heb ik me bij de Amerikanen ingeschreven om daarheen te emigreren. Elk jaar verloten ze twintigduizend visa, maar er zijn vijfhonderdduizend inschrijvingen.'

Plotseling stopte ze met dansen en vroeg: 'Heb je *cucs*?'

'Dollars?'

'Dat is hetzelfde. Heb je er een paar voor me? Dan haal ik rum, en misschien wel kreeft, als ik die kan vinden. En dingen voor jou. Kleren, schoenen, scheerspullen.'

Malko haalde twee biljetten van honderd dollar uit zijn tas en gaf ze haar.

'Dat is heel veel geld,' zei ze op ernstige toon. 'Eén is genoeg.'

Binnen een oogwenk had ze zich aangekleed. Ze had een jurk van gestreept katoen over haar witte slipje getrokken en sandalen aangedaan. 'Ga intussen maar douchen,' zei ze.

Het was een piepkleine douche met alleen koud water.

'Een patrouillehelikopter heeft het lichaam van José Cardenas gevonden,' zei Isabel Jovellar. 'Op het strand Palma Rubia. Er zijn ook wrakstukken van een vlot gevonden. Hij heeft afgelopen nacht geprobeerd te vluchten en is verdronken. Er stond te veel wind.'

'Mooi zo, mooi zo,' knikte generaal Cienfuegos. 'En de Amerikaanse agent?'

'Die moet bij hem zijn geweest, maar we hebben hem nog niet gevonden. Maar dat zal niet lang duren. Tenzij de haaien hem hebben opgegeten,' zei Isabel Jovellar grinnikend.

'Blijf zoeken,' droeg de generaal haar op. 'Hoe zijn ze trouwens daar gekomen?'

'Een vriend heeft hen gebracht. Er waren bandensporen te zien.'

'Zoek hem. Ik reken op je.'

Fedora Kulak had nauwelijks geslapen. Ze wachtte tevergeefs

op een teken van leven van Malko. Om negen uur 's morgens had ze opnieuw gebeld en weer had ze zijn voicemail gekregen. De telefoon ging over en snel nam ze op.

Het was Evgueni Tifonov. 'Zullen we in de club Havana gaan lunchen?' vroeg hij. 'Trek je mooiste badpak aan.'

Fedora's hart sprong op in haar borst: Moskou was bereid Malko een vals diplomatiek paspoort te geven. De samenwerking Oost-West verliep uitstekend. Nu moest ze hem nog zien te vinden. Als hij maar niet diep weggeborgen in een cel in de Villa Marista zat.

Fidel Castro was gekleed in zijn vaste groene gevechtspak, met een brede baard, en hij oreerde al ruim twee uur voor de bijna vijfduizend aanwezigen in het grote amfitheater van het Paleis van de Revolutie. Alle officiële televisie- en radiokanalen zonden zijn redevoering rechtstreeks uit.

Gefascineerd bekeek Malko de dictator op het kleine scherm. Hij stond fier rechtop maar met een enigszins getekend gezicht, met holle wangen en een bleke huid. Zijn stem klonk omfloerst, maar hij leek geheel in vorm te zijn, ook al keek hij regelmatig op zijn aantekeningen. Tot nu toe was zijn redevoering grotesk. Hij legde de Cubaanse huishoudens uit hoe ze de Chinese snelkookpan moesten gebruiken om energie te besparen. Hij ging uitgebreid in op de details, zoals de sluiting, de druk, hoe lang de pan op het vuur moest staan... Waanzinnig. Na een korte pauze ging hij over op een ander thema. Hij kondigde ander 'goed nieuws' aan. Hem was gemeld dat de koelkasten die waren gebouwd in de Che-Guevarafabriek in Santa Clara slechte rubbersluitingen hadden. Als goed staatshoofd had hij een speciaal rubber besteld om duizenden nieuwe rubbersluitingen te maken. Ook dit om energie voor de Cubanen te besparen...

Zijn aantekeningen doorbladerend sprak de Líder Máximo voor een stijf publiek, dat regelmatig door de camera's van de staatstelevisie werd afgezocht op elementen die niet snel genoeg applaudisseerden. Verbitterd moest Malko zijn nederlaag toegeven. Of eigenlijk de nederlaag van de CIA.

Dalia lag naast hem, een glas rum in haar ene hand, een Hollywoodsigaret in haar andere, en ze keek ongeïnteresseerd naar het scherm, meewiegend op het ritme van de salsa op de radio. Plotseling drukte ze de sigaret uit en ging schrijlings op Malko's dijbeen zitten, die op zijn zij lag. Haar borsten waren naakt en ze droeg slechts een slipje. Langzaam begon ze heen en weer te bewegen, zoals een hitsige hond tegen het been van zijn baas op rijdt. Ze deed het zo voorzichtig, dat hij het niet meteen doorhad. Maar toen hij de troebele blik in de ogen van de Cubaanse zag, begreep hij het.

Ze boog zich naar hem toe, kuste hem vol op de mond en fluisterde: 'Laten we gaan vrijen.'

Binnen een oogwenk had ze haar eigen slipje en dat van Malko uitgetrokken. Meteen nam ze hem in haar mond. Terwijl Castro nog steeds praatte, liet ze zich met een gelukzalige glimlach op hem zakken, met rechte rug op de maat van de salsa wiegend, tot hij klaarkwam. Blij pakte ze haar glas rum weer, ging even wat lezen en begon hem toen opnieuw te strelen. Ze was onverzadigbaar.

Malko luisterde slechts met een half oor naar de woorden van Fidel Castro. Dalia leek vastbesloten hem tot de laatste druppel uit te persen, hem likkend, strelend en masserend. Ze bewoog zich als een jong, speels katje.

Plotseling rolde ze op haar buik op het smalle bed en trok Malko aan zijn erectie naar zich toe, terwijl ze met een smachtende stem zei: 'Neem me in mijn kont, *papito*. Neem me hard!'

Haar heupen schokten al. Malko wilde net op haar gaan liggen, toen een verandering in de toon van Castro hem deed opschrikken. Met opgeheven wijsvinger bestookte hij de massa. Malko hoorde het woord *golpe*, staatsgreep. Nu kwam het. Zoals altijd wachtte Castro tot aan het einde van zijn redevoering om belangrijke dingen te zeggen. Het was zover.

'Ik ben al aan 637 aanslagen ontsnapt,' riep hij uit. 'Ik heb net een complot ontmaskerd van *los señores imperialistas* in Miami. Corrupte officieren wilden met behulp van agenten van de CIA een staatsgreep uitvoeren.'

Hij zweeg om de menigte de kans te geven op te staan en uit te schreeuwen: '*Venceremos. Patria o Muerte*'. Tevreden ging Fidel Castro verder. Hij begon namen te noemen, die Malko niet kende, op één na: generaal Anibal Guevara, de man die hij op het kerkhof Colón had ontmoet. Bij elke naam brulde de menigte het uit. Opgetogen zei de Líder Máximo een snel en openbaar proces toe en eindigde met de preek: 'Wij zijn niet degenen die moeten veranderen! We blijven vastberaden en standvastig wachten tot de wereld zal veranderen. *Venceremos. Patria o Muerte.*'

'Hierna is er een voetbalwedstrijd,' fluisterde Dalia. 'Anders was hij tot middernacht doorgegaan.'

Ze boog zich naar Malko toe en nam hem in haar mond, als om hem eraan te herinneren wat hij van plan was. Toen hij haar billen binnendrong, gilde ze eerst, maar toen zei ze: 'Het doet pijn, maar ik vind het zo lekker... Heerlijk, *papito*, heerlijk.'

Met opgeheven vinger sloot Fidel Castro zijn redevoering af: 'Een van de samenzweerders wilde samen met de Amerikaanse agent naar zijn meesters vluchten. Maar God waakt over Cuba. Een golf heeft hen verzwolgen en ze zijn allebei verdronken.'

21

Generaal Francisco Cienfuegos had de laatste rapporten over de mislukte staatsgreep opnieuw doorgelezen en was er nu vrijwel zeker van. In tegenstelling tot wat de Líder Máximo had gezegd, was de agent van de CIA die had geprobeerd met kolonel Cardenas op een vlot te vluchten, niet dood. Dat baseerde hij op meerdere feiten. Om te beginnen was zijn lijk niet gevonden. Een helikopter had het gebied lange tijd afgezocht, zonder iets te vinden. Verder had de politie in het huis van Miguel Barreiro de groene Skoda gevonden, die ze hadden gezocht. Meteen waren de rechercheurs erop uitgestuurd de Mercedes van Miguel Barreiro te zoeken. Om drie uur 's middags had een politiepatrouille hem op de Avenida Italia gevonden. Zoveel Mercedessen reden er niet in Havana rond... In de auto hadden de agenten zand gevonden. Hij was dus door de twee mannen gebruikt om naar het strand van Palma Rubia te gaan, waar het vlot lag.

En iemand moest hem terug hebben gereden. Dat had natuurlijk een medeplichtige geweest kunnen zijn, maar dat geloofde generaal Cienfuegos zelf niet.

De agent van de CIA hield zich dus ergens in Havana verborgen. En eens zou hij tevoorschijn moeten komen... Om hem te vinden, had hij slechts één spoor: die Russin, Fedora Koelanine, die een vreemde rol speelde. Hij liet haar voorzichtig door de mensen van Isabel Jovellar schaduwen.

Fedora Kulak was lopend van het Havana Libre gekomen en zat bij het zwembad van het Nacional. Eerst had ze gekeken of de groene Skoda niet op het parkeerterrein stond. Ze was bedroefd. Evgueni Tifonov had haar verslag gedaan van de woorden van Fidel Castro over de dood van Malko. Het klonk aannemelijk, maar het was niet bewezen. Hij kon ook in handen

van de DGI zijn, die hem pas tijdens het proces aan de buitenwereld zou tonen. Ze bestelde een cuba libre om de spanning te
drukken. Ze zou niet uit Cuba vertrekken zolang ze niet zeker
wist wat er met Malko was gebeurd.

Zijn verdwijning was des te schrijnender omdat er sinds die
ochtend een 'echt' vals paspoort voor hem op de Russische
ambassade wachtte. De twee diensten hadden, op aandringen
van het Witte Huis, binnen enkele uren de administratieve problemen opgelost die anders maanden zouden hebben gekost. De
CIA had de SVR een digitale foto van Malko gegeven waarop zijn
blonde haar zwart was gemaakt.

De dag liep ten einde, zonder dat ze iets wijzer was geworden.
Toen ze besloot nog een laatste keer te gaan zwemmen, viel
haar een prachtige negerin op, die in haar eentje aan de rand van
het zwembad zat te lezen. Ze moest beslist een Cubaanse zijn.
Vreemd, de Cubanen die in het Nacional kwamen, werden altijd
vergezeld door buitenlanders.

Het zweet gutste van Malko's lichaam. 35 graden in het kleine
kamertje was onmenselijk. Hij had een tweede nacht bij Dalia
doorgebracht en de dag kroop traag voorbij. Uit angst te worden
gezien, durfde hij niet het terras op te gaan. Voorlopig voelde
hij zich gerust, zo'n beetje net als de man die over de reling was
gesprongen: zolang je de grond nog niet hebt geraakt, is alles in
orde. Dalia kwam terug met de boodschappen. Het ontbrak hen
aan niets, maar hij mocht geen stap buiten de deur zetten. Er
waren vast en zeker spionnen in het gebouw.

Malko besefte dat hij hoe dan ook moest laten weten dat hij nog
leefde en vrij was. De enige oplossing was Dalia erop uit te sturen, hoe riskant dat ook was.

De enige mogelijkheid was Fedora Kulak. Omdat hij zogenaamd dood was, zou de Russin vast niet zo streng meer worden geschaduwd...

Hij schrok op: Dalia keek om de hoek van de deur, de poten van een kreeft staken uit een exemplaar van de *Granma* en onder haar arm droeg ze een nieuwe fles rum.

Ze wreef zich met een veelzeggende blik tegen Malko aan. Haar leven was eenvoudig: zodra ze in haar levensonderhoud had voorzien, dacht ze maar aan één ding: seks.

'Hoe gaat het, *papito*?' vroeg ze.

'Dalia,' zei hij, 'ik moet je om een grote gunst vragen. Iets gevaarlijks. Ik moet hoe dan ook met iemand in contact zien te komen. Heb je die grote, blonde vrouw gezien met wie ik samen was?'

'Ja, een heel mooie vrouw. Had ik maar net zulke ogen als zij.'

'Je moet haar laten weten dat ik nog leef. Ze zal waarschijnlijk worden geschaduwd. Heb je een idee?'

'Natuurlijk, ik probeer haar sigaren te verkopen.'

'Het is gevaarlijk om haar aan te spreken.'

'Dat doe ik niet, ik geef haar een sigaar. Kijk maar.'

Ze pakte een sigaar en trok met haar nagels voorzichtig het schutblad los. 'Zie je? Je kunt er een papiertje in schuiven. Als je hem weer dicht rolt, zie je er niets van.'

'Maar zíj ziet het ook niet.'

Dalia's gezicht betrok. 'Die kans bestaat. Maar misschien is ze slim.'

'Wanneer kun je gaan?'

'Vandaag is het te laat. Ik zal sigaren in de fabriek gaan halen. Morgenochtend ga ik naar het Nacional. Ik hoop dat er een andere *seguroso* bij het zwembad staat. Nu ga ik de kreeft koken en daarna gaan we plezier maken.'

Malko ging aan tafel zitten en schreef enkele woorden op. Hij legde uit dat hij een schuilplaats had gevonden, zonder te zeggen waar. Fedora zou het begrijpen. Ook vroeg hij haar de volgende dag haar haar niet in een knot, maar los te dragen wanneer de Russen inderdaad bereid waren hem het land uit te helpen.

Evgueni Tifonov was bij Fedora aan de rand van het zwembad gaan liggen en wachtte tot het tijd was om te lunchen. Hij week niet van haar zijde. Ze zaten te praten toen Fedora een jong, heel sexy meisje met een kistje in haar hand van stoel tot stoel zag gaan. Toen ze bij hen was, herkende ze haar: het was het meisje dat ze vanaf het strand Tarara mee naar de stad hadden genomen. Ze sprak Evgueni Tifonov in het Spaans aan en bood hem in papier gewikkelde sigaren aan. De Rus glimlachte en zei tegen Fedora: 'Hier stelen ze dertig procent van de productie. Op de ambassade krijg ik ze ook, in de originele kistjes. *No, gracias*,' zei hij tegen het meisje.

Ze keek teleurgesteld, maar toch liet ze een sigaar in de tas van Fedora vallen, voordat ze verder liep.

Gedurende een fractie van een seconde kruiste haar blik die van Fedora en die las er een zwijgende boodschap in. Vreemd. Vrouwen vielen anders nooit op haar.

'Zullen we gaan?' stelde Evgueni Tifonov voor. Als ze vroeg gingen lunchen, kon hij nog met haar tussen de lakens duiken voordat hij terug naar de ambassade moest. In haar roze badpak zag ze er likkenbaardend lekker uit.

Fedora zuchtte: 'Nog even, ik zit hier goed.'

Teleurgesteld haalde de Rus de sigaar uit haar tas. Dan had hij tenminste iets te doen. Hij wilde hem aansteken, toen hem opviel dat het schutvel iets had losgelaten. Hij zei: 'Maar goed dat ik ze niet heb gekocht. Het is inferieure kwaliteit. Kijk maar.'

Fedora Kulak keek ongeïnteresseerd naar de sigaar. Toen ze tussen de tabaksbladen een minuscuul wit streepje zag, begreep ze meteen waarom het Cubaanse meisje haar zo had aangekeken. 'Geef die sigaar hier,' zei ze.

Verbaasd deed Evgueni Tifonov wat ze vroeg. Fedora stak haar nagel onder het tabaksblad en meteen schoot haar hartslag omhoog. Tussen het eerste en tweede tabaksblad zat een piepklein stukje papier. Zonder er verder op in te gaan, gooide ze de sigaar in haar tas en stond op. 'Je hebt gelijk, laten we maar gaan eten. Maar ik moet me eerst omkleden.'

Evgueni dacht al niet meer aan de sigaar. Ze liepen naar zijn auto en reden terug naar het Havana Libre. In de lift begon hij Fedora te betasten. Uit voorzorg tegen eventuele camera's ging ze met haar tas naar de badkamer.

Toen ze terugkwam, lag Evgueni Tifonov spiernaakt op haar bed zich langzaam te bevredigen. Fedora was zo blij, dat ze naast hem ging liggen en hem bevredigde zoals hij zijn leven lang nog niet was bevredigd, met haar gedachten geheel bij Malko.

Evgueni Tifonov werd binnengelaten bij Lee Dickson, met wie hij een uur geleden een onderhoud had aangevraagd om enkele visa voor Russen te bespreken. De twee mannen spraken elkaar regelmatig, dus hun ontmoeting zou de Cubanen niet alarmeren. Lee Dickson schakelde een ultrasone voorziening in om eventuele microfoons te neutraliseren, waarna hij vroeg: 'Hebt u nieuws?'

'Ja. Hij leeft nog.'

Hij gaf hem Malko's bericht.

Het districtshoofd van de CIA las en herlas het. Toen keek hij op. 'Weten ze waar hij is?'

'Nee. Een sigarenverkoopster heeft het ons gegeven. We weten niets over haar. Morgen past Fedora Kulak haar uiterlijk aan om haar te laten weten dat we het bericht hebben ontvangen en alles klaarstaat om hem het land uit te helpen.'

Malko had zijn vierde nacht bij Dalia doorgebracht. Elke dag verliep op dezelfde manier: lezen, nadenken, naar de radio luisteren en 's avonds zijn 'huisbazin' in natura betalen.

Dalia was onverzadigbaar en dolblij dat ze elke dag kreeft kon eten en vierentwintig uur per dag een man bij de hand had.

De sleutel draaide in het slot. Dalia kwam in een juichstemming binnen: de blonde vrouw had haar haar los gedragen!

Malko omhelsde haar. Er was contact gelegd en de CIA had hem niet in de steek gelaten. Nu moesten ze de plannen verder uitwerken, en dat was veel moeilijker. Elke keer wanneer hij Dalia naar het Nacional stuurde, nam hij een risico. Toen dacht hij aan de Russische kruidenier waarover Fedora had verteld.

'Breng een kistje sigaren naar de Russische ambassade,' zei hij tegen Dalia. 'Zeg tegen de wacht dat ze door de eerste raadsman, Evgueni Tifonov, zijn besteld. Zorg ervoor dat hij je binnenlaat.'

'Als je Russische vriend me niet laat wegsturen, zal dat wel lukken.'

Hij legde haar vervolgens uit wat ze moest zeggen.

Isabel Jovellar begon er genoeg van te krijgen elke dag bij het zwembad van het Nacional in de zon te moeten liggen. Om te beginnen vond ze haar huid al donker genoeg. Bovendien had het niets opgeleverd. Die Russin leek de volmaakte geliefde van een diplomaat van de Russische ambassade te spelen. Ze had nog niets gevonden om haar in verband te brengen met de Amerikaanse spion. De andere agenten hadden ook niets ontdekt.

Haar geliefde, generaal Cienfuegos, had zojuist de felicitaties van Fidel Castro in ontvangst mogen nemen. Stralend liet hij haar binnen. De processen waren goed begonnen. De vijf overlevende verdachten hadden allemaal volledige bekentenissen ondertekend. Ze konden het wel zonder de Amerikaanse spion af... Tijdens het proces waren verscheidene demonstraties voor het gebouw ter behartiging van de Amerikaanse belangen voorzien.

'Schatje,' zei de generaal terwijl hij zijn hand onder de jurk van Isabel liet glijden, 'ik denk dat je als beloning voor je werk wel een nieuwe Lada hebt verdiend. Ik heb nog maar één handtekening nodig.'

De negerin was dolblij. Een Lada! Dat was al jaren haar droom. Toen de generaal haar ogen zag, besloot hij meteen van het moment gebruik te maken. Hij trok haar jurk omhoog en zette haar, zonder zelfs haar slipje uit te trekken, op zijn schoot. Hij drong tot diep in haar buik binnen. Isabel Jovellar sloot haar ogen van genot en dacht aan haar gloednieuwe Lada.

'Er vraagt een meisje naar u bij de ingang,' zei de Russische soldaat die op wacht stond in de 'controletoren' tegen Evgueni Tifonov. 'Ze schijnt sigaren voor u te hebben. Zal ik haar binnenlaten?'

De eerste raadsman aarzelde geen moment. 'Ja, ik kom eraan.'

Toen hij uit de lift kwam, wachtte het meisje al in de hal op hem. Het was het meisje uit het Nacional, met twee kistjes sigaren in haar hand. Hij liet haar meteen een kleine salon binnen, waarna de Cubaanse met een zachte stem zei: 'Ik heb een boodschap voor Evgueni Tifonov. Bent u dat?'

'Ja.'

Hij sprak uitstekend Spaans en het kostte hem geen enkele moeite met haar te praten. Een kwartier later was alles rond. Zodra de Russische ambassade een vlucht had geboekt, zouden het ticket, het paspoort en de kleding van een Russische diplomaat samen met een fles haarverf in een doos aan een oude Russin worden gegeven, Galina Lissenko, die elke dag in de Russische kruidenierszaak haar *vatroesjka's* kwam verkopen. Zij zou de doos aan Dalia geven in ruil voor een kistje sigaren.

De voorbereidingen zouden ongeveer achtenveertig uur in beslag nemen. De te volgen methode was eenvoudig: Dalia Sánchez zou elke dag met sigaren terug naar het Nacional gaan. Wanneer alles klaarstond, zou Fedora haar naar zich toe roepen om te vragen of ze Cohiba's had.

'Mooi zo,' zei de jonge Cubaanse. 'Tot ziens.'

Met een schuine blik bekeek Evgueni Tifonov de kleine seksbom toen ze wegliep. 'Je mag me sigaren komen brengen wanneer je maar wilt,' riep hij haar na. Na het vertrek van Fedora Kulak zou deze Cubaanse een goede opvolgster kunnen zijn...

Zoals gewoonlijk rookte generaal Cienfuegos een Cohiba nadat hij van zijn maîtresse had genoten. Hij zat in zijn leren stoel en bekeek vol bewondering de benen van Isabel Jovellar. Die maakte gebruik van het goede humeur van haar minnaar door te zeggen: 'Schatje, ik heb nu wel lang genoeg bij het zwembad van het Nacional gezeten. De mannen denken dat ik een *jinetería* ben. Sommigen hebben me zelfs geld aangeboden.'

'Hoeveel?' vroeg generaal Cienfuegos opgewonden.

'Veel. Maar ik heb al genoeg.'

'Luister,' zei hij, 'hou het nog een paar dagen vol. Ik weet zeker dat die spion nog in Cuba is. Is je echt niets opgevallen?'

Isabel Jovellar wilde al 'nee' zeggen, toen ze dacht aan de clandestiene sigarenverkoopster die enkele woorden met haar doelwit had gewisseld. De kans was bijna honderd procent dat het niets te betekenen had. Toch verweet ze zichzelf dat ze niet beter had opgelet. Ze hadden met geduchte tegenstanders te maken. 'Je hebt gelijk,' zei ze ten slotte. 'Ik blijf nog even. Als jij maar voor een Lada zorgt.'

22

De vorige avond had Galina Lissenko de doos met de voor de reis benodigde materialen gekregen. Het had iets langer geduurd dan verwacht om, zonder de aandacht te trekken, een boeking te maken op de vlucht Havana-Moskou.

Lee Dickson telde de uren al af, teleurgesteld dat hij geen actievere rol in de vlucht van Malko kon spelen. Het paspoort dat hij zou gebruiken, stond op naam van een Russische officier van de ambassade die op het moment in het buitenland was. Toch hoopte de SVR dat de Cubanen nooit zouden ontdekken hoe ze bij de neus waren genomen. President Poetin had persoonlijk zijn toestemming voor de operatie gegeven, dus niemand hoefde ergens bang voor te zijn. De risico's waren minimaal: bij de controle op het vliegveld werd niet gekeken of de houder van een diplomatiek paspoort al was vertrokken.

Voor het Kremlin kon het zinvol zijn om de Amerikanen een kleine dienst te bewijzen en die schofterige Cubanen waren hun twaalf miljard dollar schuldig, die ze waarschijnlijk nooit meer zouden terugzien.

Malko had aan zijn briefje nog een PS over Dalia Sánchez toegevoegd. Lee Dickson had haar naam opgezocht op de lijst van vijfhonderdduizend Cubanen die wilden emigreren en had haar een van de visa laten 'winnen'. Om de aandacht van de Cubaanse geheime dienst niet te trekken, had hij met Evgueni Tifonov afgesproken dat ze eerst naar Moskou zou reizen, waar haar visum op de Amerikaanse ambassade klaar zou liggen.

Zodra Malko was vertrokken, zou Fedora naar Toronto vliegen en Lee Dickson naar Miami en vervolgens Washington, om Porter Goss uit te leggen hoe hij zich door de Cubanen had laten beetnemen.

Een weinig prettig vooruitzicht. Zijn verdere carrière kon hij wel vergeten.

Nadat Dalia Sánchez de bewaker die rechts van de ingang in zijn wachthokje zat, twintig peso had gegeven, ging ze de in de zon bakkende toeristen langs om sigaren te verkopen. Ze zorgde ervoor niet bij de Russin te beginnen, die nu alleen lag. Weer viel haar de knappe negerin op en ze zei bij zichzelf dat ze vast een *jinetería* of een *puta militante* was. Vanuit haar ooghoek zag ze plotseling dat de blonde vrouw haar hand naar haar opstak. Ze liep naar haar toe.

'Heb je Cohiba's?' vroeg de Russin hardop.

'Nee, señora,' antwoordde Dalia. 'Morgenochtend.'

Meteen ging ze verder met haar ronde.

Fedora wilde net haar zonnebril opzetten, toen ze zag dat de grote negerin opstond, kalm haar handdoek pakte en naar de uitgang liep. Ze keek haar na en besefte dat het meisje, sinds ze bij het zwembad lag, geen woord met iemand had gewisseld. En meestal was ze een van de laatsten die vertrok.

Dat beviel haar niets. Op haar beurt stond ze op en zag dat de negerin, die zich intussen had aangekleed, door de uitgang van het Nacional liep. De sigarenverkoopster had haar ronde nog niet beëindigd. Fedora Kulak voelde aan dat er iets mis was. Ze wist dat Dalia nu naar de Russische kruidenier zou gaan. Omdat het meisje zich liftend of met collectieve taxi's door de stad verplaatste, had Fedora Kulak nog wat tijd. Ze kleedde zich snel aan en liep ook naar de uitgang, waar ze een taxi aanhield. Ze gaf de chauffeur het adres van de Russische kruidenier op. Nu zou ze er vast als eerste aankomen.

Fedora Kulak nam er de tijd voor om in de Russische kruidenierswinkel rond te kijken en zich ervan te vergewissen dat Galina Lissenko, de dikke Russin met Malko's reispakket, nog niemand had gezien. Ze liep naar buiten en hield zich iets verderop, op de hoek van Avenida A, verborgen. Daarvandaan zag ze Dalia door Calle 13 aan komen lopen.

Dertig seconden later dook de grote negerin uit het zwembad op. Ook te voet.

Fedora Kulaks hartslag schoot omhoog. Haar intuïtie had haar dus niet bedrogen: deze vrouw werkte voor de DGI en ze volgde Dalia. Wist ze al waar ze woonde, of niet? Dat ze alleen was en zonder auto, leek erop te wijzen dat ze haar voor het eerst volgde. Ze moest snel beslissen. Niemand had trouwens nog veel tijd. Het vliegtuig vertrok om tien uur.

Dalia kwam met een grote, kartonnen doos de kruidenierszaak uit. Ze liep naar Avenida A en wachtte met opgestoken hand langs de stoep. Ze ging liftend terug.

De negerin wachtte dertig meter bij haar vandaan, verborgen achter een boom. Fedora Kulak zag dat ze haar telefoon pakte en belde. Kennelijk vroeg ze om versterking... Op dat moment stopte er een oude, groene Chevrolet en Dalia stapte in. Snel stopte de negerin haar telefoon weg en rende de straat op. Ze had geluk: er stopte een collectieve taxi voor haar.

Fedora Kulak ging vervolgens midden op straat staan. Een jongeman in een Lada stopte en Fedora legde in haar steenkolen-Spaans uit dat haar vriendin in de Chevrolet vóór hen zat.

De aanblik van haar grote borsten en blonde haar nam elke wens om tegen haar in te gaan weg. Snel reed de chauffeur weg en het lukte hem de Chevrolet bij te houden. Fedora Kulak haalde opgelucht adem. De eerste stap was gezet.

Uit voorzorg liet Dalia zich op de hoek van Calle Obispo afzetten, vrij ver van haar huis. De tranen brandden in haar ogen. Ze vond het vreselijk haar *gringo*, haar *papito*, te zien vertrekken. Natuurlijk had hij haar toegezegd bijna vijfduizend dollar achter te laten en had hij haar een visum beloofd, maar daar had ze weinig vertrouwen in. Ze zou het geld bij haar tante begraven en afwachten.

Met de doos in haar handen ging ze het gebouw binnen en begon de trappen naar de achtste verdieping op te lopen.

Malko had kennelijk op de uitkijk gestaan, want hij deed al open voordat ze de sleutel had omgedraaid. Ze zette de doos op het bed. 'Alsjeblieft.'

Hij maakte de doos open en pakte de haarverf. Binnen enkele minuten zag hij er volkomen anders uit.

'Je ogen!' riep Dalia uit. 'Die moeten ook anders.'

Dat was onmogelijk. Binnen een oogwenk had Malko een grijs, slecht gesneden kostuum aangetrokken, met een beige overhemd en een schreeuwerige das. Toen bekeek hij het paspoort. De zegels voor binnenkomst en vertrek en de juiste foto zaten erin. Alles klopte. De SVR wist nog hoe het moest. Hij glimlachte toen hij het bedroefde gezicht van Dalia zag. 'Je hebt mijn leven gered,' zei hij.

'Wil je niet nog een tijdje blijven?' vroeg ze. 'We hadden het goed hier, met rum, kreeft en seks. Natuurlijk kunnen we niet naar het strand...'

'Onmogelijk,' zei Malko. 'Dat zou uitstel van executie zijn. Maar gauw zul je naar Florida kunnen gaan... Met een klein beetje geluk.'

Achter elkaar aan liepen de negerin en Fedora Kulak Calle Manrique in. Dalia Sánchez was in een vervallen, grauw gebouw verdwenen, vlak naast een kleine winkel waarvoor de mensen in de rij stonden om op vertoon van hun bonnenboekje wat te eten te halen.

De negerin ging eveneens naar binnen. Nu wist Fedora Kulak het zeker: de *segurosa* was alleen. Omdat ze niet wist waar ze naartoe zou gaan, had ze haar centrale nog niet kunnen waarschuwen. En zover mocht het niet komen ook...

Op haar beurt ging de Russin het oude gebouw in en liep de trap op. Ze haalde de negerin tussen de eerste en tweede verdieping

in. Fedora schrok hevig: de vrouw had haar telefoon al in haar
hand... Fedora gleed uit over een tree en het geluid deed de
negerin omkijken. Eerst begreep ze het niet. Toen ze Fedora
herkende, was die al bij haar. Zonder enige waarschuwing haalde de Russin uit en brak haar neus!

Het bloed spoot uit de neusgaten van Isabel Jovellar, terwijl ze
versuft van de pijn houvast zocht tegen de muur.

Fedora Kulak klemde haar linkerhand om haar nek en duwde
haar tegen de vettige muur aan. Met haar rechter trok ze een
stalen haarpen uit haar knot en stak hem, zonder te aarzelen,
in het linkeroog van Isabel Jovellar. Bijna vijftien centimeter
diep, tot ver in haar hersenen. Het lichaam van de vrouw
schokte en als Fedora haar niet bij de keel zou hebben vastge-
houden, zou ze in elkaar zijn gezakt. Haar voeten schopten
nog even tegen de muur, maar toen werd haar lichaam slap.
Fedora Kulak wilde haar op de grond laten zakken, toen ze
beneden stemmen hoorde. Er kwamen andere mensen de trap
op.

Zonder te aarzelen, trok ze het lichaam van haar slachtoffer op
haar schouders, raapte de telefoon op en liep verder naar boven.
Ze was zwaar, maar Fedora was door de Spetnatz opgeleid, en
een van de eisen was dat de leden te allen tijde in staat moesten
zijn een gewonde kameraad op hun schouders mee te nemen.
Natuurlijk lag die tijd al enkele jaren achter haar... Met opeengeklemde kaken liep ze verder, zonder precies te weten waarheen. Plotseling zag ze op de vierde verdieping een donker gat.
Ze kroop erdoorheen en kwam uit bij een tweede trap, die vrijwel geheel was verdwenen. Die daalde af naar een soort binnenplaats, die nog donkerder was.

Fedora liep naar de vermolmde reling en gooide het lichaam
over de rand. Het smakte met een doffe plof op de grond van de
binnenplaats, vier verdiepingen lager, en er steeg een afgrijselijke stank op.

Toen keerde Fedora Kulak terug naar de hoofdtrap en liep kalm

242

naar beneden. Waarom zou ze Malko storen? Het gevaar was geweken en hij mocht beslist zijn vliegtuig niet missen.
Vlak voordat ze bij haar hotel was, gooide ze de telefoon in een vuilnisbak.

Malko en Evgueni Tifonov wisselden geen woord. Tot nu toe was alles gegaan zoals voorzien. Malko was naar de Malecón gelopen, waar hij een taxi naar de Russische ambassade had genomen. Meteen nadat hij zijn valse naam had genoemd, was het hek voor hem opengegaan. De eerste raadsman had hem met een koffer in zijn hand in de hal opgewacht. Vanaf dat moment hadden ze Russisch gepraat. De diplomaat wist heel goed wie Malko was en hij had spottend opgemerkt: 'De tijden zijn veranderd...'
Daar kon Malko niets tegenin brengen. Vervolgens had de Rus hem meegenomen naar zijn Mercedes en stapte zelf achter het stuur. Toen ze de Avenida Rancho Boyeras afreden en het vliegveld José Martí in zicht kwam, waarschuwde Evgueni Tifonov Malko: 'Ik kan niet tot aan de gate met u meegaan, maar we kunnen afscheid nemen door de ramen heen die op de gates uit- kijken. Dan bent u de douane al gepasseerd.'
Het vliegveld was bijna leeg. Malko checkte zich in en enkele minuten later, nadat hij de luchthavenbelasting had afgedragen, stak hij de Rus zijn hand toe. '*Do svidania*, Evgueni Alexandro- vitsj. *Spasiba. Spasiba bolsjoi*. Zeg tegen Lee Dickson dat hij het visum voor Dalia niet moet vergeten. Ze moet snel het land uit.'
Ze namen afscheid en Malko ging in de rij voor de douane staan. Toch klopte zijn hart sneller dan normaal.

Generaal Cienfuegos was verbaasd. Isabel Jovellar was niet voor hun dagelijkse 'debriefing' komen opdagen. Hij belde haar nummer, maar kreeg haar voicemail. Ze was zeker onder- weg op haar Suzuki en kon niet opnemen.

Om zijn ongedurigheid te verjagen, stak hij een sigaar op. Hoewel hij meerdere keren per week de liefde met Isabel Jovellar bedreef, kon hij geen genoeg van haar krijgen.

Om zijn gedachten af te leiden, dacht hij aan de voortvluchtige spion. Ach, hij hoefde toch niet roomser dan de paus te zijn. Wanneer *El Comandante* zei dat hij dood was, wás hij dood. Een laatste keer probeerde hij nog de telefoon van de *segurosa* te bellen, maar besloot toen teleurgesteld naar huis te gaan.

Malko keek om en zag boven zich een grote, glazen wand die uitkeek op de ruimte met de gates. Evgueni Tifonov stond aan de andere kant en stak zijn hand op. Malko deed hetzelfde. Ze hadden zijn Russische paspoort zonder enige aarzeling afgestempeld. De Russen waren tenslotte goede, oude vrienden... Hij liep naar de gate. De passagiers konden al bijna instappen. Hij onderdrukte de aandrang Fedora te bellen, want daarmee zou hij haar alleen maar ernstig in gevaar kunnen brengen. Ze zouden elkaar nog weleens ontmoeten. Er werd omgeroepen: 'Vlucht 342 van Aeroflot met bestemming Moskou.'

Hij was een van de eersten die aan boord ging en hij nam plaats in de eerste klas. Nooit was hij zo blij geweest Russisch te horen praten. Toen de Airbus opsteeg, keek hij nog een laatste keer naar de lichtjes van Havana en hij vroeg zich af hoe lang de laatste stuiptrekkingen van deze tropische dictatuur, die door een goed geoliede, totalitaire machinerie in het zadel werd gehouden, nog zouden duren.

Hopelijk zou Dalia het redden.

Alexandra, in paardrijkleding, legde de post op Malko's bureau in de bibliotheek. Het was een prachtige meimaand en in de zon zag het kasteel in Liezen er als nieuw uit. 'Hier, een van die sletjes van je heeft het lef je hier te schrijven!'

Ze liep weg, driftig met haar hakken op de grond tikkend. Malko pakte de briefkaart, waarop de skyline van Miami te zien was. Er stond geen tekst achterop, alleen de afdruk van een grote, ròde mond en drie woorden: *HASTA LUEGO, PAPITO*.

Ian Fleming

Casino Royale

Maak kennis met James Bond: charmant, beschaafd, aantrekkelijk, kil, meedogenloos en dodelijk.

In dit eerste verhaal van Ian Fleming over geheim agent 007 krijgt Bond de opdracht een levensgevaarlijke, hoog spel spelende Russische spion bijgenaamd Le Chiffre, onschadelijk te maken door hem aan de baccarattafel te ruïneren en zo zijn Sovjetbazen te dwingen hem 'met pensioen te sturen'. Kennelijk heeft Bond bij vrouwe Fortuna een streepje voor, want Le Chiffre is aan de verliezende hand. Maar sommige mensen weigeren volgens de regels te spelen, en Bonds aandacht voor een mooie spionne leidt tot een ramp en een onverwachte redder.

***

'Vlot geschreven, intrigerend verhaal, waarin Fleming voor de nodige onvoorziene ontwikkelingen zorgt, daarmee het bewijs van zijn inventiviteit leverend.' – *NBD*

***

ISBN 90 461 1238 1

Lees ook van A.W. Bruna Uitgevers B.V.

Frank W. Abagnale

Catch Me If You Can

Hij doet zich voor als arts, hoogleraar, advocaat en piloot, en niemand twijfelt eraan. Maar intussen licht Frank, amper twintig jaar, iedereen op, en verdwijnt weer zonder een spoor achter te laten. Tot de politie een internationale klopjacht opent…

Catch Me If You Can is het bizarre, ongelooflijke, maar waar gebeurde verhaal van Frank Abagnale, een valsmunter en meesteroplichter die voor miljoenen dollars aan valse cheques uitschreef en het geld vervolgens weer even gemakkelijk uitgaf.

Op zinderende wijze verfilmd met Leonardo DiCaprio en Tom Hanks in de hoofdrollen.

ISBN 90 461 1149 0

Lees ook van A.W. Bruna Uitgevers B.V.

John Sandford

Onder schot

In de haven van Duluth wordt het lichaam aangetroffen van een Russische man. De FBI en de plaatselijke politie tasten in het duister, maar al gauw komt er hulp uit Rusland in de persoon van de Russische agente Nadya Kalin. Om alles in goede banen te leiden, wordt Lucas Davenport gevraagd Nadya te helpen met haar onderzoek. Hij vermoedt dat er een politiek kat-en-muisspel wordt gespeeld en vertrouwt de mooie Nadya voor geen cent. Dan wordt kort daarop opnieuw een moord gepleegd, nu op een onschuldige zwerfster…

***

'Sandford is een gelikt verteller. Zijn dialogen zijn geloofwaardig, zijn verteltempo is mooi gelijkmatig en hoog.'
– Elvin Post in *Algemeen Dagblad*

***

ISBN 90 461 1250 2